神 義一
Yoshikazu Jin
グローブス株式会社 代表取締役社長

須田英太郎
Eitaro Suda
scheme verge株式会社 Co-Founder
Chief Business Development Officer

高橋俊宏
Toshihiro Takahashi
株式会社ディスカバー・ジャパン代表取締役社長
Discover Japan統括編集長

西山浩平
Kohei Nishiyama
株式会社CUUSOO SYSTEM 代表取締役社長

橋本麻里
Mari Hashimoto
益財団法人小田原文化財団
開館準備室長

福武英
ıtake
セホールディングス 取締役
福武財団 理事長

藤本壮
壮介建築設計事務所 代表

松田哲
uda
ィングス株式会社
長兼CEO

松田敏之
Toshiyuki Matsuda
両備ホールディングス株式会社 代表取締役社長

御立尚資
Takashi Mitachi
ボストン・コンサルティング・グループ 元日本代表
京都大学 経営管理大学院 特別教授
株式会社熟と燗 代表取締役会長

倉敷篇ゲスト

田中 仁
Hitoshi Tanaka
株式会社ジンズホールディングス
代表取締役CEO

米田 肇
Hajime Yoneda
HAJIME オーナーシェフ

長坂 常
Jo Nagasaka
建築家/スキーマ建築計画 代表

角南 篤
Atsushi Sunami
公益財団法人笹川平和財団 理事長

坂本大祐
Daisuke Sakamoto
デザイナー/合同会社オフィスキャンプ 代表社員

目次

海洋

スーパーローカル

いろは

プレゼンテーション

総括

イントロダクション

毒と薬　原 研哉

毒と薬

原 研哉

デザイナー
日本デザインセンター 代表

第三回瀬戸内デザイン会議のテーマは「地域開発の毒と薬」。今回は倉敷美観地区をどのように未来に継承していくのかを具体的に議論していきたいと考えています。

毒と薬とは割と月並みな言葉ですが、「毒は薬で、薬は毒だ」なんて話をしたいわけではありません。単純に「毒は毒、薬は薬」といったように、街づくりにおける害になるものと益になるものを、皆さんと一緒に考えていきたいと思います。まずは参考までに、色々なものを題材に毒と薬について考えてみましょう。

・テクノロジー

産業革命以降、急速に発達したテクノロジーは僕らの暮らしを快適なものにしました。一方で、例えば旅先で電話が繋がらないというコミュニケーションの断絶が、時にポジティブに働く場合もあります。はたしてテクノロジーは、僕たち人間の幸福の本質に寄与しているのでしょうか。

・伝統

日本の四季に恵まれて変化に富む気候や風土、歴史によって育まれてきた、様々な産業や文化の伝統は素晴らしいものではあるけれど、時に物事の発展や進化、新しい文化の醸成の足枷になることもあります。

・インバウンド（訪日観光客）

観光産業にとって、訪日観光客は毒なのか薬なのか。彼らが日本にお金を落としてくれる一方で、京都や鎌倉などの観光地では、公共交通機関の混雑や交通渋滞、騒音やゴミのポイ捨て、私有地への無断侵入、自然環境の破壊など、オーバーツーリズムの問題も起きています。

・賑わい
廃れた街が人の賑わいによって生き生きすることもあれば、時に賑わい過ぎることで街の格調を下げる毒になることもあります。

・シャッター商店街
昔賑わっていた商店街が廃れて、その通りに構えていたお店が軒並み閉業し、シャッターだらけの風景になってしまう。一見、地方の社会問題と思いきや、実はシャッター商店街の人たちの暮らしは豊かで、当事者たちは意外と困っていなかったりするなど、非常に複雑な事情があります。シャッター商店街を活性すれば街の人々が幸せになるかと言えば、そんな単純な話でもなさそうです。

・eコマース
小売ビジネスの在り方がどんどん変わり、実店舗をわざわざ訪れなくてもモノが買える時代になりました。それに伴って物流産業における人手不足やコスト高騰などの課題も見えてきました。

・コンサルタント

彼らの多くが都市から地域にやってきて跳梁跋扈（ちょうりょうばっこ）するわけですが、そんな都市型のコンサルティングが地域開発において毒なのか薬なのかもよく考えていかないといけません。

・文化人

地域に有名人や文化人がよく出入りするようになりましたけれど、彼らは薬なのか、毒なのか。

・建築家

今回の会議にも藤本壮介さんと長坂常さんに参加いただいています。建築家は薬のように思いますが、建築そのものが地域にどんな役割を果たすのかについても皆さんと考えていきたいです。

・デザイナー

私もデザイナーですが、はたして地域開発にデザイナーは必要なのでしょうか。デザインは地域を興す有効な手段のひとつになり得るのでしょうか。

・アート
アートは毒なのか薬なのか。大成功している瀬戸内国際芸術祭を支援されている福武英明さんがいる前で中々言いづらいのですが、瀬戸内海のど真ん中で鑑賞するアートが毒なのか薬なのかについても冷静に考えていきたいと思います。

・コンビニエンス・ストア
正直に言って、コンビニは必要ですよね。とても便利で、現代を生きる僕らにとって今やなくてはならない存在です。しかし、至る所にコンビニが蔓延(はびこ)った結果、便利さの代償として何を失ったのか、どんな暮らしをつくっていくのかについても考えてみる必要があるでしょう。

・イオンモール
イオンはコンビニがそのまま大きくなったようなものです。イオンの関係者には申し訳ありませんが、僕はイオンが日本の暮らしを壊し始めたのではないかとすら思っている節もあり……すみません(笑)。

・スターバックス
出先で気軽にコーヒーを飲むならスターバックスといった定番になっていますが、こんなにもスターバックスが沢山できてしまった状況についてどういうことなのかを考えてみてもいいでしょう。

・ユニクロ
僕もユニクロの服を買うし、着ることもあります。国民着とも言えるくらいに日本では普及していますが、そんなユニクロという存在について考えてみてもいいでしょう。

・無印良品
このブランドも日本各地に出店し、近年では中山間地域での移動販売や生産者との連携など、地域社会へ根ざした取り組みをしています。そんな無印良品は地域にとって薬なのでしょうか、あるいは毒になるのでしょうか。

・中川政七商店
日本の生産物をきちっと守っていくといった企業のヴィジョンは素晴らしい

けれども、全てあのテイストでまとめられてしまうのもどうなのかという気持ちもあります。

・蔦屋書店
今や紀伊國屋書店を抜いて日本の書店ナンバーワンになりました。しかし、この蔦屋書店ははたして書店としてどんな存在意義を持っているのかも精査していかなければいけません。

・エルメス
世界的なファッションブランドで、その店舗は都市部にあります。そんなエルメスが地域に出店した場合、その地域にどんな影響をもたらすでしょうか。

・マルシェ（市場）
近年、地域のマルシェが注目されています。一方で、昔からある市場は味わい深いと思いますが、それを模したもどきマルシェも沢山できてきて、何となく気持ち悪いなと思うことがあります。マルシェとは一体何なのでしょうか。

・インターネット

このテクノロジーは僕らの生活を快適にするし、インターネットによって地域は都市に負けない発信力を持つことができます。話のスケールが大き過ぎて、毒か薬かといった話にはなりづらいと思いますが、この視点も持ち合わせて議論していきたいです。

・いいね！ボタン

いいね！はSNSにおけるコンテンツへの支持を表現するアクションですが、僕は社会の毒になっているように思います。いいね！が世の中に登場したことで、「いいね！が多いなら、その意見は良いに決まっているじゃないか」という、僕らの価値基準を狂わせているような気がするのです。

・リモートワーク

コロナ禍を機に日本でも普及せざるを得なくなった在宅勤務ですが、徐々にメリットとデメリットが見えてきました。コロナ禍が落ち着き始めた現在、リモートワークを継続する会社もあれば、旧来の出社前提の勤務スタイルに戻した会社もあります。

・星のや、もしくはハイアット、アマン
地域の観光産業において、高級リゾートホテルは毒なのか薬なのか。

・ミシュラン
星一つや星三つを与えられることは勿論、あまり有名ではないお店がミシュランガイドに掲載されることで、いきなり世界中からお客さんが訪れる店になります。これが毒なのか薬なのか。

・投資家
ホテルやお店に出資してくれる投資家は毒なのか薬なのか。そもそも投資とは一体何なのか。

・補助金
これも投資同様に結構議論しがいがあると思います。

・高齢者、もしくは若者
彼らは互いにとって毒でしかないのか、薬になり得るのか。

・神原勝成

固有名詞が出てくるあたりが内輪の会議ならではですが、「ガンツウ」や「ＬＯＧ」をつくった神原さんは瀬戸内にとって、はたして毒なのか薬なのか。

・両備ホールディングス

松田敏之さんが経営する両備は、交通インフラから街の再開発までも担う瀬戸内エリアにおける巨大企業です。そんな両備は瀬戸内にとって毒なのか薬なのか。

・梅原 真

現在パリに滞在中の梅原さんは、今回の会議はリモートで参加します。梅原真は、言ってしまえば地域にとって薬の塊ですが、そんな薬も服用し過ぎるとやばくなるかもしれません（笑）。

・橋本麻里

この方も本当によく効く薬だと僕は思っています。

・美観地区
岡山に美観地区はないけれど、倉敷に行くと美観地区があり、本籍が倉敷で岡山育ちの僕としてはずっと微妙な気持ちでした。そんな美観地区と指定されるエリアは地域にとって毒なのか薬なのか。あるいは、美観地区に指定されること自体が毒なのか薬なのか。これが今回の大きなテーマになります。

・美術館
第三回瀬戸内デザイン会議の会場は大原美術館新児島館（仮称）をお借りしています。そんな中で美術館が毒か薬かを議論することは中々厳しいですが、美術館が果たす役割が何なのかを今一度問い直していくことも、今回のテーマを議論する上で重要な鍵になるでしょう。

このように何を放り込んでみても、物事には毒と薬といった両面があることがわかります。そんな単純な構造ですが、今回はこの倉敷という素晴らしい場所がはたしてどんな薬になり得ているのか、あるいはどんな毒をはらんでいるのかについて議論していきたいと思っています。最終的には皆さんに、倉敷美観地区、あるいは倉敷の毒と薬が何なのかを発表していただきます。

それでは、第三回瀬戸内デザイン会議を開催します。

この本の見方

二〇二三年一月六〜八日

第三回 瀬戸内デザイン会議

議題 倉敷の毒と薬について考える

参加者をチーム分けする

チームA 黒川周子＋福武英明＋橋本麻里＋伊藤東凌＋神 義一＋西山浩平＋原 研哉

チームB 青井 茂＋御立尚資＋高橋俊宏＋小島レイリ＋須田英太郎＋神原勝成

チームC 青木 優＋桑村祐子＋藤本壮介＋松田哲也＋松田敏之＋石川康晴

倉敷五人衆 稲垣年彦＋秋葉優一＋小野新太郎＋藤田文香＋中村律子

ゲストを交えたワークショップ

イントロダクション

歴史｜オリエンテーション：橋本麻里

倉敷｜オリエンテーション：大原あかね＋御立尚資

倉敷美観地区視察｜フィールドワーク

起業家―セッション
ゲスト：田中 仁

食―セッション
ゲスト：米田 肇

建築家―セッション
ゲスト：長坂 常

海島のその後―報告：石川康晴／神原勝成／原 研哉＋松田敏之＋藤本壮介

海洋―セッション
ゲスト：角南 篤

スーパーローカル―セッション
ゲスト：坂本大祐、梅原真

蔵宿いろはのその後―報告：松田哲也

各チームのプレゼンテーション
チームA 発表
チームB 発表
チームC 発表
倉敷五人衆 発表

総括

歴史

オリエンテーション　倉敷の手引き　橋本麻里

倉敷の手引き

橋本麻里

ライター
公益財団法人小田原文化財団
甘橋山美術館 開館準備室長

全国各地にあった倉敷

そもそも「倉敷」とは、この土地固有の名前ではありません。倉敷とは、倉敷地あるいは倉所、倉町とも呼ばれた、かつては日本各地にあった施設の名称です。

古代律令制の基本だった公地公民の制度が崩れ、奈良時代末期から私的な土地所有が認められるようになると、貴族や寺社、上級武士たちによる大土地所有（荘園）が進みました。そうした荘園での生産物は、税として納めたり販売されたりしますが、それらを一旦集積して保管するための倉を置いた場所が倉敷です。

例えば後白河院（のちの高野山）を本家とする備後国太田荘の倉敷は、尾道にありました。瀬戸内デザイン会議でもたびたび登場する尾道のはじまりは、まさに倉敷を担う港湾都市として築かれた地だったのです。あるいは厳島神社領安芸国志道原荘の倉敷は伊福郷（現・広島市）、厳島神社領安芸国壬生荘の倉敷は桑原郷（現・広島市）、東福寺領周防国上得地保の倉敷は伊佐江（山口県防府市）。いずれも倉敷という名は残っていませんが、倉敷地として開かれた土地でした。博多、桑名、淀、大山崎、大津、敦賀などの多くの港町も倉敷地から出発し、自治都市になるのです。

倉敷地には様々な商人たちが集まり、物流に関わるあらゆる仕事を請け負う人々が働いていました。領主権力は当然倉敷地にも及びましたが、倉敷地で働く人々の多くは領主に仕えるのではなく、自由民として暮らし、あるいは彼ら自身が小領主になっていきました。つまり倉敷地には、既存の領主権力とそこに属さない人々とが混在していたのです。そのため倉敷地では、領主の支配権は弱まる一方、住民の自治権は強まり、大坂・堺に代表されるような自治都市になっていく傾向がありました。

穴海と三本の川

第三回瀬戸内デザイン会議の舞台である倉敷は、岡山からやや西方に位置しています。岡山から電車を使って倉敷まで来られた方は多いと思いますが、車窓から見る風景には、海沿いという印象は薄かったのではないでしょうか。現在は海からは離れた位置にある倉敷は、歴史的にどんな場所だったのでしょう。

私は日本美術に関わる仕事をしていますが、岡山、倉敷、吉備国と言えば、『古今和歌集』の「神遊びの歌」に入れられた、この歌をまず思い出します。

真金（まがね）吹く吉備の中山帯にせる細谷川の音のさやけさ

歌われている「真金」には、金をメッキするための水銀（真金）と、あるいは吉備で産出する鉄という二種の解釈があります。いずれにしても金属に縁が深い場所だったのでしょう。そ

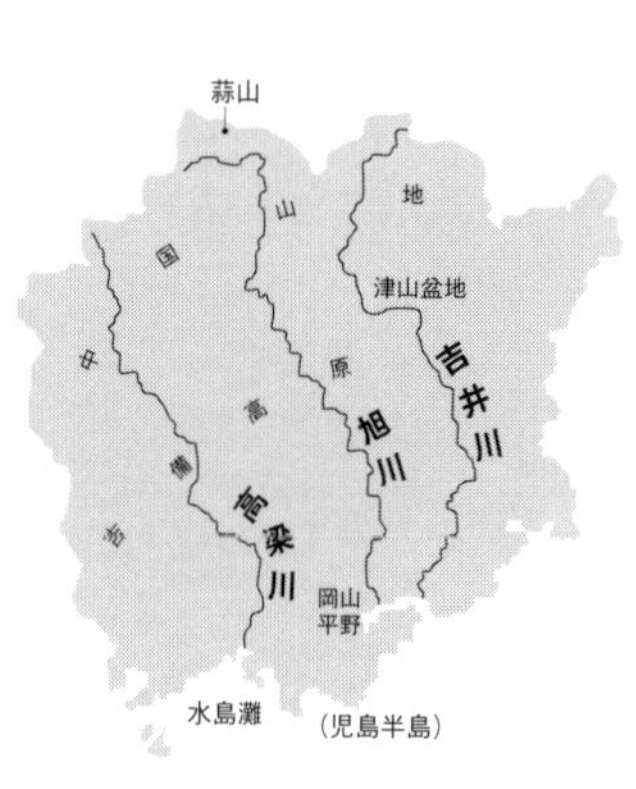

【図1：吉備に流れる三つの川】

れは同時に、古代において大きな政治権力を持った首長が吉備に存在したことを示しています。

吉備が地域としての一体感を何によって保っていたかと言えば、三つの川と穴海です。この地域を流れる高梁川、旭川、吉井川という三つの川の、岡山県内における流域面積は六五九〇平方キロメートルにも及びます［図1］。一つの都道府県内で、河川がこれほど大きな面積を占めているエリアは、北海道と岡山県だけ。この三つの川が吉備の文化や政治、経済を形づくる重要な役割を果たしてきました。

現在はその三つの川それぞれの水系に沿った地域圏が形成されていますが、かつては吉備の穴海と呼ばれる内海もありました［図2］。つまり、瀬戸内海の内側に、さらにもうひとつの内海があったのです。この「吉備の穴海」を中心に三つの川を介して人や船が行き交い、南北の地域が繋がっ

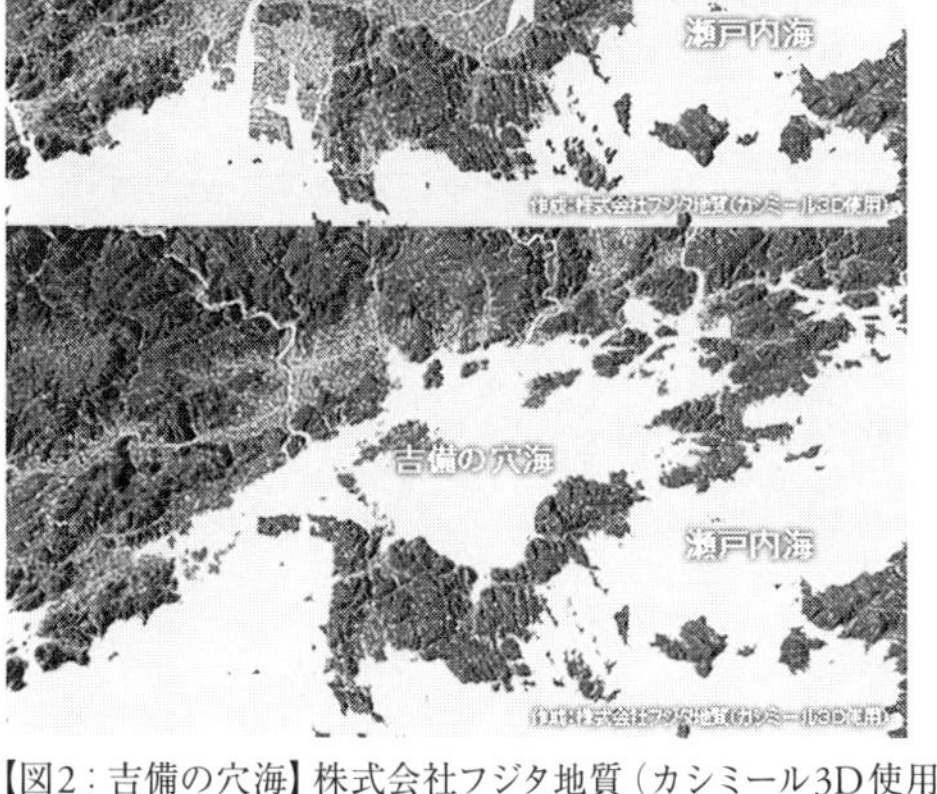

【図2：吉備の穴海】株式会社フジタ地質（カシミール3D使用）、一部改変

て、吉備に一体感をもたらしていたのです。

ところが内海は江戸時代には埋まってしまい、現在のような岡山平野が形成されました。その背景には、河川によって運ばれた土砂が堆積していったことに加え、先ほど「真金吹く吉備」の話でも触れた、砂鉄を採取するための鉄穴(かんな)流し[*1]によって埋まったと考えられています。この鉄穴流しの手法で砂鉄を採掘すると、大量の土砂が河川に流され、下流を埋めていきます。穴海が埋められることは必ずしもネガティブな側面だけではなく、例えば、新田開発のための土地ができるという、ポジティブな側面もありました。鉄穴流しに従事する人々が食べていくための米をつくる田がそこに生まれたのです。

江戸時代には人口増加に伴って、その生活を支えるための新田開発をどの藩でも行いました。既に埋まりつつあった穴海を、更に埋め立てることで岡山平野が広がり、現在見る姿に近づいていきます。一見内陸と思える場所にも、かつて倉敷地であったことを伝える名残が多数見つかります。

1――江戸時代に中国山地を主に大規模に行われていた、砂鉄の採取方法のひとつ。山の崖を崩して砂鉄を含む土砂を水路を引いて流し、水流を利用して石や砂と砂鉄を分離。精洗池を階段状に設け、比重の違いを利用して砂鉄を沈殿堆積させながら精洗度を高め、最終的に砂鉄分八〇%程度の原材料をつくり出す。

吉備の解体

吉備から北上すると伯耆国、そして出雲国があります。金属ゆかりというのであれば、出雲はヤマタノオロチの伝説が残っている通りの、鉄や刀の産地。現在もたたら製鉄という製鉄法が継承されています。出雲が鉄の産地として知られるようになった背後に、実は吉備からの技術移転があったとする仮説もあります。瀬戸内における人や物の交流というと、私たちはどうしても東西の海上交通をイメージしがちですが、実は南北の水系を利用したルートも存在していました。人や物、技術、文化は、南北間でも自由に行き交っていたのです。

また東西ルートに関して、倉敷を含む山陽エリアには古代から三つの街道が通じていました。いずれも大陸に対しての窓となっている北九州から、政治の中心地である畿内に向かうもので、出雲を通る日本海ルート、内海を通る瀬戸内ルート、四国の南側を通る太平洋ルートの三本です。時代とともに太平洋ルートは廃れ、瀬戸内ルートに絞られていきました。そんな街道のひとつとしての瀬戸内があったと考えてもいいでしょう。

七世紀頃になると大和朝廷の支配権が確立、「真金吹く」吉備に大首長が君臨した時代は終焉を迎え、その勢力は徐々に解体されていきます。

令制国［＊2］が整備されるにあたって、吉備は備前、備中、備後、さらに備前の北側六郡を解体して美作に分割されます［図3］。未だ文字によって記録が残されぬ時代、その地域すべてを吉備と呼び、全体を統治する強大な勢力があった――大和朝廷はそんな場所を、自然地形に沿う形で四つのエリアに分割したのです。ここから倉敷を含む吉備という地域の歴史が記されていきます。

棺の底に敷かれた水銀朱

もうひとつ、吉備で注目すべきは、吉備に大首長がいたことの証である巨大古墳です。先ほどから特定の名を挙げずに「大首長」と言っている理

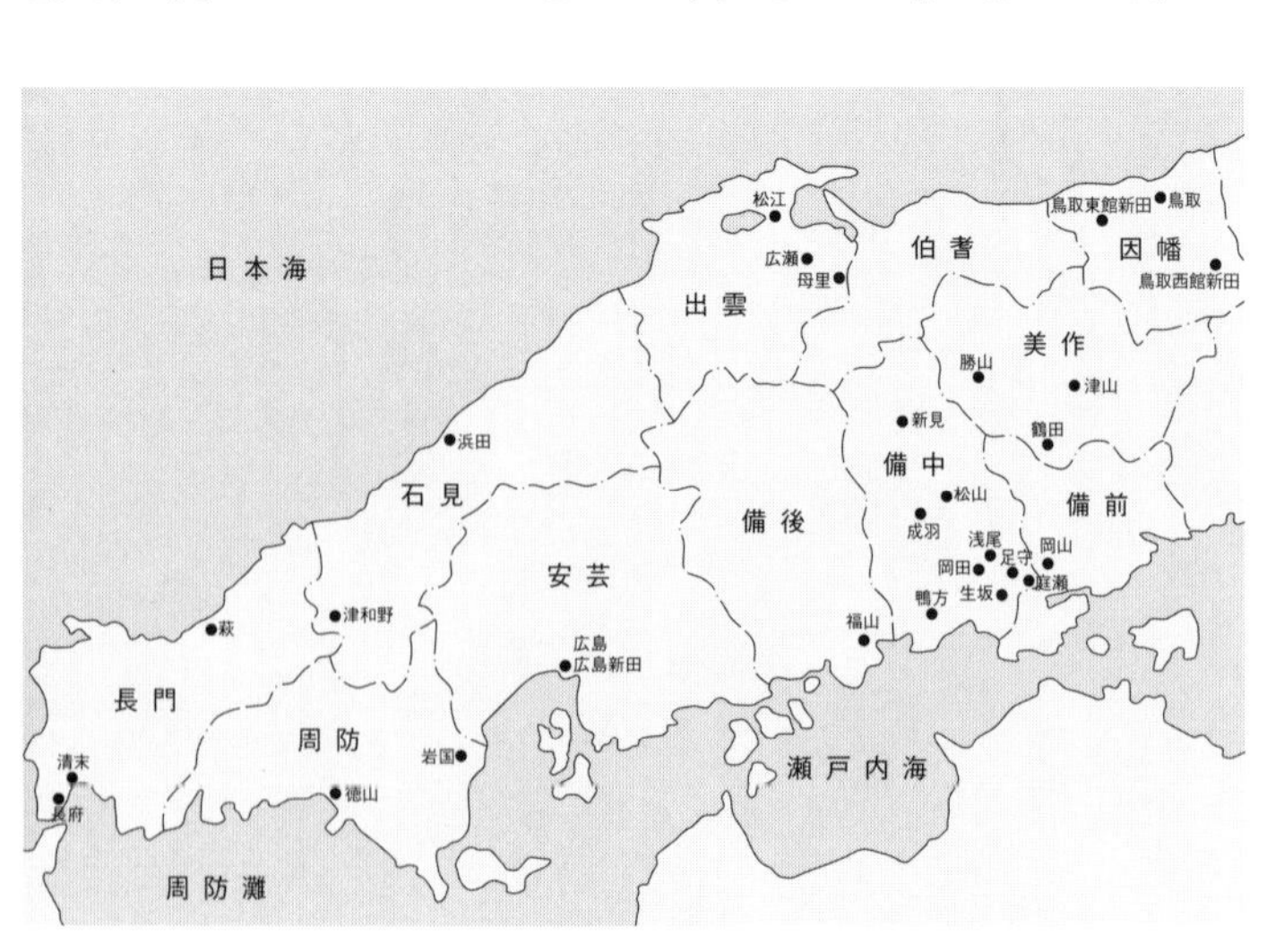

【図3：令制国がつくられた頃の吉備エリア】

由は、名前がわかっていないから。『古事記』には吉備津彦などの名が出てきますが、それはあくまで「吉備の大君」くらいの名前で、個人名ではありません。大首長がいたことは明らかなのですが、どのような人物だったのか、吉備でいかなる政治を展開していたのか、出雲や大和とどんな関係を持っていたのかなど、今なおわからないことの方が多いくらいなのです。そんな古代吉備の手掛かりをもたらしてくれるのが、倉敷にある楯築弥生墳丘墓（たてつきやよいふんきゅうぼ）、そして造山（つくりやま）古墳群です。吉備には他にも多数の古墳が残っていますが、スケール的に大きなこの二つを紹介しましょう。

　高梁川の分流としてかつて繋がっていた足守川に沿って、巨大古墳が数多く確認されている中に、楯築弥生墳丘墓もあります［図4］。二世紀後半から三世紀前半くらいの弥生時代最末期に築造された古墳で、墳墓がつくられ始めた頃の古墳になります。この後、日本は古墳時代に入っていきますが、弥生時代までは古墳ではなく、威信財としての青銅器によってその首長の力、あるいは首長に率いられた集団の文化を示していました。

【図4：足守川周辺にある古墳群】

2——古代日本の律令制に基づいて定められた地方の行政単位。

青銅器に表示される文様や大きさ、あるいはそれをどのように埋納して祭祀を行うかなど、青銅器の祀りによって弥生時代後期の文化は表象されていたわけです。弥生時代のある時期まで、銅矛、銅剣の文化圏と銅鐸の文化圏は分かれていました。そういった青銅器の祀りが終焉を迎え、巨大な墳墓を通じて首長の権力を表象する時代に入ります。

楯築弥生墳丘墓の興味深い点は、埋葬施設中心部に設置された木棺の底に、大量の水銀朱が敷き詰められていたことでしょう［図5］。木棺の外側を木の板で囲んだ、いわゆる木棺木槨（もっかく）構造で、遺体や棺がかつてあった場所に鮮やかな朱だけが残っています。朱は厚いところでは四センチ、薄いところでも一センチくらいあり、計算すると水銀朱を三二キログラムも使っていたそうです。弥生時代から古墳時代にかけて、埋葬施設から朱が見つかる例はそれなりにあるのですが、これほどの量、そして非常に高度な技術によって精製された水銀朱が見つかったのは、楯築弥生墳丘墓だけです。

この水銀をどこから持ってきたのか、どのような意図で死者とともに葬ったのか。当時の人がその経緯を書き残していないため、私たちは想像することしかできませんが、朱は血の色であることから、亡くなった人が復活するようにという願いが込められているのではないかと考える人もいます。ある

【図5：楯築弥生墳丘墓にあった棺の底に敷かれていた水銀朱】

いは服用すると不老不死になる、身が軽くなり空を飛べる、鬼神を使役し変身できる、といった超常の力を備えた神仙になるための丹薬（金に硫化水銀その他の金属、鉱物、鶏卵などが原料）が中国で盛んに研究されていたことに倣って、水銀を使用したのではないかという説もあります。とにもかくにも、他の古墳で見つかるものとは桁違いの水銀朱が敷かれていたことから、弥生時代後期において相当な力を持つ、祭祀王のような首長が存在していたことが推察されています。大和と拮抗するような大首長を中心とした地域連合が吉備を中心に成立し、政治的な自立を保ち、同時に畿内の勢力や出雲の勢力とも交流をもったのでしょう。

古墳の形とサイズからわかること

墳墓には前方後円墳や方墳、双方中円墳など多様な形状があり、同一形状の古墳がある地域同士には何らかの関係が見られることが多いとされます。あるいは同じ形状を共有しながらサイズが異なる場合も、その地域同士の関係性を示しています。例えば大和には箸墓（はしはか）古墳をはじめとする三〇〇メートル級の前方後円墳がありますが、同じ形状の古墳を大和王権に従属している地域の人々がつくる場合、その規模は半分までというルールがありました。つくれるサイズによって、その地域の首長と大和王権との関係がわかるわけです。

では、楯築弥生墳丘墓はどうか。この古墳は二世紀末、つまり大和王権成立前につくられています。そのため、大和の古墳のような前方後円墳ではありません。直径約五〇メートル、高さ五メートルの円墳から北東と南西方向に方形部が突出した、双方中円形墳丘墓です［図6］。この形状が吉備から広がり、バリエーションが沢山生まれたわけでも、主従関係によって各地に同じものがつくられていったわけでもありません。類例は僅かしか見つかっていない、ユニークな形です。

古墳時代に入ると、今度は大和の古墳の形を受け入れ、同じ前方後円墳の古墳がつくられていきます。ただし大きさは、吉備で最古の前方後円墳とされる浦間茶臼山古墳でも、いわゆる大和における最大の古墳である箸墓古墳のちょうど二分の一のサイズを守っています。

古墳時代後期となる五世紀以降になると、造山古墳で墳丘長約三六〇メートルの大きさになります。造山古墳は前方後円墳として岡山県では最大、全国でも四位の規模です。畿内は政権の中心地ですからもっと大きな古墳がつ

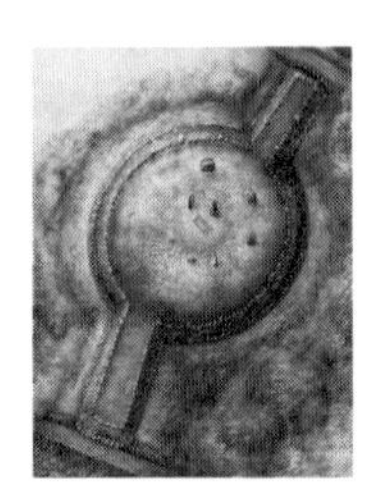

【図6：楯築弥生墳丘墓のイメージ】

くられていますが、それに次ぐサイズの古墳がつくられた地域は、他のどこでもなく吉備エリアだけ。つまり大和に次ぐような勢力がここにいたと考えられる。そんな吉備をそのままにはしておけないため、大和王権はこの地域を分割したのでしょう。

水運のハブとしての倉敷

冒頭で解説した通り、中世に入ると荘園の生産物の積み出し地として倉敷に人々が集まるようになります。倉敷という地名が文書に登場するのは、慶長年間（一五九六〜一六一五年）に入ってから。それ以前もこのエリアには港や港湾施設が置かれ、倉が建ち並んでいたことは記録されていますが、地名として何と呼ばれていたかはわかっていません。

倉敷、あるいはこのエリアにお住まいの方や歴史に詳しい方はご存知かと思いますが、連島（つらじま）と西阿知（にしあち）という島があります［図7］。

まず連島は、現在では内陸部にある土地ですが、中世では河川交通と海上交通を繋ぐ中継地点の港でした。

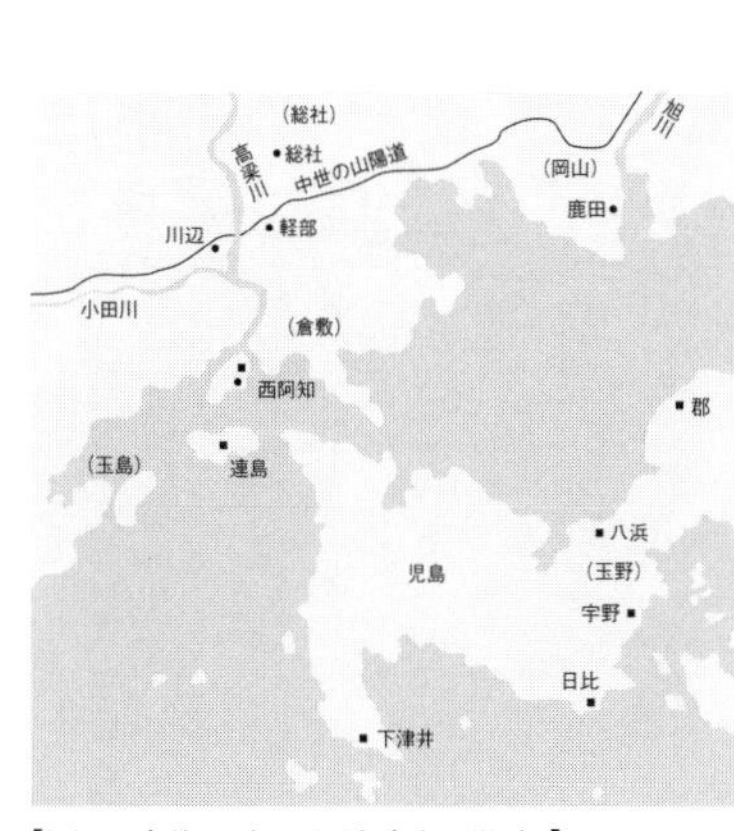

【図7：内海にあった連島と西阿知】

河川は高瀬船［＊3］が行き来し、海には各地の港に籍を置く船が集まっていました。河川交通の船と海上交通の船が荷物を載せ替える中継場所が連島だったのです。一方、西阿知は倉が建ち並び、大量の荷が集積され、宿場もある、どちらかというと商業地として人が集まる場所でした。

まだ内海が健在だった時期で、三つの川が注ぐ河口に、日替わりで市が開かれていたようです。その市場や宿場、集積地である港湾、それらを含めた商業圏が、内海を中心に中世には成立し、繁栄を謳歌していました。しかし、先にお話ししたように、近世に入ると穴海は徐々に埋まっていきます。かつて連島と西阿知が担っていた役割は、もう少し外海寄りの生島と赤崎という土地に移りましたが、近世になっても倉敷は海上交通、河川交通のハブとして機能し続けました。

やがて在地の領主たちが力をつけ、貴族や上級武士が持っていた荘園を少しずつ侵食して戦国大名となり、吉備エリアに群雄割拠します。ですが、平地が少ないため、なかなか地域全体を平らげるような大きな勢力は出てきません。それが近世初期には河川交通を押さえていた宇喜多家が領主としてこの地域を支配し、やがて江戸時代に入ると池田家が入封、津山には森家、のち松平家が、備後福山には水野家が、と幾つもの藩が割拠する道を辿ってい

3――河川や浅海を航行するための木造船で、当時の水運を担う役割。

くわけですが、このオリエンテーションの時間内では語り切れないので、次の機会に。

今回は倉敷という土地の歴史を語る際に抜きにすることはできない、穴海と三本の川から生まれた地域圏、古代から中世にかけての古墳と吉備の首長権力を中心にお話しさせていただきました。

倉敷

オリエンテーション

何でもあるだけに何もない

大原あかね＋御立尚資

何でもあるだけに何もない

大原あかね＋御立尚資

プロフィールはpp.436-451参照

コモンズとしての街

御立　地元の方々からするとにわか倉敷ファンかもしれませんが、私は現在、大原美術館の理事をさせていただいていて、この数年間は倉敷に通いながら勉強させてもらっています。この第三回瀬戸内デザイン会議では、倉敷側の立場に片足を入れつつ、会議のメンバーとしても参加させていただきます。

橋本麻里さんが歴史のオリエンテーションでこの土地の文脈となる大事なことを幾つも解説してくれました。その一つが自治都市の話でしょう。江戸時代になると、倉がある場所は殿様ではなく代官が治めていました。ある家が世襲でずっと支配するわけではなく、任期ごとに代官が代わっていくため、その土地に暮らす人々に頼らざるを得ず、一定の自治を許すことで統治を助けさせていたわけです。つまり、地元の人々がある程度の権力を持っていた。橋本さんのオリエンテーションでも自治都市の例として挙がった博多をはじめ、桑名のハマグリ、大津のもろこなど、美味しい食がある場所は自治を担う実業家がいたわけです。

実業家たちからすると、自治都市は共有のもの、いわゆるコモンズだったと言ってもいいでしょう。自分たちは領主ではないため、その土地は自分の所有物ではないけれど、その土地を使っている当事者として地域に責任を持っていた。そんな実力者たちが、きちんと自分たちでこの場所をどうしようかを議論してきたのが自治都市です。その代表がこの倉敷でした。コモンズに責任を持つ人たちがいたという史実が、倉敷の特徴だと思います。

会場となっているこの大原美術館の近くには阿知神社があります。橋本さんのオリエンテーションで解説された通り、このあたりはかつては海でした。そこで大原家を含めた市民たちが、自分たちが自治して色々と面倒みるから、このあたりを埋め立てする権利をくださいということで、今のこの場所ができあがった。埋め立ての背景にあった新田開発なども、ここを自治していた人々が行ったわけです。

ちなみに田んぼをつくるために海を埋め立てても、塩があるため、そう簡単に米が育つ土壌にはなりません。塩分の多いエリアを埋め立てた際には、まず綿を植えます。何年か経つと綿が塩を吸ってくれて、米が育つ土地に生まれ変わる。実はその綿を使って倉敷では紡績業が盛んになりました。ここにある土地と産業が自治の歴史に繋がっていたことが、実はおもしろい。

後にコモンズは倉敷周辺に広がります。橋本さんから解説があったように、このエリアは海が埋め立てられた以降も、川を中心にそれぞれの地域が盛えていました。しかし、河川の流域では人々が権利に関して喧嘩することが常です。特に農業の人たちの間で、「お前たちが勝手に水を使うと、俺たちの田んぼに使えないよ」など必ず喧嘩になります。そこで大原總一郎さんは高梁川流域連盟をつくりました。高梁川は、鳥取県との県境となる新見市のあたりから流れている長さ約一一〇キロメートルの川で、その流域となる自治体全てと協力し、皆でどうやってコモンズとしてこのエリアを自治していくのかを、總一郎さんの時代からずっと取り組んできたのです［図1］。この取り組みは、自分たちが共有で使っている土地を自治で何とかしようという歴史の上にある。今回のテーマとなる倉敷美観地区も同様です。皆で使っている場所をどうやって次の世代に残していけばいいのかという、共有物に責任を持たないといけないという大原あかねさんの問題意識にも繋がっていると思います。

ちなみに高梁川は新見市から瀬戸内海まで約一一〇キロメートルあり、水源は海抜一一八八メートルの山から流れている。ヨーロッパのドナウ川は二八六〇キロメートルあり、こちらも水源が海抜一〇七八メートルとされています[*1]。同じ海抜約一〇〇〇メートルを源泉とする川でも、長さ一〇〇キロメートルと二八〇〇キロメートルで何が違うのか。それはミネラルの量です。水は二八〇〇キロメートルも流れていると、ミネラルが豊富になり、硬水になります。一方で、一〇〇キロメートル程度では軟水のままです。それゆえに、和食の文化が醸成されていったのです。硬水では鰹節や昆布で出汁をとっても美味しくならず、牛の骨など別のやり方で出汁を取る必要がありますから。和食は日本の地形に由来しているのです。

出汁を話題に出した理由には、地形に関する解説とは別にもう一つあります。それは倉敷に対して個人的に課題だと思っていることの一つに食がある

【図1：高梁川流域連盟】

1――諸説あるが、ドナウ川の地理学上の源泉は、本流であるブレク川の最上流部フルトヴァンゲンの郊外の山間部にある「ブレクの泉」とされている。

と思うからです。勿論、倉敷にも美味しいものはあるけれど、この地域ならではの食、ここに来ないと食べられない歴史に即した食を提供してくれる場所がまだまだ少ない。例えば、三重県桑名のハマグリも、あのエリアが木曽三川［*2］の河口にあたり、川の淡水と伊勢湾の海水がぶつかって混じり合い、海底が汽水域［*3］になっているから美味しいわけです。そして、それをふるまう店が幾つもある。

毒と薬でいえば、倉敷にも都会からやってきて紫芋アイスクリームを販売するような人が沢山いて、何のためにこの街で売る必要があるのだろうかと思ってしまうこともあります。この倉敷というコモンズにおいて、アンチ領主、アンチ権力で自分たちで頑張ってきた人たちは綺麗な街並みや、美術や音楽という芸術文化などには力を入れてきたけれど、正直に言えば、食に関しては力を入れてこなかった。この食というテーマも、地域を考える上で重要なファクターですから、「食」のセッションでは米田肇さんにも登場いただけますし、議論が始まる前に皆さんの頭の中に入れておいてください。

私たちが知らないだけで、実は自分たちの文化は土地の歴史や地形によっても形成されています。今回の瀬戸内デザイン会議では、そんな土地をコモンズとして使ってきた大原家がどんな取り組みをしてきたのかをまず大原あかねさ

2――濃尾平野を流れ、伊勢湾を河口とする木曽川、長良川、揖斐川といった三つの川の総称。濃尾三川と呼ばれることもある。

3――汽水とは淡水と海水が混在した状態を指す言葉で、その汽水で構成される水域を汽水域と呼ぶ。主に、川が海に淡水を注ぎ入れる河口部や、湧き水のある海中などが汽水域にあたる。河口部の汽水域は、河川流域から窒素やリンなどの多くの栄養が流入し、その栄養分を元に植物プランクトンが増加する。その植物プランクトンを餌に動物プランクトンや貝類が増え、更にそれらを餌にする魚類なども増えるといった、生物にとって栄養豊かな場所。

んにレクチャーしていただき、その上でテーマとなる「地域開発の毒と薬」について議論していければと考えています。

抜粋、大原家ヒストリー

大原　大原家で一般的に有名なのは大原孫三郎ですけれど、孫三郎は七代目という点も私は非常に重要だと思っています［図2］。初代の忠右衛門忠則は児島郡片岡村から倉敷村に移住してきました。農家の次男だった忠則はおそらくワクワクしながら倉敷の街に出てきたのではないでしょうか。三代目となる与兵衛金基は、名前にもお金という字が付いていますが、すごく商売上手で、現在の「語らい座 大原本邸」になる大原家住宅［＊4］を建てました。そこから四代、五代と倉敷の街の人々と共に歩みながら、どんどん商売を広げていきます。また、五代と六代は養子です。大原家の特色の一つとして、ただ血を通じている者だけではなく、余所者が家に来て大原家を発展させたことも挙げられるでしょう。

初代
忠右衛門忠則
元禄期（1688-1704）に児島郡片岡村から倉敷村に移住

第二代
与兵衛忠之
通称を与兵衛とする

第三代
与兵衛金基
現在の地に居を構える

第四代
与兵衛好道
蔵米取引や実綿問屋として活躍

第五代
与兵衛清久
富豪へと成長し村政においても年寄・庄屋を務める

第六代
大原孝四郎
（1833-1910）

第七代
大原孫三郎
（1880-1943）

第八代
大原總一郎
（1909-1968）

【図2：大原家の系譜】

大原家には家訓はありませんが、強いて挙げるなら「二・三の精神」でしょう。自分が一番だと思ったらその時点で怠けてしまうため、常に二番手、三番手のつもりでトップを狙いにいくという精神です。倉敷紡績（現：クラボウ）の社章や倉敷中央病院の院章、若竹の園の園章などにも、「二・三」のモチーフは用いられています［図3］。実は大原家のお正月のお膳にも、お魚で二をつくって黒豆で三をつくるなど、二・三の精神は現在も生きています。

六代目の大原孝四郎の時代に倉敷紡績がつくられました。この会社も孝四郎がつくったというより、木村利太郎、小松原慶太郎、大橋澤三郎といった三人の若者が倉敷で紡績会社を計画し、街の人々がお金を出し、創設されました。孝四郎は初代頭取だったため、あたかも孝四郎がつくったかのように思えますが、倉敷紡績も街の人たちがつくった会社と言えるでしょう。

そして、七代目となる大原孫三郎は生涯にわたり、実業家と社会事業家として多岐に活動してきました。実業家として倉敷紡績と倉敷銀行（現：中国銀行）を継ぎ、倉敷絹織（現：クラレ）や倉敷電燈（現：中国電力）もつくっています。しかし、その目的は唯一つで、倉敷紡績をいかに発展させるかを考えてのことでした。国産レーヨンの製造販売のために倉敷絹織をつくり、倉敷の街の灯りと紡績工場を動かすのに必要な電気を供給するために、倉敷電燈をつくったわけです。

4――一九七一年には倉敷の伝統的町家「旧大原家住宅」として母屋、離れ座敷、倉八棟が国の重要文化財に指定されている。

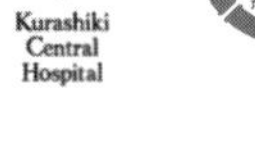

【図3：今も残る「二・三の精神」】
左から、倉敷紡績、倉敷中央病院、若竹の園、大原家のお雑煮

大原　孫三郎は倉敷に病院や農業研究所などをつくるといった社会事業も展開しています。その活動の背景には大学時代の経験がありました。有名な話ですが、孫三郎は東京専門学校（現：早稲田大学）に通っていた当時、とてつもなく遊びほうけて、現在の一億円を超える借金をつくったと言われています。億までいくと、使う方も使う方で、貸す方も貸す方だと思うのですけれど（笑）。その借金返済のため、義理のお兄さんが東京と倉敷を電車で何時間もかけて行き来してくれていました。そのお兄さんは孫三郎の姉の夫にあたり、非常に仲が良かったそうです。しかし、そのお兄さんが何度も往復しているうちに東京の駅で倒れ、そのまま亡くなってしまいます。倉敷に連れ戻された孫三郎は、自分の借金を返すために大切な兄貴分が亡くなってしまったことを非常に後悔したそうです。

そんな失意の中、日本で最初の孤児院となる岡山孤児院をつくった石井十次と出会います。一九〇六年、東北地方が冷害に見舞われた結果、大凶作で多くの農家が破産して家族が離散状態となります。その時、石井は一二〇〇人近い孤児を預かって育てたと言われています。かなり根性のある人物だったのでしょう。石井がつくった孤児院の素晴らしいところは、孤児を預かるだけでなく、将来その子が社会に出た時にきちんと生活できるように手に職をつけるような教育を実践していたことも挙げられます。

孫三郎は石井に会い、彼を支援しました。それをきっかけに、実業家としてだけでなく、社会事業家としても活動し始めるのです。その中でも特筆すべきは、社会にはお金を援助するだけでは根本的な解決にならない問題があると考え、そんな課題を解決するためのアカデミアをつくったことでしょう。孫三郎は、今で言う持続可能な社会の実現を目指していたのです。

まず、大原奨農会農業研究所（一九一四年）をつくりました。種や肥料、害虫などの研究から、品種改良や温室栽培の研究、農家の福祉向上にまで取り組んだ機関です。今では有名な岡山の白桃やマスカットもこの研究所が起源と言われています。現在も、岡山大学資源植物科学研究所として存続しています。

次に、米騒動など社会問題が深刻化する中、社会問題の調査研究を行う大原社会問題研究所（一九一九年）がつくられました。この機関も現在、法政大学大原社会問題研究所として残っています。

深夜労働や過酷な労働環境など、工場の職場環境の改善を図るためにつくられた倉敷労働科学研究所（一九二一年）もつくりました。当時、紡績業の女性工員の労働条件は劣悪で、過労による健康悪化などの問題が多発していました。そこで、労働条件や職場環境が及ぼす影響を解明し、健全な企業経営を確立させるために、この研究所がつくられたのです。ここも現在は公益財団法人大原記念労働科学研究所として存続されています。

御立　研究所ではあるけれど、決して知識をつくるだけでなく、人々を教育する役割も担っていましたよね。地域で人をつくらないといけないという明確なヴィジョンがあった。そのため、当時進んでいた西洋から絵画や書籍などの色々な最先端の情報を買って帰り、そこで得た知識や感性を農業や社会問題と掛け合わせ、新しい社会を切り拓ける人を地域で育てようとしていたのでしょう。

大原　まさにその通りです。孫三郎は西洋の絵画を集めたことでも有名ですが、実は書籍の収集にも力を入れていました。大原美術館の絵画の購入費と同じくらいの資金が、書籍収集にも費やされています。

孫三郎は第一次世界大戦と第二次世界大戦の間に、多くの若者の留学を支援していました［図4］。先述の研究所の研究員や倉敷中央病院の医者、画家たちです。当時、世界は戦争で疲弊していたため、ヨーロッパの各大学が自分たちが所有している書籍をマーケットに出していました。孫三郎は留学していた人たちにその書籍を購入してもらい、持ち帰らせていたのです。先述の研究所には当時ヨーロッパから持って帰ってきた貴重書が収蔵されています。そして、留学した研究員たちが倉敷に戻り、彼らがヨーロッパで得た知見を、より多くの人々が学べる研究所に還元したわけです。

大原家の社会事業はこのようないわゆる共産系とも言われかねない活動もあったため、第二次世界大戦の頃は大原家も色々と批判されたそうです。しかし、それでも守る価値があったから、今も残り続けているのでしょう。孫三郎がつくったものを大原家以外の人々が大事に守り続けて今も生きていることは、孫三郎の活動の大きな特色だと思います。

孫三郎から總一郎へ

大原　孫三郎は病院もつくりました。元々は当時一万人近

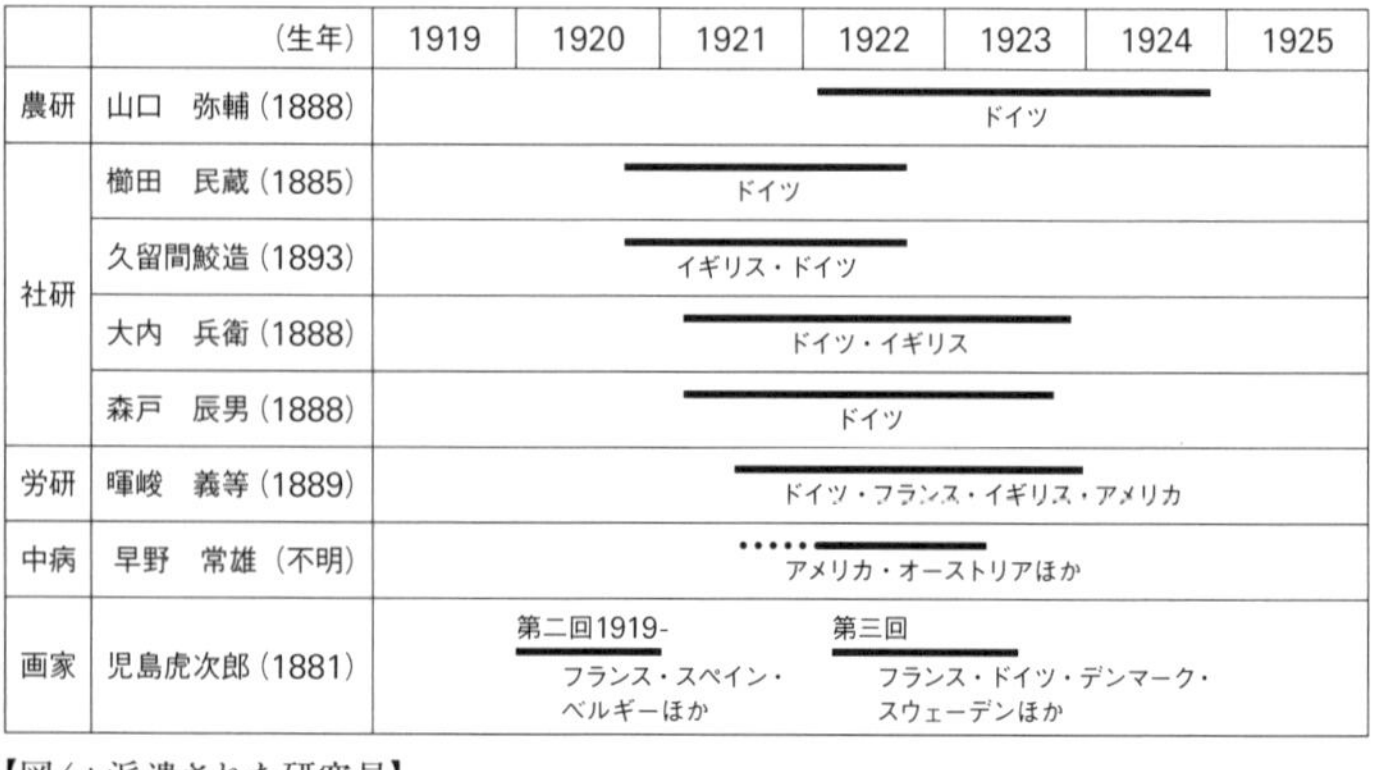

	（生年）	1919	1920	1921	1922	1923	1924	1925
農研	山口　弥輔（1888）				ドイツ			
社研	櫛田　民蔵（1885）		ドイツ					
	久留間鮫造（1893）		イギリス・ドイツ					
	大内　兵衛（1888）			ドイツ・イギリス				
	森戸　辰男（1888）			ドイツ				
労研	暉峻　義等（1889）			ドイツ・フランス・イギリス・アメリカ				
中病	早野　常雄（不明）			……	アメリカ・オーストリアほか			
画家	児島虎次郎（1881）		第二回1919- フランス・スペイン・ベルギーほか		第三回 フランス・ドイツ・デンマーク・スウェーデンほか			

【図4：派遣された研究員】

くいた倉敷紡績の従業員のための倉紡中央病院をつくっていたのですが、スペイン風邪が倉敷でも流行り、十分な治療を受けられない倉敷の市民にも開くべく、倉敷中央病院を設立します。患者が病気であることを忘れて治療本位になれるケア環境をつくる姿勢は、今も継承されています。開院に際して七〇枚もの絵画が院内に飾られたり、病院内に温室を設けるなど、かなりイケてる病院だったのかなと思います［図5］。

御立　家具も素敵ですよね。一般的に病院には会議する場所が少なく、医療従事者の皆さんは薄暗くて狭い部屋で会議している。倉敷中央病院では、外が見える開放的な空間があり、そこに置かれている家具がとてもセンスが良い。患者だけでなく医者や看護師、技師も含め、皆が芸術や美意識に触れる機会をつくるために調度品をこだわっていたのでしょうね。

大原　人づくりという意味では、日曜講演会という催しも企画されていました。当時の倉敷の人々は、東京や大阪の人たちの話を聞く機会がほとんどなかったため、市民の人たちに向けた無料講演会を催していたのです。登壇者には大隈重信さんもいたようです。この講演会は孫三郎亡き後もずっと続いています。

【図5：倉敷中央病院の温室とこだわりある家具】

また、女性たちの教育があまり顧みられていない時代にもかかわらず、孫三郎の妻の壽惠子が「倉敷さつき會」をつくり、倉敷紡績社員の婦人たちと定期的に勉強会を開催していました。専業主婦たちが料理や子育て、裁縫を学ぶ一方で、アメリカ経済や欧州における女性の権利、クラシック音楽、絵画といった講座もあり、そこに大阪や東京で活躍している人を招いていました。おそらく当時の男性たちが女性が学ぶことの価値を理解し、女性たちの学びを応援していたのだと思います。

いざ学ぶと、やはり社会課題に対して何かアクションを起こそうという気持ちになります。当時、女性労働者の増加に伴い、育児環境や子どもたちの発達への影響を懸念した壽惠子は、若竹の園という保育園をつくります。この施設も大原家のグループ内にあることが強みになっていて、倉敷中央病院の先生が園児を検診したり、労働科学研究所の先生が園児のメンタルテストをしたり、園児が使う家具の大きさを確認したりなど、グループ全体で子どもたちの成長を応援してきました。若竹の園は岡山県で最も古い保育園として現在も存続しています。

八代目の大原總一郎の時代になると第二次世界大戦が起こります。二〇二二年、沖縄芭蕉布の人間国宝でもある平良敏子さんが亡くなりましたが、平良さんが戦争中に女子挺身隊[*5]として戦争中に働きに来ていたのが倉敷紡績の工場でした。当時、倉敷紡績の社長であった總一郎は、平良さんたちを親身に励まし支えたそうです。

終戦後、沖縄は混乱していたため、平良さんたちは沖縄に帰ることができず倉敷に残ることになりました。そんな彼女たちに、總一郎は染織の勉強を提案します。当時、民藝運動に参加していた總一郎は柳宗悦さんに相談し、染織家の外村吉之介さんを紹介してもらい、倉敷に来てもらいました。平良さんたちは外村さんから染織を教えてもらい、後年芭蕉布の復興に尽力されたのです。

御立　芭蕉布は現在では最高級の織物ですが、沖縄でずっと生き続いていた文化ではなく、それまでずっと途絶えてしまっていた文化でした。總一郎さんや外村さんとの交流を経て、平良さんは倉敷で技術を身につけ、故郷の文化を復活させようと誓い、人間国宝になられたわけです。

大原　また、總一郎は中国に工場をつくっています。戦後の国交成立前だったため、中国に工場をつくることはとても大変だったそうです。しかし、工場をつくることで中国で雇用を生み、それが戦争中の日本がやったこ

5——女性によって組織されていた勤労奉仕団体の一つ。日本の労働力が不足した戦時中、強制的に工場などに動員され、勤労労働に従事した。

との償いだと總一郎は考えていました。

冒頭に御立さんからも話がありましたが、總一郎は長さ一一一キロメートルの高梁川の流域に官民連携した組織もつくっています。本流や支流を擁する市長だけでなく、高梁川に水源を求める七市三町の自治体が参加しました。高梁川流域連盟は現在も続いています。

美意識の再定義

大原　倉敷美観地区には、大原美術館だけでなく様々な施設が配されています。まず、「語らい座 大原本邸」は施設の機能としては大原家の歴史を伝えるものではあるものの、本来のコンセプトは、訪れた人がその歴史から「自分も何かできるのでは」と触発されて帰ってもらうことを目的につくられました。先ほどまで大原家代々の活動を紹介しましたが、その業績も大原家だけではなく、周りの人たちと一緒につくり上げたものです。倉敷という街は、一人の人物や一つの企業が旗を振るのではなく、自分たちで街をつくっていこうという息遣いが今も残っています。街の文化も大原家だけではなく、多くの人々を巻き込んでその力を借りながら醸成されてきました。そんな街の人々の力が内在していた歴史を伝えたいという想いで、「語らい座 大原本邸」をつくったのです。

倉敷民藝館は、平良敏子さんに染織を教えた外村吉之介さんによって設立されました。江戸時代後期に建てられた米倉を改修し、一九四八年に開館しています。東京の駒場にある日本民藝館（一九三六年開館）に続く、日本で二番目にできた民藝館です。

御立　大原家ならびに周辺の人たちが、倉敷で場をつくり、人をつくり、人を繋げていきましたが、それが最もよく表れているのが倉敷に今も残る民藝の文化だと考えています。大原美術館の中には工芸・東洋館があります。柳宗悦、河井寛次郎、濱田庄司、富本憲吉が発起人となり、バーナード・リーチや芹沢銈介、棟方志功を巻き込んで大きく展開した民藝運動に関わる作品が展示されています。駒場にある日本民藝館も、大原孫三郎さんの援助を受けて開館したもので、孫三郎さんは西洋近代絵画の収集や大原美術館の設立だけでなく、民藝運動についても造詣が深かったのです。

当時、民藝運動に参加していた日本の宝のような人たちが、倉敷に頻繁に訪れていました。倉敷は彼らにとってサロンのような場所だったのです。大原家は西洋の美術や音楽という当時の最先端の文化を持ち帰り、事業や研究所として最先端の科学も持っていた。その文化や科学を倉敷の人々の生活の質を上げるために活用していたのです。民藝運動の参加者たちは、そんな倉敷の人々の暮らしを見に来ていました。そして、彼らは「自分たちが美しいと思うものはこれだ」と美意識を再定義したのです。

大原　倉敷民藝館から倉敷川を挟んですぐ近くには、倉敷考古館もあります。橋本さんからも解説があったこのエリアの古墳時代からの歴史を展示しています。この考古館は、孫三郎の右腕であった原澄治さんと總一郎らの提案により、倉敷紡績や倉敷絹織、倉敷商工会議所、倉敷市が

【図6：倉敷美観地区周辺】

協力し、市民の募金によって一九五〇年につくられました。

原澄治さんは、倉敷天文台という日本で最初につくられた民間天文台もつくっています。この天文台は原さんが私財を投じて設立しました。当時の日本の天文台は限られた研究者しか利用できませんでしたが、この倉敷天文台は誰でも観望できるように無料で開放された施設でした。

他にも、倉敷に幾つも優れた建築を残した浦辺鎮太郎さんが設計した倉敷国際ホテルもあります。ロビーの吹き抜けには、棟方志功による幅一・七五メートル、長さ十二・八四メートルの版画「大世界の柵〈坤（こん）〉」が展示されています。この版画は上下二段で構成され、木版画としては世界最大級の大きさだと言われています。

また近年では二〇二一年に、旧藤岡邸という産婦人科病院を改修した商業施設兼宿泊施設「倉敷ＳＯＬＡ」がオープンしました。このように小さなエリア内に様々なものが集まっていることも倉敷美観地区の豊かさの一つだと考えています。

大原孫三郎と児島虎次郎

大原　大原美術館も倉敷美観地区にあります。この美術館は大原孫三郎がつくった日本初の西洋近代美術を展示する私立総合美術館ですが、現在は印象派、民藝運動、現代の作家など、幅広く扱う総合ミュージアムとなっています。

大原美術館は、孫三郎と児島虎次郎の友情と未来への信頼から始まったと考えています。先述の通り、孫三郎は農業研究所や社会問題研究所、労働科学研究所、中央病院など、多くの研究員に学資支援し、ヨーロッパに留学させていますが、その中の一人に児島虎次郎がいました［図7］。

児島は孫三郎の支援を受けて、ヨーロッパに三度も渡航しています。当初は自分自身が絵画を勉強するために留学したのですが、初回の留学で西洋絵画の実物を初めて目にし、その感動を日本の若い人たちに体験してほしいという想いが芽生えたことがコレクションの始まりでした。そんな想いに共鳴した孫三郎から「もっと絵を買ってこい」ということで、二回目、三回目と児島は渡欧します。つまり、大原美術館の特色の一つは、設立者が自分のコレクションを人に見てもらうためにつくったものではなく、若い画家が自分と同じ若者、または自分の故郷の人たちにも本物の西洋絵画を見てほしいという想いから設立された美術館ということです。

大原美術館が設立される前には既に多くの絵画を買って帰ってきていたので、近くの小学校で展覧会を開催しています。展覧会名は「現代仏蘭西名画

【図7：大原孫三郎（左）と児島虎次郎（右）】

家作品展覧会」。モネの「睡蓮」やルノワールの「泉による女」が展示されましたが、彼らもその当時は現代作家でした。つまり、私たち大原美術館は当時からずっとコンテンポラリーでした。

御立　おもしろいのは、当時のコレクションの多くは実際に作家からダイレクトに買っているんですよね。一部は画商から買ったものもありますが、基本的にはその時に生きている作家を実際に訪ね、日本にいる誰もが見たことがない最先端の絵画を買って帰ってきていた点がミソだと思います。

大原　大原孫三郎と児島虎次郎はいつか一緒に美術館をつくろうと構想していたと思っています。ただ、児島が四七歳で亡くなってしまい、孫三郎は児島没後の翌年に大原美術館をつくりました。

總一郎の時代になると、大原美術館は戦争に見舞われます。しかし、第二次世界大戦中でも門を開いていたし、工場で働く若い子たちを美術館に連れて来ていたそうです。来館者記録を見ると、一九四五年八月にも大原美術館に来館者がいた記録が残っています。戦後はさすがに開き続けれなかったようですが、同年の十二月には一部展示を戻して開館し、その時にも来館客が記録されていました。私はこれこそが美術館の存在意義だと思うのです。最近も西日本豪雨災害がありましたが、警報が出ている時は閉館しましたが、解除されるとすぐに美術館を開けました。その理由は、そんな時だからこそアートを求める人がいると考えているからです。

總一郎は「美術館は生きて成長してゆくもの」という言葉を残していま す。その想いを継承した私の父である大原謙一郎の時代になると、大原美術館は美術史家・美術評論家の高階秀爾を大原美術館の館長に迎え、西洋近代絵画の拡充と近代日本絵画の収集に力を入れ、所蔵作品の幅を広げると同時に、展示場も増設していきました。

みんなのマイミュージアム

大原　現在の大原美術館の取り組みについて紹介していきます。まずは、有隣荘の特別公開です。孫三郎が妻の壽恵子のために建てた有隣荘は、昭和天皇の宿泊所として利用されるなど、大原家別邸の後は来賓館として使用されてきました。現在は、コレクション展や現代アーティストの展覧会を開催しています。

児島虎次郎が使っていたアトリエも、若手育成支援プログラム「ＡＲＫＯ（Artist in Residence Kurashiki, Ohara）」に利用しています。いわゆるアーティスト・イン・レジデンスとして年間一名を公募し、若手アーティストに倉敷に三カ月滞在してもらい、作品を制作し、最終的には大原美術館で展示するプログラムです。アトリエには電気もガスもないため、自然光の中でアーティストが制作活動できる場所になっています。絵画だけでなく、ダンスやアニメ、染色など、様々な分野のアーティストたちに、倉敷との出会いを通じて作品を制作する「ＡＭ倉敷（Artist Meets Kurashiki）」も実施しています。

他にも大原美術館をＧ７教育大臣会合やコンサート、晩餐会、カクテルパーティー、結婚式の会場に利用いただいたり、ビジネス研修やバックヤードツアーを企画したり、何でもやっています。近隣の倉敷東小学校や倉敷西小学校には、休館日に美術館を貸し切りで利用してもらっています。低学年から高学年まで交じり合いながら、国語の先生の指導による物語づくりや社会の先生の指導による新聞づくりなど、図工だけではない学びの場になっています。

そんな中、コロナ禍で来館客が大きく減りました。倉敷市の観光客数自体が五五％も減り、大原美術館も二〇二〇年度の長期臨時休館は一三六日にまで及びました。それまで三〇万人いた年間の入館者が、二〇二〇年には七万人にまで落ち込んでしまい、開館継続が危うくなったのです。大原美術館は、外部資金などで運営資金を賄っている他の美術館と違い、入館料収入が運営費の八四％を占めています。観光客が安定している倉敷美観地区だからこそ、観光収入が確固たる収入になり得ると思っていましたが、コロナ禍によってその観光収入がなくなると、収入が二割になってしまったのです。

大原美術館は大原家やクラレ、クラボウが援助しているわけではなく、一人ひとりの方々が積み上げてくださったお金で経営しています。今後も私たちが表現の自由を守るミュージアムとしてあり続けるため、あるいは自分たちを発信し続けるためにも、一人の人物や一つの企業に頼らない経営を続けていく必要があると考えています。

そこで経営としても様々な取り組みを始めました。まずは、企業にビジネス研修や周年行事の会場として美術館を利用してもらったり、所蔵作品を国内外の美術館に貸し出すといった、コロナ禍前からの取り組みを強化しました。一方で、内部では職員を異なる業界に出向させてスキルを学んできてもらったり、副業制度も整備しました。また、日本絵画を展示していた分館を閉めて人件費と光熱費を削減しました。分館の新たな活用の方法がないか現在検討中です。

今、大原美術館は「みんなのマイミュージアム」をスローガンにしています。繰り返しになりますが、一人の人物、一つの企業、一つの家に頼ることなく、皆さんに支えられながら、それぞれの人に自分の美術館だと思ってもらえるミュージアムになりたいのです。先ほど原研哉さんがイントロダクションで、「美術館は毒にも薬にもなる」と言及されていましたが、私たちとしても美術館が果たす役割について自問自答しながら、自分たちらしい活動をしていきたいと思っています。

倉敷の毒

御立　最後に皆さんと議論したい倉敷が抱えている課題について幾つか挙げさせてください。まず、あかねさんによるオリエンテーションの通り、倉敷美観地区には美術館や民藝館、考古館、天文台、病院など、街の機能がてんこ盛りです。街としては一見多様で良さそうに感じるのですが、「じゃあ、倉敷って何なの?」といったように、倉敷がどんな場所かというイメージが分散されてしまっているとも思うのです。正直に言えば、おそらく外からの見た倉敷のイメージは、「昔のお金持ちが集めた貴重な西洋絵画が、古い街並みの中に残っている」でピリオドです。本当は多様さを活かせるはずなのに、ただてんこ盛りな状態のため、倉敷がどんな場所なのか、倉敷の魅力が何なのかが不明瞭になってしまっています。私からすると、観光客やインバウンドを増やすことを目標にするのではなく、この地域の歴史に根ざし、この地域での暮らしのクオリティを感じてもらって、一緒に倉敷を楽しめる人を増やしたい。しかし、倉敷には何でもあるだけに何もない、という状態なわけです。

また、現実的な課題についても議論したいと思います。大原美術館は現在、多くの方々に薄く広く支えていただいていますが、開館当時は大原家が支えていました。福武英明さんのベネッセの直島での活動も然り、自分たちが土台となってある程度好きなことをやり、その活動の延長線上で地域を良くしていく。しかし、何代か経った時、その活動資金をどこからどうやって捻出すればいいのかが課題になると思います。どの美術館の理事長たちもそこに尽力している。そして現代の実業家たちはどうやって美術館や地域をサポートしていけばいいのか。これについてもまだ答えがありません。

最後に、今回のテーマである「毒と薬」で言えば、倉敷には「美観地区」「大原美術館」というアイコンが既にできてしまっていますが、これは毒にもなり得るでしょう。一回見たら、あるいは一回訪れたら満足してしまうからです。綺麗な街並みを歩き、写真を撮り、美術館の外観を見ればそれで満足してしまう人たちが多い。コロナ禍が落ち着いて観光客が倉敷に数百万人訪れたとしても、おそらくその一割も入館しないでしょう。大原美術館が伝えたいことがうまく伝わっていない現実も課題の一つかと思います。

今、倉敷では、現代の人々に合った質の高い生活をつくるために街の人たちが中心となって新しい再開発が幾つか動いていますが、そのスピードを上げていかないと、東京から短期視点の資本がやって来かねません。資本主義や資本家は毒と薬の両面を持っていると思いますが、地域開発においては往々にして毒だけが残って、その場所のコモンズとしてのパワーは落ちてしまう。そんな局面に向かいかねない倉敷が、これから街としてどう進んでいくべきか、あるいは新しい時代のコモンズとはどうあるべきかについて、皆さんと議論し、考えていきたいと思います。

起業家

ゲストスピーチ
官民共創の街づくり　田中 仁

セッション
地域社会と肩を組んで笑う方法　田中 仁＋御立尚資＋石川康晴＋青井 茂＋福武英明＋藤本壮介＋原 研哉

官民共創の街づくり

田中 仁
株式会社ジンズホールディングス代表取締役CEO

教育、デジタル、交通、建築による街の再編

橋本麻里さんのオリエンテーションを聞き、そうだそうだと思いました。実は橋本さんには、私たちが企画運営して藤本壮介さんに設計いただいた「白井屋ホテル」に関する書籍『Shiroiya Hotel Giving Anew』（ADP、二〇二三年）で、「前橋の歴史」というテキストを執筆いただいています。それを読むと、群馬県と岡山県には類似点が多いことを学びました。岡山県は瀬戸内の海上交通の要所であり、群馬は東北の世界、いわゆる蝦夷との交通の要所でした。また、群馬県にはかつて一万三〇〇〇基以上の古墳があり、東日本最

大の古墳大国なのですが、畿内を除くと岡山県にも同じぐらいの数の古墳があったとのことでした。私の気の合う仲間が瀬戸内に沢山いることも、そんな縁なのかなといつも思っています。

前橋は今、共助型の都市を実現するために、デジタルやクリエイティブの力を用いて、行政や民間企業、市民の方々と一緒に街をつくろうと動いています。二〇一六年に「めぶく。」というヴィジョンを策定し、二〇二二年には前橋市と八つの事業者によってめぶくグラウンド株式会社という会社をつくり、多面的な変革で街を変えようとしています。

まずはデジタルです。スティーブ・ジョブズが社長だった頃のアップルで副社長を任され、Apple ID、iPod、アップルストアの初期の責任者だった福田尚久さんもめぶくグラウンドに参画し、デジタルで街を変えようとしています。福田さんはマイナンバーカードと連携した、行政、キャッシュレス決済、教育、医療、交通等のサービスで活用できるデジタルID「めぶくID」を開発しました。このデジタルIDは、デジタル庁の河野太郎大臣や経済産業省の西村康稔大臣も視察に来るほど注目され、今、日本全国に広まろうとしています。

次に教育です。日本の社会を変えるような教育を前橋から始めようということで、共愛学園前橋国際大学の学長である大森昭生さんにもめぶくグラウンドに参画してもらっています。大森さんは「全国の大学学長が選ぶ〈注目する学長〉」[*1]で二〇二一年に続き二年連続で一位になった方です。この先生が小学校と中学校を商店街の中に新しくつくり、日本の教育を前橋から変えようと現在動いています。

モビリティの分野でも前橋は住民目線で整備され始めています。モビリティ産業には各地域に民間の事業者がいて、その言葉が相応しいかわかりませんが、利権を争っています。それゆえに交通は再編しづらい。そこで前橋では、本当の意味での住民目線のコミュニティーをつくるため、MaeMaaS[*2]などのサービス実装に取り組んでいます。

そして、クリエイティブ面を私が担当し、多くの建築家やデザイナーに協力してもらいながら、街を再編成するべく、様々なプロジェクトを動かしています。

前橋は元々、生糸の産業で栄えた街で、当時は赤レンガの倉庫が沢山ありました。しかし、その倉庫が軍需産業に転用されていたことを知ったアメリカ軍は、第二次世界大戦時に前橋を大空襲で焼け野原にしたのです。そのため、戦前の建物は一つもありません。その意味で、この街は歴史的な拠り所がないのです。ただ一つ、赤レンガは人々の記憶の断片として残っているため、そういったものを使って歴史に頼らない新しいクリエイティブをつくり出せないかと考えました。

1──「AERA MOOK 大学ランキング」より

2──前橋版MaaSのこと。MaaS(Mobility as a Service)は、地域住民や旅行者が移動する際、複数の公共交通やそれ以外の移動サービスを最適に組み合わせ、検索と予約、決済などを一括で行うサービスのこと。また、観光や医療などの交通以外のサービス等との連携により、生活の利便性向上や地域の課題解決にも資する手段となる。群馬県では、まず試験的に前橋市内でMaeMaaSが実装され、現在は群馬県全域でGunMaaSも実装されている。

藤本壮介さんが設計した「白井屋ホテル」(二〇二〇年)をはじめ、商店街には中村竜治さんがパスタレストラン「GRASSA」(二〇一八年)[図1]、長坂常さんが和菓子店「なか又」(二〇一八年)[図2]、高濱史子さんが「前橋カツカミ(現在はつじ半)」(二〇一九年)[図3]をつくってくれました。また、二〇二三年五月には平田晃久さんの設計による、ギャラリーとレストラン、集合住宅を含む複合施設「まえばしガレリア」[図4]がオープン予定です。

現在も、永山祐子さんによるカレー屋「月の鐘」(二〇二三年完成予定)、駒田剛司さんと由香さんによる「弁天アパートメンツ(仮称)」

【図2:なか又】

【図1:角に「GRASSA」、その横に「なか又」】

【図4:「まえばしガレリア」】

【図3:「前橋カツカミ(現在はつじ半)」】

（二〇二三年完成予定）が進行中で、広瀬川沿いにはアーティストの内藤礼さんと建築家の西沢立衛さんという「豊島美術館」のコンビで新しいアートスペースをつくってもらう計画も進んでいます。

そして、特にこれから注力していくプロジェクトが、商店街の近くにある二・三ヘクタールの再開発です。この土地にはスズラン百貨店という大きな百貨店があり、その斜向かいの広大な駐車場と共に再開発する計画を進めています。実はこの土地は、市長選挙の度に開発推進派と反対派が揉めて四〇年以上も開発が進まなかった場所です。しかし、市としても今回はどうしてもやりきりたいとのことで、私に声がかかりました。前橋での建築を介した開発を経て、行政からも多少信頼を得られたのでしょう。この再開発は藤本壮介さんと平田晃久さんのコンビで進行しています。すごくおもしろい建築ができると思うので楽しみにしていてください［図5］。

【図5：田中氏が手がける前橋での建築プロジェクト】

イノベーターがいれば街は元気になる

私が街づくりを始めたきっかけは、二〇一一年にモナコで開かれた起業家の世界大会「アントレプレナー・オブ・ザ・イヤー」でした。石川康晴さんも出場されていましたが、私もたまたま運良く日本代表として出場させていただきました。その時に見た、欧米の起業家たちの社会や地域に対するエネルギーのかけ方が、日本人の私にとって新鮮で非常に刺激を受けました。当時、石川さんも岡山で「オカヤマアワード」[＊3]を創設し、地域社会に対して活動されていて素敵だなと思っていました。そんな皆さんの自分自身ではなく社会や地域に向けた活動を見て、私も何かしたくなったのです。

そこで、私の地元の群馬でどんなことをやればいいかを考えました。当時、群馬県は魅力度ランキングが四七都道府県の中で最下位でした。前橋市の地価も全国の県庁所在地の中で最下位だったのです。他にも、女性の美人度ランキング最下位や、女性の幸せ度ランキング最下位とか……、今だったら大問題になるようなランキングがあったのです。そんなどのランキングでもほぼ最下位の地元群馬県を何とかしたいという想いがありました。その時

3——石川氏が創設した、岡山の地域経済の活性化や人材育成を目的としたアワード。二〇一〇年より毎年、若手経営者や起業家、文化、スポーツなどで活躍する若手を次世代のリーダーとして表彰してきた。十年目となる二〇一九年に一旦顕彰を終了した。

に、地域が活力を持つためにはどうしたらいいのか、自分に何ができるかを考えた時、起業家育成なら自分がロールモデルになれるし、地元に根ざしたおもしろい起業家が生まれれば街にも活力が戻ると思ったのです。

そこで二〇一三年に「群馬イノベーションアワード」［図6］を始めました。石川さんの「オカヤマアワード」はスポーツ選手や文化人もアワード対象者になっていましたが、私は起業家というカテゴリーに絞りました。高校生から社会人まで参加可能で、ビジネスプランや今やっている事業をプレゼンしてもらい、この地域で新たなイノベーションを起こす人材を発掘するプロジェクトです。

これが非常にうまくいき、コロナ禍前は三五〇〇人ぐらい来場される大きなイベントになりました。高校生部門も元々は三組しか応募がありませんでしたが、十年経った今では応募者数は五〇〇人に及びます。何でそんな人数が応募するかというと、高校生部門で入賞すると、慶應義塾大学総合政策学部（以下、SFC）がAO入試として受け入れてくれるからです。SFCの教授でもある國領二郎先生が、「群馬イノベーションアワード」の初回から審査委員長を務めていて、この高校生部門をとても評価してくれて、その道筋ができました。一般の受験ではSFCの門はまだまだ狭いけれど、このア

【図6：群馬イノベーションアワード】

ワードで入賞するような若い才能をＳＦＣで育てようと、高校の偏差値を問わず受け入れることになったのです。ところが、ＳＦＣにＡＯ入試で入れるとわかると、優秀な進学校に通う高校生からの応募もバンバン増え、今では結局、入賞する高校の多くは進学校になってしまいました（笑）。

「群馬イノベーションアワード」を始めた翌年の二〇一四年には、「群馬イノベーションスクール」といった、地元の若い人たちに向けた無料のビジネススクールもつくりました。早稲田大学ビジネススクール教授の長谷川博和先生に毎月前橋に来てもらい、若い起業家の育成に取り組んでいます。

めぶく。

そんな経緯で前橋に来ることが多くなり、改めて前橋の街を見回すと、ものすごく閑散としていました。どうにかできないものかと考えていた頃、「白井屋ホテル」の再生の話が舞い込んできました。

「白井屋ホテル」は元々、創業三〇〇年を超える老舗旅館「白井屋」として愛されていたのですが、一九七〇年代にホテルに業態変更したものの、中心市街地の衰退につれて二〇〇八年には廃館してしまいます。当時、「群馬イノベーションアワード」関連で地元の若い人たちと交流する中で、何人もの方々から「白井屋ホテルをどうにかしてほしい」と懇願され、私はついつい良い格好をしてホテルを買ってしまったのです（笑）。

買ったはいいものの、当時は自分で運営するつもりはありませんでした。それまでホテル業の経験もありませんでしたからね。そこで、ホテルの運営会社やコンサルタントに相談すると、「田中さん、前橋でホテル運営は無理ですよ。前橋になんて誰が行くんですか」と。たしかに人が集まるところにホテルのニーズがあるため、私も当時の前橋では難しいと思いました。更に「ホテル以前に、そもそも前橋はどんな街なんですか。全く想像つきません」とまで言われてしまいました。でも、その通りだなと思いました。つまり、前橋には街としてのヴィジョンが無かったのです。

その二カ月後に市長とお話しする機会がありました。私は市長に「前橋の街づくりではどんなヴィジョンをお持ちなんですか」と尋ねると、「街づくりのヴィジョンなんてありません」と言うので、「それなら、ぜひ一緒につくりましょう」と官民共創でヴィジョンをつくることになったのです。

前橋をどうしたいかと言えば、東京とは違う街をつくりたい。東京の真似をして劣化版東京にするのではなく、前橋だからこそという街です。そこで、どうせ新しくヴィジョンをつくるなら、日本のコンサルティング会社に頼むのではなく、どの地域もやっていないユニークな取り組みということで、ドイツのアウディやポルシェのブランドコンサルタントを手がけるKMSをミュンヘンから呼んできました。彼らに前橋に一週間以上滞在してもらいました。ステークホルダーとなる市民からアンケートを取って分析してもらい、二〇〇ページ以上の分析結果と共にヴィジョンとなる言葉が出てきました。「Where good things grow」、直訳すると「良いものが育つ街」です。この英語では前橋の市民に伝わりづらいため、前橋市出身のコピーライターである糸井重里さんに依頼し、二〇一六年に「めぶく。」というヴィジョンが生まれました。

そのヴィジョンと同時に、やはり自分たちの街は自分たちでつくろうということで、前橋市内に拠点に置く企業家有志によって「太陽の会」を結成しました。この「太陽の会」に参画する企業は、毎年純利益の一パーセント、あるいは最低一〇〇万円を、見返りを求めない街のための投資として寄付することになっています。

「太陽の会」での最初のプロジェクトは、岡本太郎さんの作品「太陽の鐘」[*4]の設置でした。「めぶく。」というヴィジョンを体現するようなシンボル

4——直径約一・二メートル、高さ約二・四メートルの鐘と、その鐘を吊るす高さ約七メートルの台が一体となった岡本太郎の作品。一九六六年に日本通運が静岡県内に開設したレジャー施設「日通伊豆富士見ランド」で制作された作品。一九九九年まで設置されていたが、その後、岡本太郎記念館で保管されていた。

を探していた中、「太陽の鐘」がずっと岡本太郎記念館に眠っていることを知りました。そこで糸井さんを通じて、所有者である日本通運株式会社と作品を管理していた岡本太郎記念館の平野暁臣館長に、前橋の一連の官民共創の取り組みを説明したところ大変共感いただいて、前橋市に寄贈いただけることになったのです。藤本壮介さんに環境設計をお願いし、補修費や移設費などを太陽の会という民間の団体で出資し、広瀬川河畔に設置しました［図7］。

街に人々を呼び戻すための戦略

「めぶく。」という街のヴィジョンを決めた後、このヴィジョンを具現化するためには戦略が必要だということで、前橋市長と商工会議所、民間企業、市役所と共に世界各地の街づくりを視察に行きました。その中には、アメリカのポートランドもありました。

ポートランドは、昔は非常に栄えていたけれど、モータリ

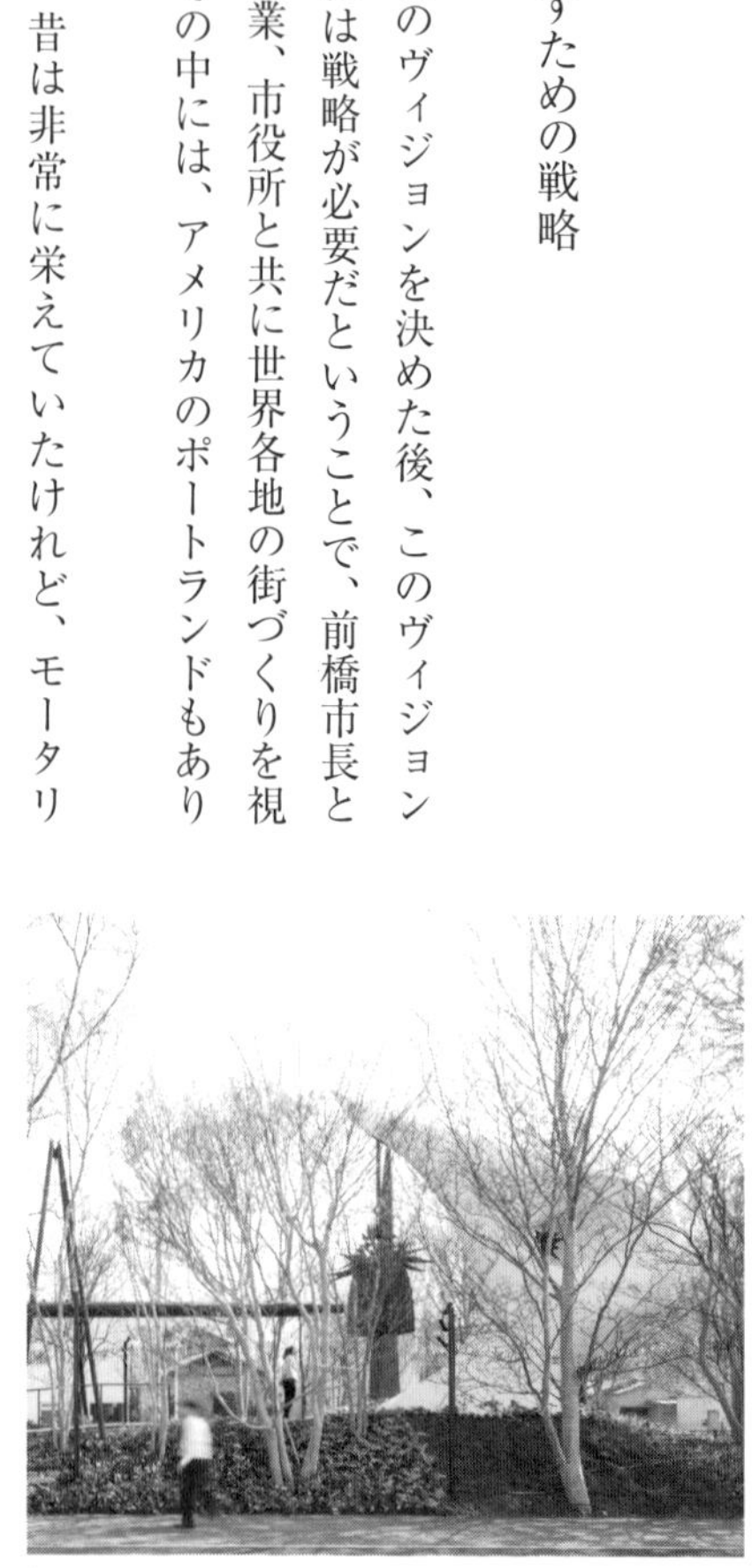

【図7：広瀬川河畔に設置された「太陽の鐘」】

ゼーションと共に人々が郊外へ移住し、街はドーナツ化して中心市街地に人がいなくなってしまったのです。そこで当時のポートランド市長とＺＧＦという建築設計事務所が一体となってアーバンデザインに取り組み、新しいまちづくりの指標をつくり、その計画を基に公共交通を整備し、街を再活性させました。

実は前橋も同じような悩みを抱えていました。今、街中の商店街には住んでいる人がほとんどいません。商店街の店主の方々は、この街にお店を構えているけれど、自分たちが住む家は郊外につくり、この街に通って暮らしているわけです。それゆえに、夜になると前橋の街には人がいなくなってしまいます。そういった街は廃れていくため、再び人々を街に呼び戻したポートランドの復活劇を前橋でもやるべく、ポートランドの都市計画を担当したＺＧＦに前橋に来てもらい、市民とのワークショップを重ね、「前橋市アーバンデザイン」を策定しました。

この「前橋市アーバンデザイン」はかなりぶ厚い資料になりますが、記載されていることは概念やガイドラインです。例えば、「一階には建物の中がよく見えるようなお店にしましょう」「二階から上に人に住んでもらいましょう」「車道も整備して、なるべく人の賑わいが生まれるような仕掛けをつくりましょう」などといったものです。

ただし、官民でアーバンデザインを策定しましたが、ずっと行政がやり続けてくれるのかどうかはわかりません。先ほど言及したスズラン百貨店跡地の再開発と同様、街づくりは市長の想い一つで形勢が変わってしまうため、選挙の結果に左右されない継続的な街づくりを目指す必要があります。そこで今度は、商工会議所と一緒になってアーバンデザインを具現化するための法人「前橋デザインコミッション」を二〇一九年に設立しました。

この法人には商工会議所の会員や地元のディーラーなど、地域の有力者、いわゆる「豪族」の方々が理事になっていますが、「選挙では誰を応援しても構わないけれど、選挙が終わったら、ノーサイドで皆で街づくりをやりましょう」という約束になっています。

二〇二〇年に前橋市長選挙がありましたが、対抗馬を推す人もいれば、第三者を推す人もいて、「前橋デザインコミッション」の理事はバラバラでした。これまでの前橋ならその状態から分断が起き、選挙が終わると敵同士になっていました。しかし、この法人をつくったおかげで、現在、ノーサイドで皆で一緒に街づくりに取り組んでいます。

「白井屋ホテル」の裏に馬場川通りという約二〇〇メートルの市道があり、

その整備事業が現在進行中です［図8］。この事業には「太陽の会」で三億円拠出し、「前橋デザインコミッション」が請け負い、民間の資金で公共の道を整備するなんてことは全国で今まで例がないらしく、国土交通省の「先進的まちづくり大賞」をいただきました。この馬場川プロジェクトは二〇二三年秋に完成予定です。

白井屋ホテルで逆転ホームラン

前橋の街づくりに携わり始めた当初、私ものすごく叩かれました。前橋市の歴史は一三〇年ありますが、前橋市議会の本会議で何回も個人名を出されて非難されたという意味では、私は歴史に名を刻んだと思っています（笑）。時には「街をつくるのは民間ではなく、私たち役所と先生方（政治家）です」と言われたこともあり、私を排除する流れが強かった時期もありました。

そんな戦いをずっと続けてきて本当に大変だったのですが、その最中、二〇一八年にスズラン百貨店跡地の再開発事業でトラブルが起きます。私や商工会議所の会頭がニューヨークに視察に行ってる間を狙ったのか、行政が二・三ヘクタールの再開発をものすごい短期間の公募で業者を決めてしまう

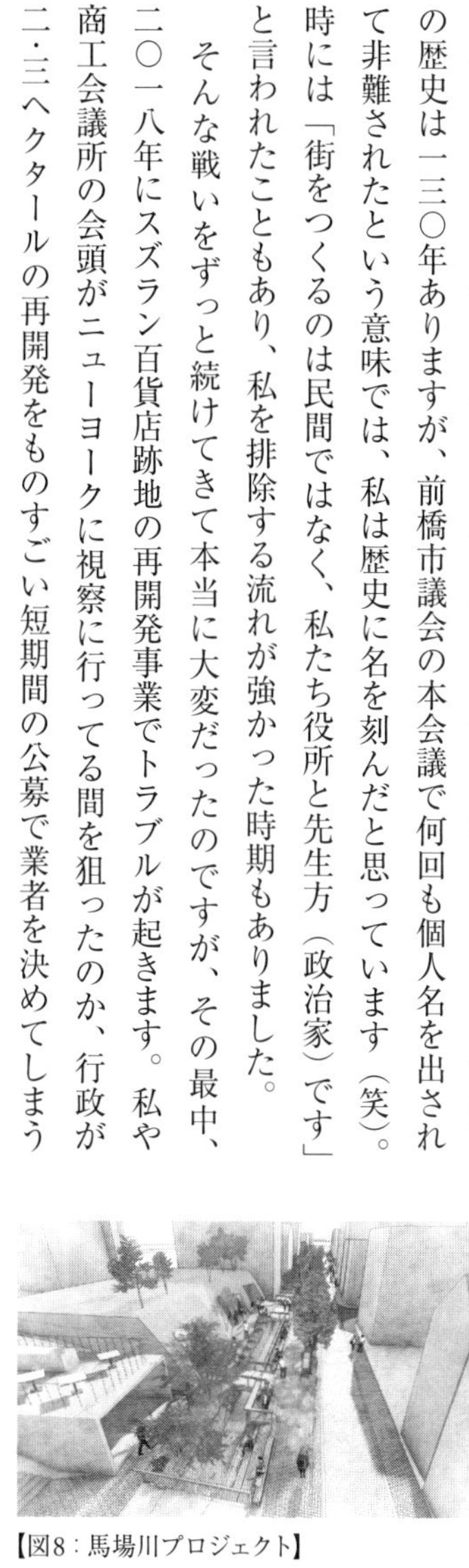

【図8：馬場川プロジェクト】

という荒技に出ました。しかも、条件が計画策定から建設までを一手に担える事業者に限られていました。これは誰がどう見ても出来レースとしか思えませんでした。

そして、そこに出てきた提案がとにかくひどかった。クリエイティブも何もないし、なにより「前橋市アーバンデザイン」との整合性も考慮されていませんでした。これは許せないということで、商工会議所と共に前橋市長に要望書を出しました。その後、かなり揉めた末、市長が責任者だった副市長を解任します。黒ではなくグレーの副市長を解職にしたものだから、今度はその副市長を応援していた県議会や市議会が「なんてことをするんだ！」と市長不信任案の話まで出てきました。しかも、「この解任騒ぎの黒幕は田中だ！」と言うわけです（笑）。この蜂の巣をつついたような騒ぎが前橋の地元新聞の一面を何回も飾り、なんとか落ち着いて市長のリコールにまで至りませんでしたが、その後も対立はずっと続きました。

ただ、対立していた市議会の方々も私のことを嫌いというより、私に対する不信感があったようです。民間の起業家が何の魂胆もなく街づくりに取り組むなんてあり得ないし、田中はゆくゆくは市長を狙っているのか、前橋で金儲けしたいのかの二つしかないと……。

しかし、「白井屋ホテル」〔図9〕ができ、「National Geographic TRAVELLER Hotel Awards 2021」や「2021 AD Great Design Hotel Award」、International Travel Awards「The Best New Hotel in Japan 2021」といった、アメリカやドバイのアワードを受賞し、地元の新聞に載りました。これがかなり効いたのでしょうか、私たちのアンチがどんどん減っていきました。外部から評価されると「おれらの街にも良いものができたんじゃないか」となるわけです（笑）。対立していた市議会の方々も実際に訪れると、それまでの不信感や誤解が解け、「〈めぶく。〉というヴィジョンや、田中がやりたいことはこういうことだったのか」と理解してくれたのです。

ランキング最下位から最先端都市へ

冒頭で少し触れましたが、前橋では全国的にも珍

【図9：白井屋ホテル】

しい取り組みとして、二〇二二年に前橋市と八つの事業者によってめぶくグラウンド株式会社という会社をつくりました。この会社では旧来の都市計画や街づくりではなく、市民の暮らしにデジタル技術を根ざした街づくりを考えています。具体的には、先ほど紹介した「めぶくＩＤ」の発行とあらゆるサービスとの連携基盤を提供しています[図10]。市民の方々が行政や医療、教育、交通などのサービスで「めぶくＩＤ」を利用することで、より快適でより安心な暮らしができる街を目指しています。めぶくグラウンドには、そのサービスを提供する会社からロイヤルティが入るという仕組みになっています。ただし、めぶくグラウンドは株式会社であるものの、そのロイヤルティで出た収益は株主に配当せず、全て地域のために還元する会社です。

　また、ロイヤルティだけでなく、データに関し

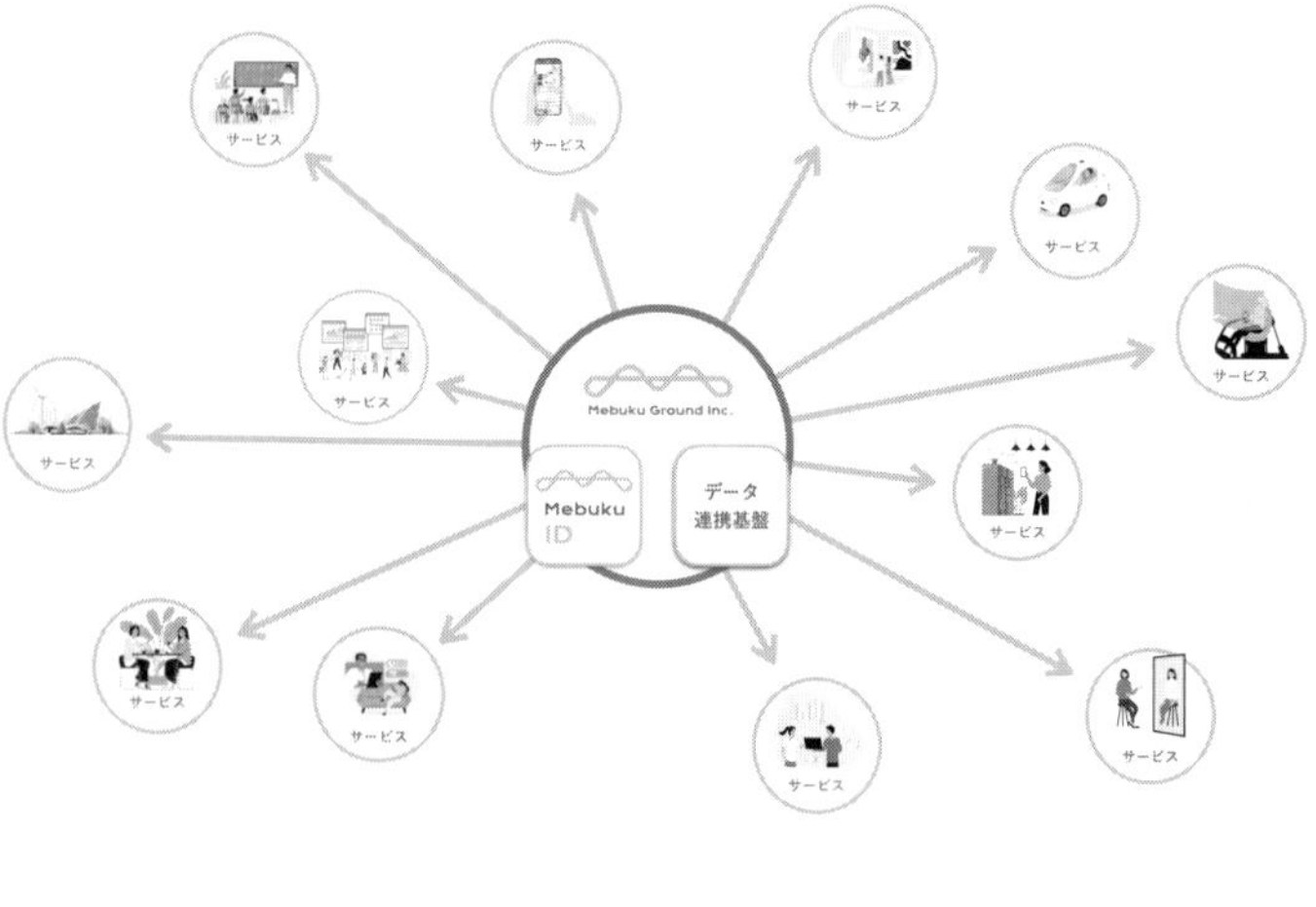

【図10：めぶくグラウンドの取り組み】

ても同様です。共助社会を構築するためには、多くの市民や企業、団体の参加が必要になりますが、私たちはデータ提供者の意思と利益を守ることを徹底した上で、データ提供を促進し、その恩恵を市民を含む地域に還元するものです。つまり、公共や民間のサービスを支援しながら、その知見や利益を地域社会へと循環還元させて、持続可能な街づくりを目指しています。

当初は三億円で地元の上場企業と金融機関、及び前橋市で会社をつくったのですが、多くの企業が「めぶくＩＤ」とめぶくグラウンドの将来性を見込んで出資してくれて、資本金が五億円になりました。

前橋市の街づくりの原点は、市民の参画です。めぶくグラウンドは半官半民のような組織なので、前橋市役所ではできない大胆な企画を立てていけるし、必要になれば行政に要請して変革を起こすこともできるでしょう。群馬銀行をはじめ、地元の東和銀行、信用金庫も協力してくれて、オール前橋で進めている状況です。やってみて実感したことは、本気にならないと街づくりは難しいということ。でも、私たちは前橋という街をデジタル、教育、交通、クリエイティブを駆使して、最先端都市にしようと本気で目論んでいます。

セッション

地域社会と肩を組んで笑う方法

田中 仁＋御立尚資＋石川康晴＋青井 茂＋
福武英明＋藤本壮介＋原 研哉

プロフィールはpp.436-451参照

田中仁の四つのステップ

御立　シャッター商店街に人が戻ってくる、リピートして街を訪れる観光客が増える、関係人口が増える、移住する人が増えるなど……、どれも倉敷で悩んでいることです。倉敷の街は一見綺麗で素晴らしいのですが、住んでいる人は勿論、関係人口も減ってきているため、いかに人との繋がりをつくっていくかが課題になっています。

一方で、その地域の行政とどのように付き合っていくべきかも重要です。地域開発を本気でやろうとすると、例えば市議会で叩かれたりします。行政や従来からの有力者は新しいことをやる際に必ず敵になるため、それらを受け流しながら仲間を増やし、どうやっておもしろいことをやるか。しかも、それは自分の商売というよりもコモンズとして、街全体をおもしろくするかでしょう。

今回、田中仁さんのスピーチを聞き、田中さんは大きく四つのステップで街づくりを展開していることがわかりました。一つ目は、皆が共有できるヴィジョンや新しい建築をつくる際、ZGFやKMS、藤本壮介に長坂常など、トップクラスの優秀なコンサルタントや建築家を前橋の外から連れてきた。

次に、前橋の中で見返りを求めない出資仲間を集めた。当然ですけれど、ご自身が一番お金を出しています。いくらぐらい使ったかを聞く度に、おそらく大原孫三郎さんもびっくりするぐらいの金額と使い方です。

三つ目は人材発掘。イノベーションができる人材が現場にいないと街づくりは持続していかないため、地元の人々をどんどん刺激し続けています。日本酒のビジネスをやりたいと群馬県庁を辞めてしまった方もいるほど、田中さんに刺激されて本気で自分がやりたいことをやろうとする人が地元から出てき始めている。

ここまでの三つは私も知っていました。しかし、今日のスピーチを聞いて四つ目もすごく大事だと思いました。それは街づくりを持続していく仕掛けや仕組みです。極端なことを言えば、田中さんが死んでしまっても街づくりが続く仕組みです。

その一つが経済性が成り立つ仕組みでしょう。お金が回らないと街づくりは続きません。資本金を出資してくれる人を見つけることや、自分がある程度スポンサーになることも大事ですが、それだけではずっと続かない。田中さんはめぶくグラウンドを仲間と共につくり、ある程度お金が回る仕組みをつくりました。オリエンテーションでも指摘したように、経済性の成立は倉敷にとっても大きな課題と言えるでしょう。

もう一つが市民を街づくりに巻き込む仕組みです。前橋は官民共創と言っていますが、その根底には共助というコンセプトがあり、市民参画を促しています。「自分たちも参加しないと前橋は良い街にならないよね」という建前が市民に通じるようになってきています。繊維産業で一世風靡した街がどうにも元気がない中、もし自分が街づくりに参加したら、そんな状況を復活させることができるかもしれないと思ってしまうムードがある。そんな雰囲気をつくった背景には、ヴィジョンやアーバンデザインの浸透だけでなく、街に新たにつくられる建築や整備事業によって、目に見える形で街が変わり続けているからでしょう。

そして、そんな気概を持った人が本気で活動していれば、支援もするし、お金が回るように協力する体制もできている。前橋は今、持続的な街づくりを可能にした、非常におもしろく且つ稀有な先例になっていると思います。

田中　デジタル分野で言えば、デロイト トーマツやアクセンチュアという外資系コンサル企業が前橋に進出してきたことも、前橋の街づくりを加速させたと思います。今、前橋は彼らと連携し、都市のデジタルインフラを構築しています。

クリエイティブでは、ギャラリーですよね。タカ・イシイさんや小山登美夫さんのギャラリーが「まえばしガレリア」に入りました。普通に考えて、前橋にギャラリーをつくるなんてあり得ないのですが、徐々にそういったおもしろいことが起きつつあります。

御立　そもそも田中さんは建築やアートが好きで、そこにお金を使っています。建築やアートが好きな起業家は他にも沢山いるので、変な話、違う人がやったら違うかたちになっていたでしょう。しかし、田中さんの場合、自分の趣味嗜好のためというより、地域のために使っています。私自身は、金額を気にせずに投資する田中さんを見ていて、とんでもない額の投資をどうやってリカバリーするのだろうかとずっと心配でした（笑）。でも、リカバリーなんてしなくていい、次世代が街に返してくれればいいといった思い切った割り切りを持たれている。田中さんはある意味で、大原孫三郎さんに匹敵するような人だなと思っています。

叩かれる覚悟はあるか

御立　最近、前橋で糸井重里さんと古本に関するイベントを催されていましたよね？

田中　一般的な古本のイベントは、お金を払って本を流通させますが、「前橋BOOK FES」では、イベントの参加費を除き、基本的にはお金を介さずに参加者と出展者が本のやりとりをします。このイベントも、五万人の来場者を集めました。

御立　売り買いではなく、「本は巡っていく」というコンセプトでしたね。本との出会いもあれば、人との出会いもある。共助がキーワードでもある前橋の街づくりには相性の良いイベントだったのではないでしょうか。

石川さんは、岡山芸術交流を催していますよね。このイベントも、ある意味で石川さん自身が好きなアートに関連したものではあるものの、地域のために尽力されたものです。当初は誰もスポンサーについてくれないし、大御所たちからは「何だ、あいつは」と煙たがられたと聞きました（笑）。その後、どの辺りで周囲の状況が変わってきたのでしょうか。

石川　岡山芸術交流は三年に一回開催する芸術祭で、アートを美術館で鑑賞するのではなく、街中で鑑賞しようというシティアートがコンセプトです。

二〇一六年に岡山の大森雅夫市長と一緒に始めたのですが、第一回は田中さんと同様、自民党議員に大反対されてしまいました。そこで自民党議員の本部に出向き、交流人口が増えている地域社会で芸術祭をやる価値や経済効果をプレゼンし、どうにか説得できました。

しかし、いざやってみると、仲間だった市長から「現代美術は難しすぎる」「解説を沢山つけて説明したとしても訳がわからない」と言われてしまいました（笑）。でも、その指摘も一理ある。たしかに岡山芸術交流を立ち上げた際、僕らはパブリックではなくオーディエンス、つまり世界の専門家だけにウケればいいいと考えていました。ある意味で地域を捨てていたわけです。

二〇二二年の第三回はオーディエンスでなくパブリックを意識した、地域の方々にもわかるような方向性になりました。九年かけてかなり柔らかくなったのです。僕らプロデューサー側も表に出ず、ボランティアの人たちをどんどん前に出していき、ようやく九年たって岡山芸術交流が山陽新聞の記事になり、行政や市民の方も温かく参加してくれるイベントになったのです。

オーディエンスからパブリックという変換に際して最も注力したことは、子どもたち、特に小学生の参加です。ただでさえ小難しい現代美術を理解してもらうために、頭の固い六〇歳前後の校長先生たちが集まる会合で、現代美術、いわゆるデザイン・シンキングやアート・シンキングが今後、子どもたちにとって最も大事なことになることを説明しました。水島コンビナートを見に行くでもいいし、パン屋の工場を見学してもいいのだけれど、これからの社会見学はアート・シンキング、デザイン・シンキングを生み出すために、現代美術を見に行くべきだと熱弁したわけです。その結果、一万人を超える小学生が今回の岡山芸術交流に参加してくれました。

おそらく、隣の瀬戸内国際芸術祭は七〇万人ぐらいの来場者に対して、僕ら岡山芸術交流の参加者は一七万人ではありますが、小学生の参加という面ではもしかしたら勝っているかもしれません。僕らは頭の固い団塊世代を一旦捨て、生まれた時からSDGs、生まれた時からAIと共生している子どもたちと一緒に、岡山芸術交流は活動していきたいと考えています。

御立　市民権を得るために九年もかかったんですね。

石川　そうですね。未だに反対する方もいますよ。約十年でアートイベントの市民権を得れたから、街づくりとなると三〇年ぐらいかかりそうだなというのが今の実感です。

御立　岡山芸術交流は石川さんが大好きなコンセプチュアル・アートです。わからない人には本当にわからない。石川さんは「二〇二二年はわかりやすくしました」と仰っていましたが、パンツを穿いた巨大な熊が水が抜けたプールの中で横たわっている［＊1・図1］という感じなので、苦手な人はとことん苦手だと思います（笑）。

1——岡山芸術交流二〇二二の会場の一つである旧内山下小学校のプールに展示された、「太陽が私に気づくまで私の小さな尻尾に触れている／プレシャス・オコヨモン」のこと。

【図1：「太陽が私に気づくまで私の小さな尻尾に触れている／プレシャス・オコヨモン」】

一方で、石川さんは海外の超一流のアーティストと一緒になってこのイベントを開催し、その際につくられた幾つかの作品はそのまま街に残しています。三〇年経ったら、コンテンポラリー・アートが溢れる街になっているかもしれませんね。

石川　三〇年だと一〇回開催することになるので、開催の度に三作品を残せたら、三〇年後には三〇作品ものアートを街に点在させることができます。

御立　勿論、勝手に置くわけにいかないのですよね？

石川　そうなんです。これが大変なんですよ。景観条例などにも抵触してくるため、田中さんと同様、市議会にかけられます。ただし、「半年だけ一旦設置しますよ」と市議会で承認を得て、それを三、四回繰り返すと常設になるという必勝パターンを覚えました。街づくりも同様ですが、面倒だからと言って一足飛びにいこうとするといじめられるため、長い時間をかけて少しずつ詰めていく必要があります。「半年限定で」といったお願いを繰り返すことで、次第に行政もその価値や効果を理解してくれて、常設設置の承認が降りることもある。僕ら起業家は何事も一気にいきがちですが、街づくりは逆で、ゆっくり仲間をつくりながら攻める必要がある。

御立　モノを見せる。そして街が変わっていく様子を見せることで、悪くないなと思わせるわけですね。

石川　その意味でも、最初の五年間ぐらいは叩かれる覚悟がないと街づくりは難しいと思います。

瀬戸内国際芸術祭はフリクション

御立　福武英明さんたちベネッセや福武財団が取り組んでいる直島での活動は、地域の人々がきちんとその価値や効果を理解していないまま、島にアートを置き、気がついたら世界的な名所になっていたという面もあったと思います。あれだけの地域興しを続けている中で、福武さんたちは地域住民の理解という課題とどのように向き合ってこられたのでしょうか。

福武　直島で活動して三〇年以上経ちます。田中さんや石川さんのお話の通り、何かしらの反対はもはやルーティンみたいなもので必ず起きます。

　瀬戸内国際芸術祭を始める際、大地の芸術祭のディレクターである北川フラムさんから、「反対運動は必ず起きる」と聞いていました。一方で、「一番強く反対している人が一番強い仲間になる」とも聞いていました。案の定、反対者はいましたが、北川さんの言う通り、後に強い仲間にもなっていただきました。

　ただ、仲間のつくり方にはコツが要ります。反対者の中で最も厄介な存在は、住民説明会などになかなか来ていただけない無言の反対です。突っかかってきてどうこう言う人は対話が可能なので、まだ建設的に進められる。また、説明会で反対意見が出たときにやりがちなミスは、持ち帰らずにその場で解決しようというスタンスです。それがあまりよくない。僕らもその過ちに気づいた後は、あえて必ず持ち帰るようにしています。持ち帰ってまた説明会をして、を繰り返す。

御立　次に会う口実をつくるわけですね。

福武　そうです。自ずと彼らとの接触時間も長くなる。対話を続けていくと、最初は活動全般に対する反対が多かったけれど、最終的には「設置する作品のコンセプトが納得いかない」という具体的な提案になっていきます（笑）。裏を返せば、地域の人たちもいつのまにかアートに関心を持つといった良い流れになったわけです。このように、できるだけ時間をかけることが重要だと思います。

また直島の人の多くが我々のサポーターだとよく勘違いされるのですが、おそらくあまり関心がない層が圧倒的に多いと思います。その関心のないレイトマジョリティ層へ降りていき、彼らに関心を持ってもらうように働きかけることを今は心がけています。強いサポーターは自然とできるので、そこはあまり気にしない。地域の活動を拡げるためには、反対者をどうにかするというよりも、関心のない層にほんの少しでも関与してもらうことが重要です。そのためにも芸術祭という形で定期的にアートイベントを開催し、且つあまりハードコアなアートではなく、参加の障壁が少なく皆が楽しめるようなアート作品やパフォーマンスを意識し、関与してもらえる度合いを上げていく。

御立　サポーターを増やすというより関与する人を増やすわけですね。活動の範囲を直島だけでなく豊島や犬島に拡げていった活動も、そういった理由があるのでしょうか?

福武　それに近いです。他の意見を入れずに独善的にやっていくと、価値観は固定化されてしまいますよね。それと同じで、島は隔離された環境とも言えるので、それぞれに固有の文化があります。豊島の人々の中には二〇年近く直島に行ったことがない人もいるくらいですから。そんな固定化された同質性の高い人々のみでディスカッションをしていても、流れや動きが出てこなくなってしまい、ひいては新しい価値をつくり出しづらいのではないかという問題意識がありました。そこで、新たな価値を生む流れをつくるために、瀬戸内国際芸術祭を開催したのです

御立　瀬戸内国際芸術祭はある意味でフリクション［＊2］ですね。フリクションがあると、反対や賛成も含め、関与する人たちの意見や考え方も出てくるし、自分たちの質も上がる。良い悪いは別にして、賛成と反対の関係、島同士の繋がりも生まれていきます。

2——軋轢、不和、衝突、摩擦という意味。

福武　島間を取り巻くステークホルダーを交流させると、直島で昔流行ったことが豊島で流行り出すといった「時差」も出てきます。例えば今、豊島では民泊事業が増えています。豊島に来る観光客が増えてきたので、来島者にできるだけ長く滞在してもらうためにも、地元の人たちは自分たちの家を改修して民泊できるようにしています。実は、これも二〇年前に直島で流行っていたことです。逆に、豊島出身の人が直島に移り住んで、豊島でやっていたビジネスを始めたり、そんな循環が起きています。

御立　田中さんのスピーチで、「白井屋ホテル」が海外のアワードを受賞したことで、徐々に反対勢力が弱まったという話がありました。瀬戸内国際芸術祭は海外での評価が突出しているため、インバウンドたちはデスティネーションとして瀬戸内に訪れてくれます。インバウンドの来島数が増えることで、地域との関係は変わりましたか？

福武　実は最初からPR関連は海外向けにしかやっていませんでした。当時、国内に向けては主体的に一切やっていません。地元住民がサポーターになってくれた要因の一つは、海外でアワードを獲ったり、気づいたら外国人観光客が多く訪れているという状況ができたことです。それにより地元の皆さんが自分たちの地域の魅力に自信を持つ。ある程度最初からそのような流れを予測していたので、最初から海外向けにしかPRをしていませんでした。

御立　福武さんたちは直島を中心に、あのエリアでの地域活性をここまで成功させたわけですが、今後の展開としてはどのようなことを考えられていますか？

福武　今までの直島での地域興しに関しては、価値をつくっていくのはエクスクルーシブな人たちでした。特定の人々のみが価値をつくってきたからこそ、唯一の価値が生まれた。そんな方向性は私たち世代も引き継いでいきたいと思っているのですが、一方、それだけでは永続性を担保できないのではと感じています。そこで、ベースとしては引き続き我々が主導権を握りつつ、どのように外の人を引き込んでいくかを考えています。ただし、トンマナやフォーマットをつくって、そこにはめ込むという意味ではありません。価値のコアは守りながらも、協業により新たな価値観や美意識を提示していこうという試みです。

Uターン、Jターン、Iターン、孫ターン

御立　青井さんは投資家や起業家として富山を中心に街を変えていっています。そんな青井さんに率直に聞きたかったことは、投資家として採算を求めて仲間をつくっていくことと街を良くしていくことの間に、プライオリティの差はないのかということです。

自分が一番儲ければいいという話では街づくりは続きません。青井さんも仲間をつくりながら、様々な会社を立ち上げ、活動も認められ、今や駅前の一番良い場所に日本酒バーをつくった。しかし、富山も昔からの歴史や経緯があって面倒くさい地域ですよね。倉敷も同様、古くからある程度成功した地域を更に良くしようとすると、様々なしがらみが出てきてしまう。青井さんが富山という地域でそのしがらみとどう戦ってきたのか教えてください。

青井　私は富山富山と言っていますけれど、実は富山に住んだことがありません。祖父の青井忠治[*3]が富山県出身で、私自身は東京生まれの東京育ちで、初めて富山に行ったのは二一歳の頃でした。その時は「田舎だ。何も

3――丸井グループの創業者。

ない」と思ってしまい、富山の持つ魅力に気がつきませんでした。次に富山に行くことになったのが三五歳の時になります。その時に初めて、富山の魅力に気づきました。不動産関係の事業を展開していた私は、東京の一〇〇〇万円の物件と富山の一〇〇〇万円の物件は経済的には同じ価値だけれど、人に影響を与えるという意味では異なる価値だと気づいたのです。

富山で事業に取り組み始めようと試みた頃は、私も仲間に入れてもらえずに苦労しました。何か新しいことを取り組もうと思っていても、理路整然と経済合理性のみで語る東京から来た余所者に対して反感を買うということがよくありました。地元の方々の出身中学や高校などの関係性や、市議さん、県議さんについてよくわかっていないまま、東京のビジネスマンのノリでいくと、「おいおい」という感じで抵抗を受けます。

よく「余所者、若者、馬鹿者」と言いますが、富山は今、UターンやJターン、Iターン［＊4］で戻ってきた人と地元の人々が一体になって街づくりしていて、私たちもそこに交ぜていただき、同じ未来という方向を向いて汗をかいています。

富山県は素晴らしいビジネスマンを輩出しています。例えば、安田財閥の安田善次郎さんや浅野財閥の浅野総一郎さんも富山県出身です。今ではその

4――Uターンは、生まれ育った故郷から進学や就職を機に都市部へ移住した後、再び故郷へ移住すること。Jターンは、Uターンと同じく都市部へ移住した後、故郷にほど近い地方都市に移住すること。Iターンは、生まれ育った故郷にはない要素を求めて、故郷とは別の地域に移住すること。

方々の孫や曽孫たちと仲良くしてもらっています。Uターン、Jターン、Iターンに私たち孫ターンも加わると、おもしろい座組になるのではと思っています。

御立　なるほど。東京や大阪で自分の事業を成功している孫の皆さんも、青井さんと同じく富山にルーツがあり、彼らも富山に戻って活動する意思を持ってくれているわけですね。

青井　そうなんです。私の富山での活動をおもしろがってくれて、「一緒にやりたいな」と、孫ターンの波が来ています。彼らも加わると、地元の方々は「あなた、○○の曽孫なのね」と好感を持ってくれます。意外とその効果が大きい。私はこの血族、孫の力は使えるのではないかなと思っています。

御立　アントレプレナー[＊5]同士はそもそも友達になりやすいですよね。会う前は嫌な奴だろうと思っていたけれど、実際に会うと気が合って、新しいことを一緒にやり遂げる仲間になることも多いように思えます。そして、その土地にルーツはあるけれど帰ってこれなかった偉人たちがいて、その孫

5――ゼロの状態から事業をつくりだす起業家を指す。

たちが地域に戻って街を一緒に盛り上げてくれるとなれば、地元の人々にとって彼らも地元の宝になる。高校繋がりはどこの地域にもありますが、孫繋がりがあるとは思いもしませんでした。

鉄壁となる県庁と知事、地元の新聞社

御立　そんな中で、青井さんは富山ではどのようなプロジェクトに取り組まれているのでしょうか？

青井　富山は地元ではありませんが、ここではあえて地元と呼ばせてください。地元の北日本新聞と富山出身のプロ野球選手の石川歩さんを巻き込んで、TOYAMATOという街興しの会社を運営しています。富山は新聞購読率が全国一位で、地元の新聞やラジオが未だ価値がある地域なので、媒体と組むことで地域が抱えている社会問題の解決や、今ある地域の価値を発信しながら、ホテル、レストラン、カルチャー、観光、事業承継といった五つの事業を展開し、県の活性化に取り組んでいます。

例えば、地元の冠婚葬祭会社であるオークスと共に、レストラン運営をは

【図2：BiBiBi & JURULi】

じめとする、食に関わる事業を展開する「富山とイート」という会社をつくりました。

御立　富山県美術館の中に入っている「BiBiBi & JURULi」[図2]も富山とイートによるプロデュースですよね。質の高いレストランに生まれ変わったと聞いています。

青井　高級ファミレスと揶揄されることはありますけれど（笑）。他にも、地元の企業に出資してもらい、富山大学の近くに、経営者と学生を繋ぐ会員制のバー「裏門TOYAMA」[図3]をつくりました。

御立　企業としてはリクルーティングを含め、普段あまり関わることができない若者たちと繋がれるメリットがあるわけですね。

田中　青井さんはタイプ的に地域に溶け込むことがうまいんでしょうね。すごく腰も低いですし。私が街づくりをやってみてよく思うことは、決して私たちだけでは街はつくれないということです。私たちの活動は市民の方々

【図3：裏門TOYAMA】

からすると空中戦のようなもので、「田中がよくわからないことをやっているよ」で終わらないように、人を繋ぐコンテンツをつくったり、青井さんのような地に足の着いた活動をミックスしていく必要がある。地に足を着けながら地域に溶け込む活動をする青井さんのような人がどんどん出てくると、地域開発はおもしろくなると思います。

御立　地域から信頼を得る意味で、地元新聞などの地域のメディアはとても効果的です。どの地域でも、何か新しいことをやりたい起業家たちが絶対に敵に回してはいけないものが、当然その地域に住む人々ではあるけれど、その手前に県庁と知事、地元の新聞社の三つの権威があります。鉄壁となる彼らが「あいつはそんなに悪くない奴だな」という立場になってくれると、物事の進め方が変わってきます。

田中　それはありますね。地域に限らないと思うけれど、人間は皆、権威に弱いですからね（笑）。正直に言えば、安田財閥ももうありませんし、その曽孫だろうとも富山という地域に今や関係ないですよね。でも、どこか惹かれてしまうわけです。前橋にも江戸時代に礎を築いた酒井雅楽頭家、松平大和守家、秋元越中守家、牧野駿河守家の四藩主を称えた前橋四公祭という催しが今も残っています。イギリスを見ても、ロイヤルファミリーに対して多くの国民が敬愛の念を抱いている。やはり人間にはそういった権威を崇める部分がどこかにあるのだと思います。

御立　驕る必要はないけれど、地域で信頼を勝ち取るために、そういった血族をうまく活用したり、権威を巻き込む手段はあると思いますか？

田中　それがないとうまくいかないと思います。私が「群馬イノベーションアワード」をつくった時、地元の上毛新聞と組んだのですが、それが大きかったです。「群馬イノベーションアワード」を始めた数年後に街づくりに取り掛かったから、スムーズに受け入れられたように思います。

御立　地域で新しいことをやろうとすると県庁と知事と地元新聞社が壁になると話しましたが、前橋の場合、市が権限を持っているため、県と市の両方と付き合わないといけません。その時に新聞が大事になる。地方のメディアは冠婚葬祭、例えばその土地で子どもが久しぶりに生まれたとか、誰が死んでしまったといったローカルニュースで生きているわけで、彼らが価値があると思って住民に発信してくれれば、とても心強い味方になります。少なくとも、敵にすべきではないでしょうね。

NPOと仲良くしたい

御立　自分たちの儲けだけを目的にしていないにせよ、地域とアートといったユニークな切り口で街づくりをしようとすると、足を引っ張る人や抵抗する人たちが出てきて、彼らを打ち破らないといけません。しかし、起業家の方法論だけでは打ち破れないことも多々あるため、その時に誰を味方にするか、どういう座組にするかによって、取り組みの永続性も変わってくるのだろうと思います。

田中　石川さんの岡山芸術交流の苦労話を聞いていると、本当に大変だろうなと思います。

石川　僕は今ひとつ悩んでいることがあります。大原あかねさんも同じことを考えてるかもしれませんが、NPOの人ともっと仲良くなりたいです。僕たちがイベントをオペレーションしていくにあたって、NPOが細かい部分まで動いてくれるので、もっと彼らと仲良くしたい。でも、十年くらい街づくりをしてきてようやくわかったのですが、NPOは「資本家」が嫌いなんですよね。NPOの中にも色々な人がいて、補助金狙いの人は別ですけれど、本気で活動している人たちの多くは資本家が嫌いだから、僕たちと一緒に組んで何かやろうという動きには中々ならないんですよね。皆で一緒に街づくりをやっていきたいけれど、言葉を選ばずに言えば、NPOは僕たちの懐に入ってきてくれません。

御立　面倒くさいかもしれませんが、事業における社会的な意味を言語化してあげないと彼らは動かないと思います。

石川　一つの社会の課題に対して深掘りするリテラシーを持っている人たちだから、僕らがやっていることが軽く見えるのかもしれないですね。

田中　NPOと一緒にやるのは結構難しいと思います。しかし、NPOは自分たちでやりたいことがあるはずだから、寄付は欲しいと思っているはず。寄付がないと活動できませんから。だから、ＮＰＯの活動をサポートするという黒子（くろこ）に徹するといいと思います。

石川　応援したいのですが、いつも距離を開けられてしまうのですよね。

福武　瀬戸内国際芸術祭の場合、こえび隊というＮＰＯのボランティア組織があります。企業や大学などからも協力いただいているのですが、瀬戸内国際芸術祭のボランティアに約五〇〇〇人が参加してくれました（二〇二二年時点）。そのうちの四割は海外から来てくれた外国人ボランティアです。作品のメンテナンスや清掃、イベントのサポート、島内での作品の案内、ガイドなど、様々なお手伝いをしてくれます。

その中でも、直島の「直島銭湯『I♥湯』」（二〇〇九年）[図4]や豊島の「島キッチン」（二〇一〇年）[図5]は我々や芸術祭実行委員会がつくりましたが、運営はＮＰＯに任せています。施設の運営からきちんと収益が出て彼らが自立できるように、僕らはサポートしています。そこで協調関係が生まれてくる。

そして、ボランティアの皆さんとの関係性を維持するためにも、芸術祭の

【図4：大竹伸朗　直島銭湯「I♥湯」】

【図5：「島キッチン」建築：安部良】

【図6：瀬戸内国際芸術祭の会期中に行われる、北川フラム氏による朝礼】

会期中は毎日朝礼を開きます［図6］。しかも、それを北川フラムさん本人が直々にやる（笑）。

御立　北川さんの得意技ですね。

福武　何でやるかと言うと、ボランティアに参加してくれる人たちは、想いで動いている人が多いからです。そんな方々が五〇〇〇人もいれば、私たちとしても相当な助けにもなるし、彼らにとっても日常生活では経験できないことを経験できるというメリットもある。ＮＰＯとの良い関係づくりは文化の継続性に不可欠だと思っています。

御立　北川さん自身も想いで動いていますからね。企業や地元の権力を持ってる人とは別に、一般の参加者や想いで動いてくれる人に向けて、現場に行ってこちらの想いを熱く伝えてくれる人がいるかどうかが、ＮＰＯとの関係を良好にして街づくりを永続させる鍵かもしれませんね。

福武　あと、テクニカルなことを言えば、効果的なのは出向です。今も財団からＮＰＯ法人の事務局にスタッフを出向させています。私たちは現場の状況や課題を把握できて勉強になるし、彼らとしても人手が加わると助かる。

御立　ある程度おもしろく且つ地域のための活動をしていく場合、最終的にはＮＰＯや一般の人を巻き込んでいかないと続かないし、拡がっていきません。瀬戸内国際芸術祭の場合、一過性のインバウンドを獲得するのとも違って、海外からわざわざボランティアしに来るといった、本質的なインバウンドですよね。手弁当で働いてくれて、通訳業務など日本人では難しいことを楽しんでやってくれている。彼らをどのようにマネジメントしているのでしょうか？

福武　基本的に今は関係性が良い状況なので、ＮＰＯに彼らのマネジメントもしてもらっています。

御立　理屈を越えて、そういったボランティアの方々をマネージしてくれるＮＰＯと協力関係をつくれるととても強いですね。

映画のセットのような街

藤本　僕は前橋で「白井屋ホテル」を設計させていただいたので、横で田中さんのご苦労をずっと見てきました。「白井屋ホテル」のプロジェクトが始まった頃は、まだそんなに街づくりという感じでもなかったと思います。「めぶく。」というコンセプトが立ち上がってきた頃から、街づくりに田中さんが巻き込まれていったというより、田中さんが自ら飛び込んでいったような印象でした。様々なご苦労の話もリアルタイムで聞いていたので、傍で見ていて本当にすごいなと思っていました。最初は一軒のホテルの話だったのに、完成する頃には街全体の話になっていた。田中さんは更にその先まで考えられていて、僕自身もとても勉強になりました。

「群馬イノベーションアワード」を立ち上げて、その流れで「白井屋ホテル」の改修の相談が舞い込んできたと聞きましたが、最初から頭の片隅に街づくりがあったのでしょうか。それとも、どこまでも行き当たりばったりで道を切り開いていったのでしょうか。

田中　「群馬イノベーションアワード」が前橋の街づくりに直結するとは全く思ってなく、アワードやスクールを創設して、自分としてはもう十分やったと思っていました。ところが、前橋に良いホテルをつくったものだから、そこから沼にハマってしまったのです（笑）。なぜ、こんなに沼にハマってしまったかと言うと、反対が多かったからかもしれません。

青井　燃えちゃったわけですね。

田中　起業家の習性でしょうか。反対されたり足を引っ張られると、負けるもんか！　となってしまう（笑）。どんどんやっていくうちに、勝つためにはお金もエネルギーも仲間も必要だし……ということで、泥沼にハマってしまったわけです。

原　僕はそもそも街はつくるものなのか、できるものではないだろうかなど、街づくりに対して少し微妙な気持ちで見てしまっています。想いや熱意のある人たちがリーダーとなって皆を引っ張って一緒につくっていくものなのか。あるいは、色々な人たちの想いが競い合いながら育てていくものなのか。もしくは、オートポイエーシス［＊6］のように、つくるというより自己生成していくものではないか。都市計画といった合理的思考が明確にあった上でつくられるのではなく、様々な要因がせめぎ合っていく中で勝手にでき上がっていくものではないかと。

そんなことを考えながら、今回の舞台である倉敷美観地区を見て回りました。新しいものをつくりたい想いはあれど、景観条例などの規制に制限され、映画のセットのような街になってしまっている現状に対して、これが正しい倉敷の在り方なのだろうかという疑問が街の管財をやられている方々からも結構出てきていているようでした。今回の瀬戸内デザイン会議ではその打開策が問われているように思いました。

田中さんは倉敷の街を見て、どんなことを思われましたか？　また、街というものの生成の在り方についても見解を聞かせてください。

6——チリの生物学者ウンベルト・マトゥラーナとフランシスコ・バレーラによって提唱された、自己組織化理論。細胞や免疫、神経系、生物などが自分で自分自身をつくり出すというサイクルを反復させ、自律的に秩序やシステムが生成されることを指す。生命現象や社会現象などを形容する際に使われる。

田中　倉敷は美観地区と言われるだけあって、とても美しい街です。こんなにカーブを描きながら白壁の屋敷が建つ街並みは他にはないので、その意味でも素晴らしいと思います。しかし、やはり人が住んでいない寂しさを感じてしまいます。私は昨日倉敷に泊まったのですが、夜になると、街に誰もいないんですよね。そうなると、原さんが言う通り映画のセットになってしまいます。御立さんが指摘していた倉敷に地域特有の料理が生まれない要因も、おそらくこの地域に人が住んでいないことも関係していると思います。だから、観光客だけを相手にしていることが倉敷の街の生成において大きな弊害になっているように思いました。地域の人たちがこの街を使ってくれることを意識して街づくりを考えていってもいいのではないでしょうか。

御立　その通りです。例えば、イタリアのトスカーナ地方は、そこに住んでいる人たちが美味しい食文化と美しい景観がある地域にどうしても住み続けたいという想いがあり、その人たちの暮らしを守ることが前提としてあって、サポートする形で観光がある。居住者が減っていくような街にするくらいなら、観光客なんていらないというはっきりしたスタンスなのです。

私たちが観光の話をすると、インバウンドをはじめ、観光客の数の話になりがちです。その地域に住んでいる人々がそこで生活している楽しみや喜び、そこに住む誇りが見えない街をつくっても仕方がないでしょうね。

食

ゲストスピーチ

私たちは幸せに向かっているのだろうか　米田 肇

セッション

資本主義社会で文化を持続させるには　米田 肇＋高橋俊宏＋桑村祐子＋黒川周子＋橋本麻里＋御立尚資＋西山浩平＋原 研哉

私たちは幸せに向かっているのだろうか

米田 肇
HAJIME オーナーシェフ

次に訪れる社会を予測する

今回の瀬戸内デザイン会議のお話をいただいた時、「地域発、食の新次元」をテーマに、地域に根ざしたレストランの成功事例を紹介してほしいという依頼でした。先行事例から食による地域振興を学びましょうという意図だったのでしょう。しかし、成功例を真似てそのままやってもどうしようもないと私は思います。自分たちがどのような未来をつくっていくのかを考える際の参考例にしかなりません。未来とは本当にその都度変化していくため、今後どのようなことが起きるのかを予測且つ想定して、自分たちも変化しながら対応していくことが重要だと思います。

地方は特にですが、コロナ禍によって飲食業は甚大な被害を受けました。今回の瀬戸内デザイン会議では、そんな経済の仕組みとして欠陥があった飲食業そのものがこの先どうなっていけばいいのか、自分たちがどのような将来を構築していけばいいのかについてお話しできればと思っています。

遡ると、私がフランスで修業中に父が癌になってしまい、夫婦で日本に帰ることになりました。帰国後、北海道のウィンザーホテル洞爺「Michel Bras TOYA Japon」で一年ほど働いたのですが、その間に父は亡くなってしまいます。そこで一旦、実家がある関西に戻り、大阪でお店を開くことになりました。そのため、当時は「仕方がないから大阪で店を開こうか」という感じでしたね。当時は大阪の地域性なんて考えていませんでした。

いざ物件を探し始めると、大阪はどこもそんなに風景が良くないと改めて思いました。街路樹があまりなく、看板も多いし、ビルばかりのグレーな風景で、私自身がヨーロッパに住んでいたからでしょうけれど、あまり美しくないという感想が正直なところです。だから、自分が気に入る物件なんてないんですよね。どの物件も良くない点ばかり見えてきてしまう。勿論、京都や神戸、和歌山といった近隣も探しました。しかし、当時から飲酒運転禁止の法律が強化されていましたし、田舎でやるなら宿泊施設も備えたオーベルジュにしないと難しそうだと思いました。しかし、オーベルジュをつくって運営するまでのお金はない。大阪なら情報発信や経営も田舎に比べれば楽だろうということで大阪に住み始め、物件を探し続けました。「ここでやろう」と物件を決めるまでに、およそ一年間かかっています。

そんなわけで、既にそこに成功者がいて、その成功例に倣って大阪を選んだわけではありません。むしろ、私が大阪でお店を開こうと周りの料理人に話した時、「大阪はやめといた方がいい」と言われましたから。結果として私が今どう思っているかと言えば、やはりやめておけば良かったかもなと思ってもいるくらいです（笑）。何が言いたいかというと、先行事例がない状態から新しいものを構築する際には、どのような社会が次に来るのかを予測して、その対応を考える必要があるということです。

私が大阪でお店をやり始めた時の戦略は、インターネットでした。開店した二〇〇八年の時点で、飲食店でインターネットのウェブサイトを持っていた店は、東京では「カンテサンス」と「NARISAWA」が日本語とフランス語のページを持っていました。「NARISAWA」は英語のページもあったと思います。当時、関西ではウェブサイトを持っている飲食店はなかったのではないでしょうか。そこからSNSの戦略を取ろうと決めました。インターネットには基本的に地域性なんて関係ありません。いわゆる写真情報、料理情報、英語対応しているかどうかが重要になってくる。

次に、世界中のトップクラスのお店の金額を全てチェックしました。それらのお店と同じ金額にしようと思ったのです。飲食店の基準は、簡単に言ってしまえば金額です。当時のニューヨークの相場は二万五〇〇〇円ぐらい、パリも同じくらいでしたね。「ギィ・サヴォワ」[＊1]が三〇〇ユーロ、当時だと四万円くらいだったと思います。私もその価格帯でやろうと思いました。

世界中を飛び回るフーディーの方々なら、料理内容が本当に良ければ、金額に関係なく来てくれます。例えば、ヨーロッパのフーディーなら、関西国際空港に来て、私のお店で食事して、食事が終わったらまた空港に戻って、その日のうちにヨーロッパに帰るといったことも本当に起きています。

そんなSNSを通しての戦略と、海外のトップクラスの基準に価格を合わせるといった戦略を用いて、大阪でお店をスタートさせました。

1――フランスのパリ一七区にある、二〇〇二年からミシュラン三つ星を保持しているレストラン。二〇二三年に二つ星に降格したことは業界でもニュースになった。世界のベストレストランを選ぶフランスの「ラ・リスト」でも世界最高のシェフに六度も選ばれている。ラーメン好きでも知られる。

レストランで地方は変わらない

地方に素晴らしいお店が一軒あったらその地域や街が変わるみたいな話がありますが、私の考えは反対で、全く変わらないと思っているんですね。例えば、私のお店が世界的に有名であっても、大阪の街は変わりません。強いて言えば、三つ星のお店が一軒あり、フランス料理店がその後数軒増えたぐらいで、大阪が観光的に変わったとしても、それはまた別の話でしょう。

なぜ地域が変わらないかと言えば、各飲食店や行政が地方振興のために動いていても、戦略や実践が各々バラバラなんですよね。デンマークの「ノーマ」[*2]などはお店も自治体も一緒になって戦略を立てて実践しています。そのため、一店舗だけ素晴らしいお店ができたとしても、そのお店だけでは地方の振興は難しいと実感しています。

地方の問題点は他にもあります。まずは求人です。人が集まりません。私の店は結構集まっていますけれど、これもＳＮＳ戦略のおかげです。私の店の場合は年間で一四〇名ぐらいの応募が来て、そこから採用するのは一、二名くらいです。東京の三つ星レストランでも、年間で六〇名の応募が来れば多

2――デンマークの首都コペンハーゲンにある、北欧料理、スカンディナビア料理を提供するレストラン。シェフのレネ・レゼピはスペインの「エル・ブジ」やアメリカの「ザ・フレンチ・ランドリー」など、世界屈指の一流レストランで修業した経験がある。北欧産の食材だけを使い、地域の食文化と斬新なアイデアを織り交ぜることで、北欧料理の新しい潮流を生み出し、世界中から注目されている。その結果、「ノーマ」の影響で、デンマークの観光客数が十一％も増加したと言われている。「noma」はデンマーク語の「nordisk（＝北欧）」と「mad（＝食べ物）」を組み合わせた造語。

い方でしょう。最近の若い方々はあまり有名店で修業したがらないので、有名だからといって人が集まるわけでもないという状況です。そのため、地方は特に人が集まらない。

集客も同様です。大阪と東京の商圏を比較すると、大阪は東京の七分の一くらいだと言われています。飲食業の店舗で言えば、おそらく一〇分の一くらいでしょう。同じお店を東京と大阪に持ってる経営者は、「大阪はどうしようもない」と嘆くくらいです。東京はそこまで工夫をしなくても普通に集客があるけれど、大阪は努力や工夫を東京の一〇倍しないとお客が来ない。

そもそも地方では、やりたいことがあっても経営とのバランスがうまくいかないことが大きいと思います。そのせいか、最近は地方の有名店がどんどん東京に出店しています。その視点で見ても、良いお店が一軒あったとしても、地方は中々変化しないのではないでしょうか。

経済合理性を考えると、社会のインフラ整備も人間が集まるエリアに集中してきてしまいます。だから、どんなに地方で何かをやろうと思っても、社会の中心が経済合理性である限りは、都市部と同じようにはいきません。地方で店を構えるのであれば、都市部とは違うテーマを掲げ、自分たちの実践や構想を発信しないといけないでしょうね。

三つ星によって生まれる弊害

当時から私の考えの根本には、世界最高峰のお店をつくることがあります。そして、ガストロノミーを使って食の可能性を拡げ、何かしらの形で人類の未来に貢献したいと考えていました。

では、世界最高峰のお店にするためにはどうすればいいのか。このお店に世界中からお客が来るようになるためには、何か大きな転機が必要です。そこで最初のミッションに掲げたものがミシュランでした。当時、欧米以外では初となるミシュランガイド東京版（二〇〇七年）が刊行され、話題となっていました。そこで、どうにかミシュランを大阪に引っ張ってこれないかと考えたのです。私自身、東京の三つ星レストランにも食べに行き、これぐらいだったらいけるだろうという自信もありました。

ミシュランでの三つ星獲得を意識しながらお店をずっとやっていたのですが、二〇〇九年五月頃、それまで日本人のお客さんばかりだったのに、急に外国人のお客さんがやってきました。しかも、その人たちはテーブルでフランス語で会話をしている……これはミシュランだなと。そこから彼らは何回か来店してくれました。そして二〇〇九年一〇月に発表があり、三つ星を獲得できました。

しかし、ミシュランの三つ星を獲り続けるうちに、幾つか問題点が出てきました。まず、毎日四〇〇~六〇〇件の電話がかかってきますし、お店は昼夜満席になります。リピーターに対しては、常に新しい料理をつくらないといけないという料理人としての課題も出てきます。当時の私は、お店に明け方の三時半ぐらいまでいて四時に帰宅し、一五分だけ睡眠を取り、そこからメニューを考えて、六時ぐらいには中央市場に着いているという生活をずっとやり続けていました。一週間の合計睡眠時間が七時間程度です。そんな生活を二年くらい続けていたのです。

当時、休日に勉強しようと思って有名店に行くと、「肇さんですよね、尊敬しています！ あなたのお店を目標にしています」と言われました。しかし、私の店は自分もスタッフも朝から夜中までずっと働いているため、睡眠もまともに取れないしんどい状況でした。そんな私のお店を世の中の飲食店が目標にするような状況は、飲食業の構造として間違っていると思ったのです。

そこからは、一日一営業にしようと決めました。きちんと食について考える時間と、睡眠や休息の時間を確保することにしたのです。それが二〇一二年でした。当時、インバウンドが少しずつ増えてきていたので、その傾向を考えると、私たちが提供するのはフランス料理ではないなと思いました。外国人が日本にわざわざやって来るのであれば、この店でしか体験できない料理にしようと考え、フランス料理をやめることにしたのです。しかし、それを宣言するとミシュラン側が「何を言ってるんだ！」となってしまい、次の年には三つ星から二つ星に降格されてしまいました（笑）。

また、同時期に一日一営業にしたため、コース料理の値段を上げました。元々、昼は七五〇〇円、夜は一万五〇〇〇円だったので、両方をくっつけて一コース二万五〇〇〇円にしたのです。ミシュランでの降格と価格を上げたことで、お客の数はガクンと落ちました。一カ月約二〇〇万円ぐらい、年間で二四〇〇万円の損失が生まれた一年でした。しかし、その翌年に「Asia's 50 Best Restaurants Awards 2013」に選んでもらい、インバウンドの増加もあり、それまで客層がほぼ国内だったのが、八～九割が外国人になったのです。

飲食業がはらむ構造的欠陥

料理人の皆さんは有名店を目指して頑張っていると思うのですが、今ある有名店の経営状態が良いかどうかと言えば、そんなことはない。日本だけでなく世界中の飲食業が同じ問題を抱えていると思います。やはり労働集約型産業［＊3］といった人間の労働力が必要な産業は基本的に生産性が低いため、常に余裕がありません。どこの飲食業もぎりぎりだと思います。

当然ですが、人件費も高くなってしまいます。労働時間も長い。人材育成にもお金がかかる。飲食においては、生鮮食品を使っている以上、材料を在庫しようとも、そんなに多くの在庫を抱えることができないという問題もあるでしょう。あと、家賃の問題もあります。一般的な企業と比べると、飲食業の店舗家賃は、一・五倍から二倍近い家賃になります。

今の社会全体の動きを見ていると、人が介在する部分をどんどんカットして、ＡＩ化や工業化していく流れがあると思いますが、労働集約型産業の場合、必ず人間が必要なため、全体的にお金がかかってしまう。それにもかかわらず、支払う税金が同じという問題もある。飲食業には本当に少量のお金しか残りません。経営に余裕がなければ、いわゆる休暇も少なくなる。そんな構造的な問題が根ざしていると思います。

ではどうすればいいのか。先述の通り、私のお店の場合、提供する料理の金額を上げました。私が開業した当時は、ランチが四〇〇〇円でした。夜は

3――事業活動の大部分を人間の労働力に頼り、売上高に対する人件費の割合が高くなってしまう産業。機械化以前の農業や製造業、現在では介護事業、飲食業、アニメーション業などが相当する。

一万円くらいだったと思います。その後、ランチをやめて、一日一営業にして価格を上げ、二〇二三年二月からは五万五〇〇〇円になります。二〇〇八年の一〇倍以上になっているけれど、そんな私の店でさえ、経営的にうまくいっているかと言えば、更に倍ぐらいの金額にしても難しいと思っています。

世界的な有名店「ノーマ」も正規の従業員は数名で、残りの八〇名はいわゆる研修生だったりもする。この制度を良しとするかどうかなんです。研修生はお金をもらっていません。だから、この制度を日本でやろうとすると、今の時代だと「それは良くない！」という話が出るでしょう。日本や海外問わず、基本的に飲食業は経営としてうまくいってないのです。はたして、食と経済合理性は合致するのでしょうか。

猿に戻る人類

食は人間の社会構造の構築に関係しています。そもそも食というものがどんなところから始まったのかまで遡りましょう。まず地球に大雨が降り、植物性プランクトンが発生しました。その後、動物プランクトンも発生する。その時に、動物プランクトンが初めて食事する。そのプランクトンが必須アミノ酸でした。そのアミノ酸を食べようと思って移動したのか、単にそこにあったものをパクッと食べたのかはまだ解明されていないそうです。いわゆるアミノ酸なので、タンパク質が分解されたものを食事することによって、生命の進化が起こります。

その後、類人猿が出てきます［図2］。まず猿の場合、例えば、強い者と弱い者がいると、目の前に食べ物があっても強い者が全て自分のものとしてしまうため、それぞれが個別に食事をする個食になります。チンパンジーになると、共存の意識が芽生え、強い者は弱いものへ食べ物を分け与えるようになる。つまり、チームで生活しようとするわけです。

そして人間になるとどうか。二足歩行によって行動範囲が広がります。どこかで食べ物を見つけると「あいつも食べるかな」と考え、持って帰ってくる。今度は、別の人が「あいつはこのあいだ食べ物を持ってきてくれたから、僕も持っていってあげよう」と食材を持ち寄るようになる。お互いのことを考える文化が生まれた結果、一緒に食事をする共食が始まるわけです。

更に食材が集まってくると、倉庫が必要になってきます。倉庫を持つと定住生活になり、倉庫に野菜やフルーツを持ち寄り、食後にその種子を大地に植えることで、農業が始まる。農地を広げていくと、今度は統治しなければ

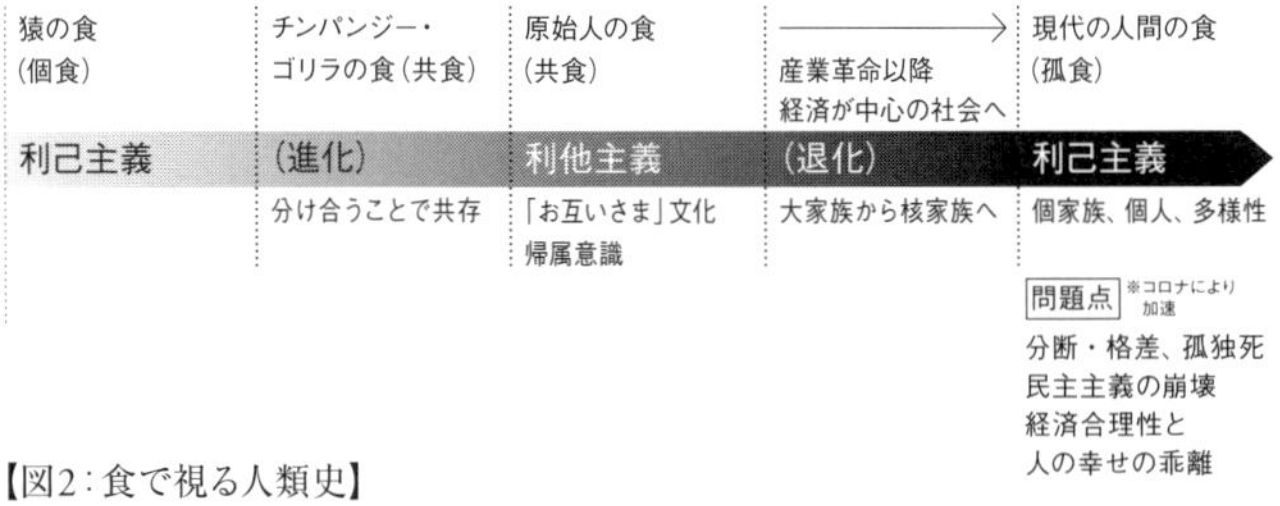

猿の食（個食）
利己主義

チンパンジー・ゴリラの食（共食）
（進化）
分け合うことで共存

原始人の食（共食）
利他主義
「お互いさま」文化
帰属意識

→
産業革命以降
経済が中心の社会へ
（退化）
大家族から核家族へ

現代の人間の食（孤食）
利己主義
個家族、個人、多様性
問題点 ※コロナにより加速
分断・格差、孤独死
民主主義の崩壊
経済合理性と
人の幸せの乖離

【図2：食で視る人類史】

いけなくなる。そこで共同体が生まれ、ゆくゆくは国家が生まれる。国家が生まれる頃には、人間は理性的になっているため、王や宗教をつくり、それを中心とした統治体制を整備する。

そんな中、一三〇〇年代にも現在と同じようなパンデミックが起きます。ペストです。王様も宗教も信用できないし、祈ってもどんどん人間が死んでいってしまう。ペストが終息する頃には、それまで社会を統治していた宗教や権威から人々は解放されつつありました。そして、一七〇〇年代に産業革命が起こります。経済あるいはお金を中心にしていけば、自分たちは生きていけるのではないかと考え、経済合理性を重視するようになり、資本主義社会になってくるわけです。

資本主義はいわば合理化です。合理性を中心にする社会に人間が組み込まれていくようになると、食はどうなるか。同じ時間に同じテーブルを大勢の家族で囲んでいた食事から、好きな時間に好きな場所で好きなものを各々が食べるようになる。大家族から核家族、個家族、個人となっていき、最終的には孤独死するような社会、つまり私たちの現在地点に辿り着くわけです。その結果、格差や分断、民主主義の崩壊など、様々な問題が起こっています。

人類は他者を想って行動したり、私たちが一緒に生きていくための方法を考えながら進化していきました。しかし、産業革命以降、経済合理性を重視するようになった結果、再び強い者が総取りする社会に戻ってしまった。個食だった猿から共食の原始人に至るまでは「進化」と言えますが、その後の孤食になりつつある現在の人間に至るまでは「退化」とも言えるでしょう。

ソーシャルインクルージョンを目指して

日本の産業は戦後から復興にかけて、労働集約型産業が中心でした。経営者も含めて皆で一つの場所に集まって、人間の手でモノをつくっていた。その後、資本集約型産業が中心になると、工場をつくって機械設備を導入し、モノづくりの生産性を上げようとしました。すると、社会の中でその効率化の邪魔をしてるものが人間だとわかってきます。人間は風邪も引くし、機嫌の良し悪しもあるし、サボりもすれば失敗もしますからね。そこで近年では、人間を排除するべくＡＩが導入されるようになる。

　現在の経済合理性の問題は、進化の過程と経済の発展を天秤にかけた時、経済の発展を優先した方が人類は幸福になれるという思い込みから生まれたと思っています。経済はあくまで手段であり、本当のゴールではないと、あるいは資本主義と人々の幸せの関係性におけるバランスが少しおかしいと、ようやく皆が気づき始めたのです。だからこそ、私たちは今一度、社会のゴールを再設定する必要があるでしょう。

私は新しい社会のゴールを再設定する際、地域経済をどうするかという課題よりも、もう少し大きなスケール且つ長期的なスパンで考えるべきだと思っています。一〇〇年、二〇〇年ではなく、今から三〇〇年ぐらいの射程で、いわゆるソーシャルインクルージョン（社会的包摂）［＊4］と言われる、強い者も弱い者も皆で幸せになるような社会を目指すことが大切だと思います［図3］。

これを人間だけに限らず、全生物において考えてみる。地球上にいる全生物がうまいバランスで生きていけるように考えなければいけません。その時、「こうしましょう！」と声を上げる発信者は、強弱のどちらかと言えば、弱者なんです。弱者の方が社会の問題に切実に直面しているため、「私たちはこのような現状です」と訴え、皆で話し合っていけるように先導しなければいけません。

そう考えると、食という分野は労働集約産業の底辺にあるため、私たち食の人間が発信しないといけないわけです。例えば、私の声を上げるのであれば、機械やＡＩで代用できない部分がどうしてもあり、人を雇って技術者として教育していくような、労働集約型としてこれからも残すべき産業には、

4――社会的弱者も含め、全ての人々を孤独や孤立、排除、摩擦から援護し、皆が健康で文化的な生活を実現できるように、社会の構成員として互いに包み支え合うこと。

産業別税制やベーシックインカムのようなシステムを取り入れ、その文化や人々が働く場所を社会の一部として残していくような仕組みがあってもいいのではないでしょうか。

文化とは資本主義とは全く反対の方向です。効率化や合理性ではない部分に、文化の醍醐味が生まれる。日本の地方にある街並みに関しても、大抵は美意識中心でつくられたものではありません。戦後の復興のために工場をつくり、その周りに住居をかまえ、街という生活基盤をつくっていったため、あまり美しいものではありません。逆に言えば、どこでもできるやり方で街がつくられているのであまり地域性がない。つまり、今後私たちが考えなければいけないことは、経済合理性だけでなく、文化や美意識を社会構築の基本に入れることでしょう。

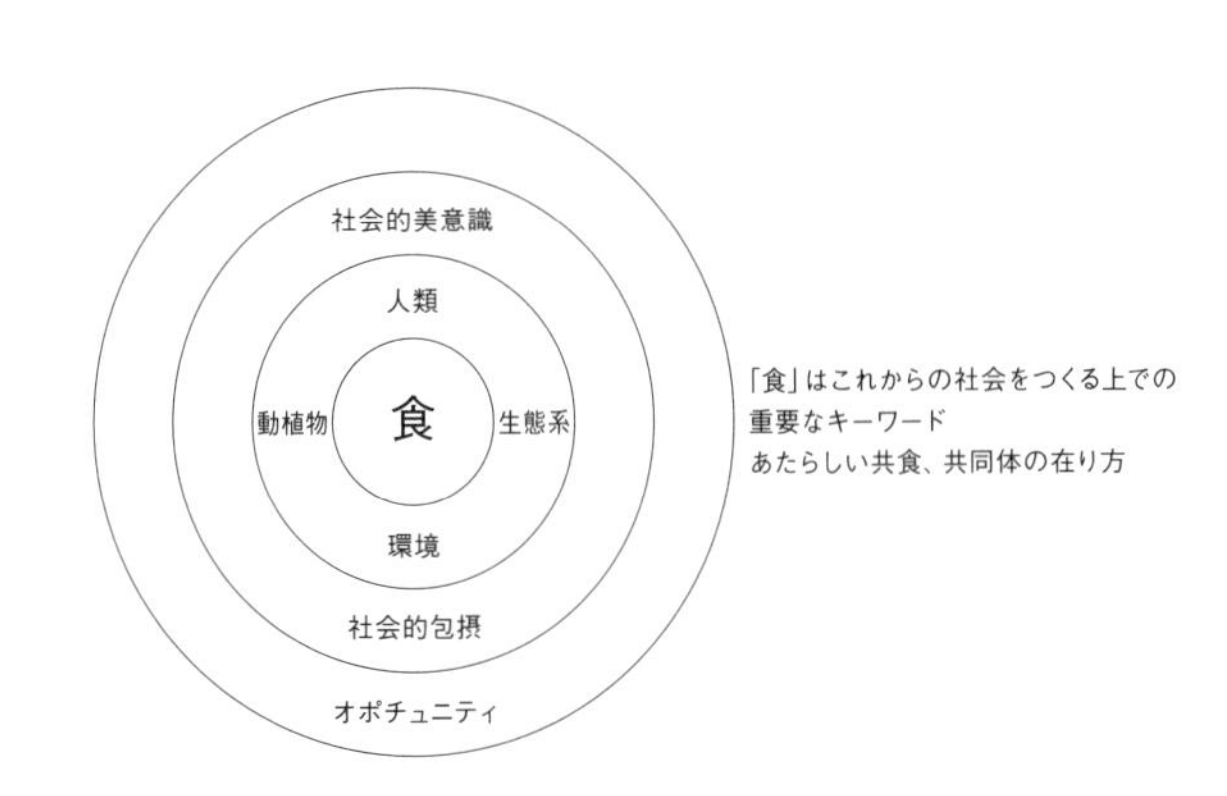

【図3：米田氏が提示するこれからの社会における食の在り方】

セッション

資本主義社会で文化を持続させるには

米田 肇＋高橋俊宏＋桑村祐子＋黒川周子＋橋本麻里
御立尚資＋西山浩平＋原 研哉

プロフィールはpp.436-451参照

ブロックチェーンで生産者と繋がる

高橋　今まで瀬戸内デザイン会議でデザインや建築は語られることが多かったと思いますが、食は話題になりつつもそんなに深く語られてきませんでした。そこで今回は、本格的に食について皆さんと議論できたらと思っています。

桑村　瀬戸内デザイン会議では、食が地域振興の手掛かりになるという観点から、米田肇さんに見解を伺いたく、ゲストとしてご参加いただきました。米田さんは元々、コンピュータサイエンスを勉強された後、料理の世界に入り、今や日本を代表するシェフでありアーティストです。そして肉体も精神も鍛え抜かれたアスリート系（笑）。どこまでも実践力に溢れる方です。コロナ禍においては、私たち「和久傳」も雇用調整助成金で会社を潰さずに済んだのですが、これも米田さんのおかげだと感謝しています。米田さんはいち早く「これではいけない」とたった一人で立ち上がり、一五万人以上もの料理人や飲食に関わる人々から署名を集め、総理大臣と首長に「飲食店倒産防止対策」[＊1]の要望書を出されました。私はこのことを一生忘れることはないと思います。料理人としてだけでなく、優れた経営者、そして時代を牽引するリーダーとして尊敬しています。

高橋　当時、ＳＮＳでの米田さんの発信はテレビや新聞でも取り上げられ、話題になりました。本当に飲食業界を救った立役者ですよね。

やはり、日本が世界に誇るものとして建築やデザインもあると思いますが、食も同様だと思います。日本の文化や美意識が世界に拡がっていく時、日本の食以上の武器はない。世界中の最先端の料理を研究するガストロノミーも、日本の和食からかなり影響を受けていると言われています。また、パリなど

1――新型コロナウイルスによって多くの飲食店が倒産するおそれがある中、売上減少や店舗休業の状況でも払い続けなければならない固定費（家賃）と雇用者給与の補助を要望したもの。

の三つ星レストランを見ていくと、スーシェフ（副料理長）を日本人の方が務めていることが多い。そんな意味でも、日本の食文化には世界に誇れるものが秘めていると思います。

そしてレストランと地域振興の関係です。例えば、今あるガストロノミーの始まりとも言える「エル・ブジ」［＊2］ができ、サン・セバスチャンというエリアが食の都と認識された。コペンハーゲンの「ノーマ」も同様です。二〇年以上前、北欧は食を楽しみに旅に行くイメージはありませんでした。それまでコペンハーゲンのレストランに入っても、ニシンの酢漬けやジャガイモしかないくらいの印象だったけれど、「ノーマ」ができていきなりコペンハーゲンが美食の都になった。

しかし、米田さんの見解では、地域活性は一つのレストランだけでは難しく、自治体との連携が必要だという指摘がありました。素晴らしいレストランやオーベルジュが一つできるだけでも地域が活性する可能性があるのではないかと私たちは思っていましたが、実際はそんなに甘くないということがわかり、勉強になりました。

また、成功した先行事例を真似するのではなく、次に訪れる社会を予測してそこでどう対応するかを思考することが大事だといった金言もいただけま

2――スペインのカタルーニャ州コスタ・ブラバのロザスにあった三つ星レストラン。元々はよくあるリゾート地のレストランであったが、料理人のフェラン・アドリアと支配人のジュリ・ソレールによって、スペインの郷土料理から、斬新で独創的な料理を提供するガストロノミーに移行し、世界中から注目されるようになる。約五〇席しかないシートに世界中から年間二〇〇万件もの予約希望が殺到し、世界一予約が取れないレストランと呼ばれていた。また、料理の調理法を情報公開した点もユニークで、多忙さゆえに二〇一一年にレストランを閉店した後、研究機関として「エルブジ・ファウンデーション」を設立し、インターネットを通して、「エル・ブジ」の料理を誰もが学ぶことができる。

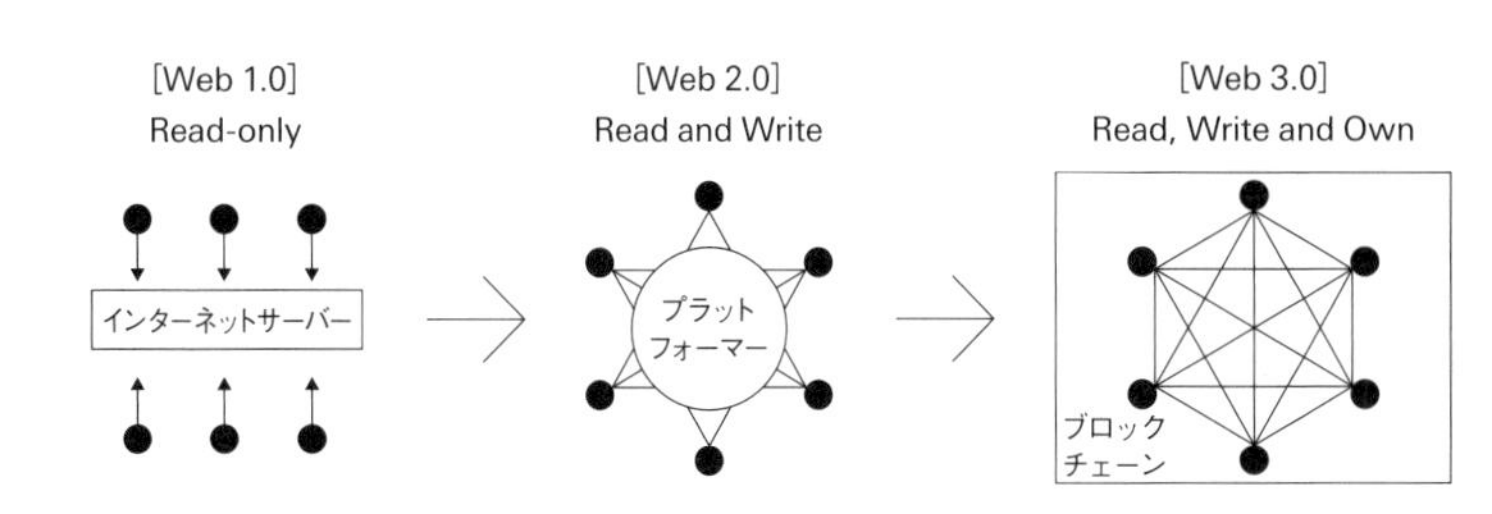

【図1：従来のインターネットとWeb3】

した。米田さんは三〇〇年の射程で社会を考えた時、食の在り方がどのように変わっていく必要があると考えていますか？

米田　一つはＷｅｂ３［＊3・図1］ですね。日本ではＧＩ［＊4］という地理的表示制度がありますよね。フランスではＡＯＣ［＊5］のような制度です。あの制度に関しても、単にどこで何をどのような製法でつくっているかだけでなく、もっと別の要素も必要だと思うのです。

例えば、良い病院と悪い病院の先生がいたとして、悪い先生はあまり効果のない錠剤を患者に一〇〇〇円で処方します。患者さんは「薬を飲

3――分散型インターネットのこと。ネットワーク上にある端末同士を鎖のように連結・接続して、プラットフォーマーを経由することなく、ユーザー自身の手で分散的にデータを管理・運用するシステム。従来の中央一元管理とは異なりシステムダウンが起きないことや、ネットワークに参加している端末が自律してデータの履歴をコピーし続けているため、改ざんが非常に困難であり、記録を消すこともできない点がメリットとして挙げられる。

4――地理的表示（Geographical Indications）の略称。その土地ならではの自然的、社会的な要因によって生まれた品質や評価を有する生産物の、地域との結び付きを特定できるような名称を、知的財産として保護する制度。ＧＩマー

んだけれど、あまり具合が良くならない」とまた来院し、「それではこちらを試してみましょう」と別の錠剤を処方する。それが一〇回分になると、悪い医者は一万円儲かります。良い医者は「はいどうぞ」と効果がある錠剤を同じ一〇〇〇円で処方してくれます。一回の処方で済むから、良い医者は一〇〇〇円しか儲かりません。このように良い業者が悪い業者より儲からないという場面が、どの業界でも見受けられます。頑張ってモノをつくっている人にうまくお金が回るシステムになっていないのでしょう。しかし、Ｗｅｂ３を使えば、生産者や消費者の誰しもにその時々の透明な情報が流れてきます。それを用いれば、飲食業界の経済を整えることができるかもしれない。

野菜でいえば、有機栽培で健康的な食材をつくっている生産者がいる一方で、安価だけど健康的ではない野菜をつくっている生産者もいます。その時に、それぞれの野菜を購入して食べた消費者が、どのような生活を送っているかまで追ってみる。仮に、食生活によって不健康な人は社会貢献できるような余裕がなく健康な人は社会貢献しているとした時、そこまでをＷｅｂ３で追っかけて、その貢献度の数％を生産者にバックするような仕組みをつくってみてもいいでしょう。

日本の食においては、生産者と消費者の間に中間業者が多過ぎます。その

クがつくことで、地域の歴史的文脈と結び付いた生産物の品質や製法、強みが見える化され、生産者の利益の増進と需要者の信頼の保護を図ることを目的としている。

5――フランスの原産地統制呼称制度である、Appellation d'origine contrôlée の略称。製造工程および品質評価において、一定の条件をクリアしないと認定されない品質保証。フランス国内のワインやチーズ、野菜など農業商品が対象となる。原料偽装や産地偽装を防ぐことが目的。

間にいる人々がお金を取ってしまっているため、頑張っている生産者の元にお金が入っていかない問題がある。そんな経済の仕組みに対して新しい技術で変化をもたらすことも必要だと思っています。

高橋　本来還元されるべきところにきちんとお金が流れていけば、生産者もレストランとしても、皆が幸せになっていくでしょうね。

米田　そうですね。農業とレストランを見ても、日本と海外では戦略が全く異なります。例えば、人口が日本の半分でありながらも、農業国且つ観光立国であるフランスが何をやっているかと言えば、農家はまずトップレストランにすごく低価格で食材を納品します。そのレストランに海外から来た観光客が食事に来て、「なんて美味しいんだ」とその評価をそれぞれ自国に持って帰る。情報が伝播すると、それぞれの国の業者がフランスの食材を輸入するようになる。その時に正規の金額で食材を輸出するわけです。

日本の場合、良い食材をつくっても、そのまま高価格で提供しようとします。輸入食材と比較すると国産の食材の方が高いので、そこまで大差がないならば輸入品を使うといったお店も多い。国内のレストランだけといった小さくまとまっていく戦略を取らずに、フランスのような世界に向けた戦略をとれば、第一次生産者にもお金が行き渡るのではないでしょうか。

黒川　「とらや」と契約農家さんとの繋がりも原始的なブロックチェーンと言えるかもしれません。岡山は元々白小豆をつくっていた場所でした。その備中白小豆が非常に品質が高いということで、私の曽祖父に当たる一五代目の黒川武雄が一九二七年に群馬にその種を持っていき、今では、約三〇〇軒の契約農家さんにお願いし、群馬の地で白小豆を栽培しています。

「とらや」のお菓子は、岡山や群馬のみならず、北は北海道から西は沖縄まで、日本全国の生産者と手を組ませてもらっているからつくることができます。沖縄では黒砂糖、徳島では和三盆など様々で、その背景には生産者との繋がりがあります。つまり、「とらや」としては一〇〇年以上前からWeb3のような形で、第一次産業の方々と共にお菓子をつくってきた経緯がありますす。米田さんが指摘するように、現在ならこのような関係性はよりつくりやすい社会環境になってきました。その繋がりを活用して良い生産者や良いお店が見えるような構造がつくれたら、消費者としても美味しいものが食べられるようになるわけで、単純に嬉しいですよね。

また、世界的な有名店が一軒あってもその地域は変わらないというお話がありましたが、たしかにお店だけではその地域の根本的な構造を変革することにはならないと思います。一方で、その店が地域を活性させる起爆剤になるかもしれません。その時には自治体との連携だけでなく、瀬戸内デザイン会議に参加している神原勝成さんや石川康晴さん、大原あかねさんなど、起爆剤に着火させる人たちがいることも鍵になるでしょう。

食の学び合いの場

高橋　米田さんからは想像以上のスケールの示唆をいただき、食という分野における課題点や問題点がぼんやり見えてきたように思います。「和久傳」という料亭を営まれている桑村祐子さんは、同じ食という現場にいらっしゃるので、米田さんのお話に共感できる部分が多かったのではないでしょうか。

桑村　「和久傳」は元々、京都でも海がある丹後地方で料理旅館を営んでいました。しかし、地元で唯一の地場産業であった縮緬織が衰えるとたちまち人流がなくなり、京都から三時間、交通の便も悪く観光する場所もない地域だったため、美しい自然や食材に恵まれながらも別の活路を求めて京都市内に料理部門のみを移しました。

今でこそ地方創生の時代ですが、不便な場所にわざわざ来ていただくためには、料理、そしてまた行きたくなる自然環境、快適な空間、人の温かさなどが必要だと思います。一方で働く側の環境を良くしても、家族との時間や子どもの就学環境などを考えると、簡単に移住できるとは限りません。

米田さんが話された食の世界における構造的問題は、都会であっても田舎であっても起こっています。プロの料理人が高い報酬を得るためには、技術の習得までの時間がかかります。社会的地位が給与額と比例していくのかも疑問です。そこで「和久傳」では、スタッフの独立を支援することを目的とする経営方針に方向転換しました。また、会社に長く残って貢献してくれる人には「教え方の技術」を学んでもらい、人材育成により注力してもらいます。その結果、多くの料理人たちが東京や海外、また自分の生まれ故郷に戻ってレストランを開業しています。

料理の技術は少なくとも七、八年かけて反復練習と毎日の営業中にライブで経験して身につけますが、センスやマネジメントも勉強してから独立するとなると一〇年以上かかります。「和久傳」を卒業した料理人がなぜ成功しているのかを考えると、反復練習の間に様々な研修や先輩後輩の教え合い、店舗間同士での仕入れ先の共有なども要因に挙げられます。その中でも最も大きい要因は、一店舗を一つの会社と見立てて経営する機会があるからかもしれません。技術があっても、センスや心地よさ、お客様の心理を学ぶことは別です。店舗に裁量権があることで運営と経営の経験値を高めることになり、結果的に功を奏しているのかもしれません。

高橋　料理人の独立をサポートする一方で、「和久傳」本来の味を守るという使命もあると思います。言ってしまえば、残ってもらいたいという想いもあるのではないでしょうか。そこの線引きはどう考えていますか?

桑村　就労時間の制限で技術を習得するための年数がより長く必要になってきた上に、学ぶ側の意欲が続かなかったり、教える側の労力が倍以上かかるようになってきたのが現実です。定期的に修業しにきてくれる人がいる間は「和久傳」の味は継続的に守られると思っていましたが、供給が追いつかなくなってきています。そんな流れをどうやって保持していくかが課題です。
そのためにも独立して成功している例をきちんと見せることも大事ですし、

教えることは同じでも、教え方を研究して変えていく必要があると思います。いくら人手不足でも質を保ちながら発展し続けるためには、まだまだ課題があります。

高橋　桑村さんは第二回瀬戸内デザイン会議でも、飲食業界における学びの場の必要性を感じていると言及されていました。

桑村　どこの地域でも料理人や接客の人材不足は喫緊の課題になっています。裾野の絶対数を増やすためには報酬を上げ、労働環境を改善するしかありません。そこへ将棋の藤井聡太竜王や野球の大谷翔平選手のような存在が出てくれれば加速できる可能性があります。とはいえ、不便な山奥にあるレストランを常に満席にできるプロフェッショナルは、これからも限られていると思いますので、しばらくは別の方法で食の観光産業を支える必要があると思います。

訪日観光客にとって、料理人だけが美味しいものを提供してくれるわけではありません。例えば、神原勝成さんの奥さまの料理は大変美味しく、シンプルで滋味深いものです。プロでなくとも必ず再訪したくなるような経験になり、その人がいる街まで好きになることがあります。

また、豊かな食材に溢れた瀬戸内での食体験には、食べる人だけでなくつくる人も幸せにして、また会いたくなるような繋がりを生み出す力があります。現在、訪日観光客の間で肉じゃがや出汁巻き玉子のつくり方を習う体験教室が流行っていて、予約困難なほど人気があるそうです。その教室で教えている人も必ずしもプロの料理人ではありません。このように料理上手な方のマンパワーを活用できれば、おもしろいことができるのではないでしょうか。例えば、空気のいい自然に囲まれた農家さんや酒蔵さんを、閑散期にお邪魔して、その地域の地元食を満喫する旅などは、日本人にとってもいい体験になると思います。

そもそも料理には、教え合うおもしろさとその場で食べて共感できる強みがあります。日本の料理を外国の方に教えるだけでなく、訪日客が旅先で自国の料理を人に教える楽しみもあるでしょう。そんな食の在り方も観光体験の濃さに繋がるのではないでしょうか。

小さくても衛生設備が整っている誰でも使えるキッチンがあれば、「場」が生まれます。要するに、サン・セバスチャン的な潮流は瀬戸内でも可能だと思うのです。そこで得た繋がりが日本滞在を長くしたり、再訪のきっかけになったりと良い循環に繋がるでしょう。人手不足という現状の中、食を産業と考えることも大事ですが、キッチンという場からその地域の地形や気候風土なども知りつつ、人と人が繋がる観光を考えていきたいです。

また瀬戸内デザイン会議では、アートと建築、食との関係を探るような実験的な場をつくりたいと思っています。

高橋　桑村さんから「プロがプロを育てる」という話が出ましたが、例えば、地域で活動するプロの料理人を米田さんが養成するというようなスクールは成立すると思いますか?

米田　いわゆる一流の職人とそこまで至っていない職人の考え方の差をどのように埋めていくかということですよね。食の教育において、まず言語化できる部分とできない部分に分かれます。言語化できるものは分量です。分量は事細かく数値化できる。AI研究に関しても同じことが言えますが、最初はその数値化が重要で、そこからはAIも人間も何回も同じことをやって訓練するしかありません。自分の経験値のビッグデータをつくる必要がある。言語化できるものに関しては、分量の他にも手順のポイントなども教えることができるでしょうね。

一方で共感部分、いわゆる自分自身の感覚部分に関しては難しい。同じ食べ物を口に入れた時の感じ方は人それぞれ異なるからです。「酸味が足りない。塩分を少し足して、何か別のものを入れた方がいいのではないか」という私の感覚と、「いや、これでいいんじゃないか」という別の人の感覚には差があるわけです。

その感覚の差を埋めていくためには、一緒に生活をして、毎日同じような食事をするしかない。そこで認知バイアスの差をできるだけ同じになるように近づけていくわけです。つまり、お店に入っての修業の意味は、言語化できるものと言語化できないものの両方を勉強するということです。だから、食を教えるとなると、もう徹底的にみっちり教えないといけません。

例えば、私の店は二〇〇八年にオープンしましたが、オープンからいる従業員のうち、半分ぐらいはまだ在籍しています。それだけ、認知バイアスの差を埋めていくことは簡単ではありません。センスが良い人とそうではない人の差は中々埋まりません。そういった意味で地域の料理人を成長させることができるかどうかとなると、その差を少し埋めることができる人が数％いるかどうかくらいが現実だと思います。

地産地消のレストランに飛行機で乗りつける矛盾

橋本　御立さんのオリエンテーションで、日本という土地で和食という特徴ある食文化が育まれた背景の一つとして、川の短さを挙げられていました。川の短さゆえに軟水となり、硬水の地域とは違う、鰹節や昆布で出汁をとる調理法にならざるを得なかったというお話です。こういった日本列島の地理的条件と食の関連事例は一つ、二つではなく無数にあり、地球科学者の巽好幸さんが『和食はなぜ美味しい――日本列島の贈りもの』（岩波書店、二〇一四年）や『「美食地質学」入門――和食と日本列島の素敵な関係』（光文社新書、二〇二二年）で解説されています。

例えば、瀬戸内海の魚類のおいしさを説明する際、高速海流によって筋肉質な魚が育ち、その筋肉のATP［＊6］が分解されてアミノ酸が云々……という話をよく聞きますが、瀬戸内海で高速海流が生まれる要因には、潮汐（ちょうせき）や寒暖の差が大きいこと、そして瀬戸と灘が繰り返す地形が挙げられます。この地形は三〇〇万年前に日本列島を囲う、太平洋から西向きに押してくる太平洋プレートと、南から北向きに押してくるフィリピン海プレートによって生

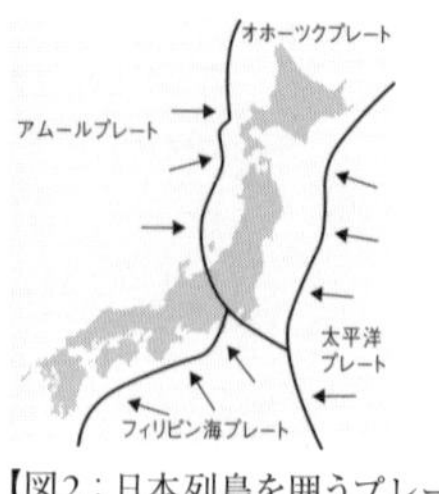

【図2：日本列島を囲うプレート】

6――アデノシン三リン酸（adenosine triphosphate）の略称。加水分解され、アデノシン二リン酸とアデノシン一リン酸になる時に解放される大きなエネルギーを、地球生物の細胞は利用しているため、ATPは「生体のエネルギー通貨」とも形容される。

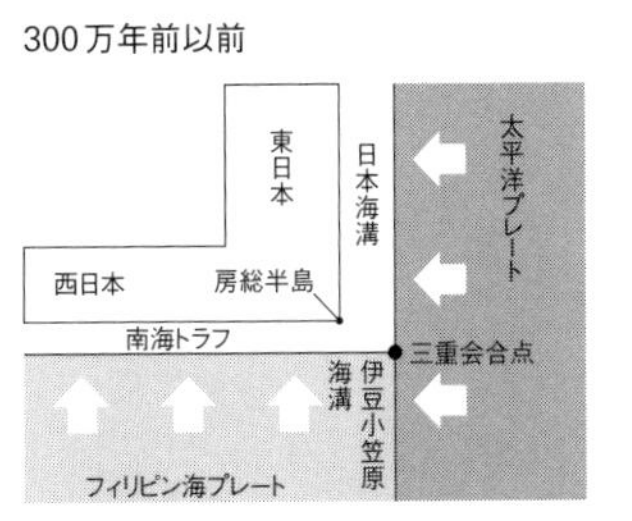

・フィリピン海プレートの東端が、地下で太平洋プレートと衝突
・フィリピン海プレートが押し負けて、北西方向へ運動方向が変化
・この変化は、房総半島の地層に記録

・三重会合点（3つの海溝が交わる点）は安定に存在
・日本海溝・伊豆小笠原海溝が西進
・東日本に強い圧縮力（海溝型巨大地震、逆断層）
・西日本にはフィリピン海プレートの斜め沈み込みにより、西向き横ずれ力

【図3：プレート運動の方向転換による瀬戸内海の形成】

まれました[図2]。この時、フィリピン海プレートが太平洋プレートの力に押し負け、房総半島沖が三重会合点[*7]になります。更に押し負けたことで、フィリピン海プレートの力の向きが四五度ぐらい西側に傾きます。すると力が北西方向にずれ、瀬戸内海の中央構造線[*8・図3]が西に引っ張られる。そこに皺が寄っていくわけですね。沈降部分と隆起部分が繰り返して海底に刻まれ、高速海流を生じる地形が完成するわけです。その結果、瀬戸内海は筋肉質で美味しい魚が育つような環境になりました。

　しかし、これはあくまで仕組みを説明しているだけで、それがわかっ

7――地球の表面は十数枚のプレートで構成され、隣接するプレートが相互に運動するため、それらの境界に沿って火山の噴火や地震が発生する。その隣り合う三つのプレート境界が交差する場所を三重会合点と呼ぶ。房総半島沖はオホーツクプレート、太平洋プレート、フィリピン海プレートの三重会合点、富士山は、アムールプレート、オホーツクプレート、フィリピン海プレートの三重会合点のほぼ真上に位置している。

8――九州の熊本県八代から、徳島、伊勢を経て、諏訪の南を通り、群馬県の下仁田、埼玉県の寄居付近まで横断する、一〇〇〇キロメートル以上の大断層。

たから美味しい魚が生まれるような地形を人工的につくりましょうとは勿論なりません。私たち自身が住んでいる場所について理解するための手がかり、あるいは多様な地理的条件から、評価できる食材が埋もれている可能性について考える手がかりぐらいにはなるでしょう。

米田さんの俯瞰的なお話を聞いていて思ったことは、経済合理性といった時の合理、理というものが、後知恵で考えれば、短期的、局所的な理に落ちているのではないかということです。その時代なりに全体最適を求めて考えていたことが、今になって俯瞰的な視点で見れば、所詮は部分最適の合理でしかなかった。人間の知的活動の範囲が広がり、見えるものが空間的にも時間的にも広がってきた現在、全体最適ではなかったとわかるようになってきたわけです。

では、食の構造も含めた全体最適は可能なのでしょうか。例えば昨今、ミシュラン・グリーンスター［＊9］に代表される評価基準も出てきました。サステナビリティは当然大事にしなくてはいけませんが、食材の地産地消に取り組んでいるレストランに、化石燃料をまき散らす飛行機で乗りつけてまで美味しい料理を食べに行くこと、その流れを助長することがリーズナブルかどうかも含めて、食の構造について考えていく視点も必要ではないでしょうか。

9——食材の生産から消費、調理法、レストランの経営方針に至るまで、食と地球環境の保全、持続可能性の高い社会に向けた取り組みを積極的に行っている、レストラン、ガストロノミー、シェフにおくる評価。

西山　美味しいものを食べに来てもらいたい地域のレストランやガストロノミーと、美味しいものを食べ歩きたい世界中のフーディー、その流れをつくるミシュランやメディアがある。橋本さんから「はたしてそれは全体最適なのか」という指摘がありましたが、食の未来を考えた時にそのバランスや均衡としてどのあたりが落とし所だと米田さんは考えられていますか？

米田　全体のバランスをつくるためには、やはりある程度のテクノロジーが必要になってくると思います。空輸に関しても脱炭素について様々な取り組みがされていますが、牛のメタンガスの問題［＊10］も、飼育の工程で肥料を変えることで低減を試みている研究も進んでいます。食の構造として少しでもバランスを良くするためには、新しいテクノロジーを用いることも考えていかなければならないと思います。

結局は最適化となると、一つひとつ丁寧に対処していくしかありません。何かをやってみて支障が起こったら改善する。同時に方向性をきちっと定め、できるだけ社会的包摂の方向を目指すことが大事だと思います。今までの経済合理性はいわば新自由主義だったわけです。自由の問題は、皆が各々自由

10――二酸化炭素の約二〇～三〇倍の温室効果があるとされているメタンガスの排出量のうち、その五％は家畜のげっぷと言われている。

にやってしまうので、正しいことをやっていたのに格差や貧困が生まれてしまった。どのような未来をつくっていくかにおいて、個々で自由に取り組むのではなく、全員で協働していくことが大切だと思います。

地域で共有する美意識

御立　食のバリューチェーン全体で分配をきちんとやることで持続させるといった話や、ある程度は資本主義にのっかって経済的に持続しないと地域ではお店は成り立たないといった話など、興味深く聞いていました。最も刺さった話は美意識についてです。

個人の美意識やセンスがある一方で、地域で共有している美意識もあります。例えば街の景観などに表れる美意識です。少し失礼な言い方になりますが、その美意識がかろうじて倉敷にはまだ残っています。街の景観だけでなく、地域の美意識を生かした食や生活がその土地にあると、観光にも生きているのではないでしょうか。

美意識のレベルが高い地域は、その土地に食や工芸といった何かしらの文化が地域資源としてあり、それらが街全体、あるいはコモンズとしての美意識として昇華していった場所だと思います。そういった地域の美意識についてはどのように考えられていますか?

米田　大阪の観光関係の有識者会議に呼ばれると、「肇さん、食を使って地域を盛り上げたいのですが、どうすればいいのでしょうか」とよく相談されます。その時に私は、観光に対して取り組むべき最初のステップは食ではないと答えます。

私たちが観光に行く主な動機は、その場所に美しい街並みがあり、ここで生活してみたいなと思わせる場所を求めているからでしょう。人間は安全な場所を探して、アフリカから移動して生活してきました。もっと良い場所はないかと人類はずっと旅してきたのです。旅の根幹はそこなんですよね。より良い場所がないかと潜在的にずっと探している。そこに美意識が働くわけです。

美意識とは、神様がつくったようなバランスの再構築だと思うのです。野球選手もお寿司屋さんも、熟練してくると野球の神様やお寿司の神様が見える。実際に何を見たかと言えば、そこにバランスを見たのでしょう。だから、自然と人、生物がバランス良く整っているような場所にいると、誰かに教えてもらったこともないのに、神様と自分の内側に流れる細胞がリンクしたかのような感覚になる。それが本来の美意識なんだと思います。

美意識は人それぞれ持っているけれど、一番根本にある生物的な人間の美意識は意外と共通している。例えば、夕日が美しいと感じる感覚も、何とも言えない光と自然、街並みのバランスが美しいから反応するのでしょう。そのため、観光ではまずそのバランスをつくり上げることが第一です。そういった美しい場所さえあれば、次に人間は何をしたいかと言えば、座って少しゆっくり過ごしたいから、そこでやっと食事になる。

美しい街があれば、料理人もそこでお店を開きたいと思います。独立したての私が大阪で物件を一年間悩んだように、都市部にはもう美しい場所なんてありません。美しい街さえつくることができれば、その場所でお店をやりたいと思う料理人は必ず増えてきます。その時に、地方自治体とうまく協働して誘致策を用意すれば良い料理人は地域に移住するだろうし、その上で料理人とその土地の農業も連携させていく。そこまでやって、ようやく食が持続的に地域振興に貢献できるようになると思います。まずは食ではなく、美しい街をつくること。そんな美意識を地域で共有することが観光戦略として大事だと思います。

橋本　美意識というワードが出たので少し補足させてください。総合研究大学院大学の松木武彦教授が研究されている、認知考古学という分野があります。美しい街並みやローカルな文化、美術など、私たちが惹かれるものは様々ありますが、「人類が」というレベルに戻った時、視覚的な造形物についてどのようなものに惹かれるのか、といったことを考える学問です。

例えば、人間がつくった最も古い造形物として残っている石器は研究対象のひとつです。それらを見ていくと、生存のための道具であるはずなのに、機能としては不必要な「凝り」が加えられていることがわかります。その「凝り」が何なのかというと、「表面の平滑性」と「左右対称性」という二つの要素に集約されます。動物を狩ったり、皮を剥ぐことを機能とするのであれば、表面を磨く必要もないし、形を左右対称に整えなくてもいいわけです。しかし人類は、その道具が機能を満たしているにもかかわらず、更に時間と手間をかけて「凝り」を与えてしまう。その「凝り」こそが人類にとって根源的に重要な価値観、あるいは美意識だと、認知考古学の領域では考えられています。

天秤にかけられた文化とお金

原　コロナ禍以前と同様、もう少しすれば再び日本にインバウンドが戻り、さらに加速していくでしょう。世界中から大量の人々が日本にやってくるだろうから、何をしていてもそこそこ成功する地域が沢山出てくると思います。しかし、そのインバウンドの成功の陰には、オーバーツーリズムをはじめとする、場合によっては日本を悪い方向に導きかねない危惧があると僕は考えています。そういう事態に関して、米田さんはどのように対処していくべきだと考えられていますか？

米田　インバウンドが増え始めた二〇一三年からの食の世界の流れを振り返ると、料理人側がつくりたい料理ではなく、お金を稼ぐための料理になっていった傾向があります。私が店を開いた二〇〇八年頃は品格があったお店も、今はもうお金なんですよね。いわゆる霜降りのお肉の上にウニを乗せ、更にその上にキャビアを盛って金粉も添えるような……。海外の富裕層向け、あるいはインスタ映えして集客を促すような料理をつくる店が増えてきてしまったのです。

そうなっていくと文化なんてなくなってしまう。本来であれば、モノづくりの人間がつくりたいものを忠実に実践できるような社会でなければ文化は持続していきませんが、スピーチでも話した通り、今の社会は文化に対する経済のリターン、いわゆるお金のリターンがうまくいっていません。やりたいことをやると経営的にうまくいかなくなるのです。仕方ないから受けたくないような仕事も受けなければいけない。

二〇二二年二月、熊本県でアサリの産地偽装問題がありましたよね。実際に知人に聞いてみると、偽装については二〇年前から皆やっていると知っていたのです。知っていたにもかかわらず、生活もあるし、会社もあるし、家族もあるし、皆で目をつぶってやろうということで、普段から偽装していたとのことでした。あの問題も本来であれば、二〇年前に熊本県が海の環境の変化について社会に訴えれば良かったのです。「環境が変化してるから、このままでは日本のアサリの値段は一〇倍ぐらいになってしまうので、皆で一緒に環境問題を考えていきましょう」と二〇年前に発信していたら、熊本県は現在の環境問題を一番最初に取り組んだ県になっていたでしょう。ちょっとした考え方のピックアップの差で問題は起きてしまう。

文化よりも優先して目先のお金を取ってしまう思考が蔓延した社会になってしまったので、今後の一〇〇年、二〇〇年、三〇〇年先の世界に文化をどのように持続させていけばいいのかを考え、皆で共有していく必要があるでしょう。そのためにも、生産者も含め、モノづくりの人間がつくりたいものをきちんとつくっていけるような状況を経済的な部分で整備する必要があります。その整備を応援してくれるようなシステムをどのように今の社会に実装させればいいのかが論点になるでしょう。経済至上主義社会の中で、労働集約型産業やその文化をどのように健全に持続させていけるかは今後の大きな課題だと思います。

高橋　米田さんから、美しい街並みさえあれば料理人は来たくなると仰っていただきました。倉敷には美しい街並みが残っているので、ある意味で勇気づけられる言葉をいただけたと思っています。そして、再三話題になっていたのは、経済至上主義の社会の中でいかにモノづくりや文化を持続させるかという課題で、それを解決するためにはシステムが必要だと。その仕組みづくりこそ、この瀬戸内デザイン会議に参加されている方々の得意分野でもあるので、今後の会議のテーマになる示唆をいただけたのではないでしょうか。

建築家

ゲストスピーチ
見えない開発と有人島計画　長坂 常

セッション
しでかす人たち　長坂 常＋原 研哉＋神原勝成＋藤本壮介＋福武英明

見えない開発と有人島計画

長坂 常

寝技師、長坂常

僕は一九九八年に大学を卒業してすぐに事務所を開設しました。最初は家具のデザインから始めて、インテリア、建築と徐々にスケールを上げつつ、二六年が経ちました。幾つかのプロジェクトを紹介しながら、僕がデザインを通して考えていることをお伝えできたらと思います。

独立して一〇年ぐらい経った頃、一部屋一〇〇万円の工事費で改修するプロジェクト「SAYAMA FLAT」（二〇〇八年）［図1］をつくりました。リーマンショックだったとはいえとてつもなく安く、足すことはできないため、引

建築家
スキーマ建築計画 代表

くだけで空間を再構成できないかを試みました。

同時期に恵比寿の本屋「NADiff a/p/a/r/t」（二〇〇八年）［図2］の内装を設計しました。床が元々、五〇ミリぐらいの不陸（水平でない）の差があり、単にモルタルで埋めるのではなく、その凸凹をデザインの拠り所にできないかと思い、松煙という黒い墨をエポキシに混ぜて床に流してみました。すると不陸の差で色の濃淡がある平滑な床が生まれました。その手法を家具にも転用できないかと思い、アンティーク家具の天板を同じ方法でフラットに補修したところ、アンフラットな表情が生まれました。それが「FLAT TABLE」［図3］

【図1：SAYAMA FLAT】

【図2：NADiff a/p/a/r/t】

【図3：FLAT TABLE】

です。この作品が海外のメディアでも取り上げられ、ミラノサローネにも出展することになりました。その後、この手法を用いたシリーズを展開していき、二〇一九年にはArtek社でスツールやベンチが製品化されました。

オーストラリアのスキンケアブランド、Aesopの日本初の旗艦店「Aesop Aoyama」（二〇一〇年）［図4］では、設計前にAesopの本拠地であるメルボルンでショップを視察しに行きました。視察したお店で見た、古材を用いたディスプレイとAesopのボトルやパッケージの組み合わせがとても相性が良かったので、「Aesop Aoyama」の内装でも古材を使うことにしました。そこでどうやって古材を見繕うかが課題となったのですが、たまたま工務店の担当者の自宅前で古い住宅の解体工事があると聞き、その現場に出向き、床材、柱、階段、家具など、材料をもらってきました。その結果、新しい店舗なのに昔からそこにあったような店構えをつくることができました。

「HANARE」（二〇一一年）［図5］は、千葉の山間部の急斜面に建つ住宅です。竣工後も自分でいじれるように家づくりのプロセスやコストについてきちんと理解したいという施主の要望から、工務店に丸投げするのではなく、工程ごとに工事を分離発注することになりました。ただ、当時の僕らはこの規模の分離発注は初めてだったし、コントロールできる力もなかったので、

【図4：Aesop Aoyama】

そんな僕らでも工程管理しやすいシンプルな構成にして、建具や間仕切り壁、家具、照明や設備配管が木造のスケルトンに対し、一対一の関係で取り付くシンプルな建築をつくりました。

ダウンジャケットが有名なスポーツウェアブランド、DESCENTEの新しい店舗「DESCENTE BLANC Daikanyama」(二〇一五年)[図6]も設計したのですが、このプロジェクトに携わる前、たまたまDESCENTEでダウンジャケットを購入していました。当初は一着一〇万円もするダウンジャケットを買うものかと思いながら店で商品を見ていたのですが、店員の方の説明を聞いているう

【図5：HANARE】

【図6：DESCENTE BLANC Daikanyama】

ちに、いつの間にか会計していたのです。そんな経験をしていたので、店舗設計の依頼を受けた時、店舗スタッフが客に商品を説明して、ストックに商品を取りに行き、客に届けるといった一連の流れを空間に落とし込めないかと考えました。そこでフロアの天井の懐をストックとして考え、昇降可能なハンガーラックを設置することで、一連の動きを一つの空間で成立させたのです。このハンガーラックはディスプレイとしても利用でき、シーズンごとに変化するショップ空間にも柔軟に対応できます。

表参道のGYREの地下一階にできたデンマークのインテリアブランドである「HAY TOKYO」（二〇一八年）［図7］は、三カ月で設計から施工まで完了させました。急に依頼いただき、オープンまで時間がないという前提から始まったプロジェクトのため、最初は展示空間にして、徐々にお店にしていけるような仕組みを提案しました。高さ二七五〇ミリメートルの天井に穴を開けたレースウェイ［＊1］を一二〇〇ミリメートルピッチで設けました。レースウェイの穴の位置に単管パイプを立てることができ、その間をパネルで塞げばパーテーションになります。また、一般的には一人で運べないレジカウンターやディスプレイ棚、植木鉢など、それぞれの什器をハンドリフターで動かせるような仕様にしました。レースウェイと

【図7：HAY TOKYO】

可動式什器によって、柔軟に空間のレイアウトを変更できるシステムを取り入れました。

また、元々GYREには地下フロアがあったのですが、地下への専用階段も存在感がなく、あまり知られていませんでした。そこで、この地下フロアへどうやって人々を引き込むかを考える必要がありました。ただし、表参道というデザインが溢れた街で、単に洗練されたデザインで地下へのアプローチを新たにつくっても、おそらくそこまで人を惹きつけることはできないでしょう。そこで事故や事件のような、やってはいけないことをこの場所に起こして人々に認知させようと考え、既存の階段とその壁面をスプレーで蛍光ピンク色に大胆に塗装しました［図8］。

「℃（ドシー）」（二〇一八年）［図9］はカプセルホテルの改修です。あまり予算がないプロジェクトだったため、既存のカプセルを維持しつつ、内装などを変えることで元々の古い印象を払拭させたいと考えました。しかし、既存のカプセルがベージュ色で、どこか時代を感じさせる曲者です。そこで、インテリア全体をその色に寄せていくことで、その存在を調和して古臭い印象を払拭させようと思いました。FRP（繊維強化プラスチック）やプラスターボード、針葉樹合板、カーペット、洗面台などでベージュ色の素材を使

1――照明器具を取り付ける際の電線を通すレール状の部材。天井高のある工場や駅のホームなど、そのまま天井に照明を設けると位置が高すぎて十分な明るさが得られない時に、配管の下にレースウェイを取り付けて、照明を適当な高さで設置できる。

【図8：HAY TOKYO｜地下への入り口】

うことで、スタイリッシュな空間に仕上げています。

ただ、「℃（ドシー）」のシャワールームを、予算の都合で壁を剥がしただけの防水性能を満たしたFRPクリア仕上げにしたのですが……、「黄金湯」（二〇二〇年）［図10］を設計する際、それを見たクライアントが「かっこいいけれど、お客さんが傷だらけでお風呂から出てこられても困る」と少し心配されていました（笑）。誤解を解くためにも、肌に触れる部分は優しくつくることを伝え、「黄金湯」では肌色のタイルを用いた床や壁になっています。

「武蔵野美術大学16号館」（二〇二〇年）［図11］では、美術大学という特性

【図9：℃（ドシー）】

【図10：黄金湯】

上、共用部では講評会や展覧会が催されることもあるし、学生たちの制作の場所にもなります。そのため、「HAY TOKYO」の仕組みを少し拡張し、未完成の状態の空間を学生に与えることで、学生自身が自分たちで場所をつくっていけるシステムを考えました。そもそも何かをつくる能力や能動性を持つ人たちが集まる学校のため、完成したものを与える必要はなく、半建築[*2]で良いと思ったのです。

今まで紹介したプロジェクトを見ていただければわかるかと思いますが、僕は受け身と言いますか、一つひとつのプロジェクトに向き合い、そこで自分が何をできるのかを考え

【図11：武蔵野美術大学16号館】

2——長坂氏のデザインにおけるコンセプトの一つで、使い手自らが手を加えて変化させ続けることが可能な建築のこと。ほとんどの建物が歴史的建造物扱いで外観を変えることができないパリの街並みを見ていた時、それにもかかわらず街に溢れ出す人々のアクティビティを感じて着想したという。あらかじめ地面に空いた穴にポールを立てて一瞬のうちにつくられるマルシェのテントや、ハンドリフターで動かすベンチや植木鉢、歩道を市が賃料を徴収して貸してできているオープンカフェの仕組みから豊かなアクティビティが生まれていると気づき、そのアイデアを建築内部に転用させて、半建築のコンセプトを生まれた。

てきました。家具からスタートし、少しずつスケールを大きくしながらやってきたため、自分の型があって、それを他人に提供するというよりも、自分が与えられた状況にどうやって適合して作品にしていけるかを考えています。瀬戸内デザイン会議に参加されている藤本壮介さんが立ち技だとしたら僕は寝技というくらい、藤本さんとは真逆のタイプの建築家と言えるでしょう。

見えない開発

今回の瀬戸内デザイン会議のテーマは倉敷の街づくりということなので、僕らが韓国の済州島にあるタプトンで取り組んでいる小さな開発について紹介させてください。この計画は、「D&DEPARTMENT JEJU by ARARIO（以下、d by ARARIO）」（二〇二〇年）［図12］から始まりました。

タプトンという街はバブルの頃には栄えていたらしいのですが、僕が現地を視察に訪れた時には、街に人がほとんど歩いていないような状態でした。しかし、その廃れていくタプトンの街を再興しようと、映画館跡地を美術館「アラリオ・ミュージアム」に改修したり、エリア周辺を虫食い状に二〇棟近い建物を買って所有していたのが、ソウルのアラリオという会社でした。彼

【図12：「d by ARARIO」はアラリオ・ミュージアム（赤い建物）の横にある】

らは建物を取り壊して一体的に開発するのではなく、一棟ずつ直しながら古い建物を生かした街づくりに取り組んでいます。

そんなアラリオとナガオカケンメイさん［＊3］が出会い、「アラリオ・ミュージアム」と共に街の核となる機能をつくろうということで、食堂と店舗、ギャラリー、ホテルが入った複合施設「d by ARARIO」がつくられることになりました。僕らはそこにアサインされたのです。ホテル内に置かれた調度品はD&DEPARTMENTの商品で、宿泊客は使用している家具や配された植栽も購入できます。そのため、行くたびに少しずつ変わっていき、一定の表情をつくらないことが狙いです。

「d by ARARIO」を改修している最中にアラリオさんから、「手前にあったFREITAGのビルも改修してほしい」「向かいにある彼の美術館の一階にカフェをつくってほしい」「隣の元サウナだった建物を改修してほしい」と相次いで依頼いただき、僕らがこのエリアにある数棟の建物を同時に計画することになったのです。その時に統一したデザインコードを用意した方がいいと思って、できるだけ街全体がスムーズに繋がるように各建物にピロティを設けたのですが、外壁まで変えて統一感を出すかどうかという段階にきたとき、このエリアに手を入れたということがわからない方が街の開発としてはおも

3——日本のデザイン活動家であり、D&DEPARTMENT PROJECTの代表。「ロングライフデザイン」をテーマに、物販、飲食、出版、観光などを通して、その土地にある普遍的で優れたデザインやその産地などを紹介する活動「D & DEPARTMENT PROJECT」に取り組んでいる。日本全国に、その拠点となるデザインの道の駅と位置づけたショップ「D&DEPARTMENT」を展開中。元々はデザイナーで、原研哉が率いる日本デザインセンター原デザイン研究所の設立メンバーでもある。

しろいのではないかと思い直しました。

例えば、東京の大久保に行くと、角を曲がるまでその先の情報を想像できません。曲がった時に初めて見えてくる店の営みに惹かれて、お店の中に入っていく。中に入って外を見たときに、隣にもおもしろい店がありそうだから行ってみようかと期待を抱く。その期待と裏腹に、数カ月後に訪れると新しい店ができている。空間だけでなく時間による変化も街のおもしろさであり、そんな新旧の境界も曖昧で多様なものも受け容れる街づくりを「見えない開発」と名付けました。

「FREITAG STORE JEJU by

【図13：「FREITAG STORE JEJU by MMMG」（左）と「Portable」（右）】

【図14：「FREITAG STORE JEJU by MMMG」と「Portable」が入る建物】

MMMG」(二〇二〇年)[図13左]が一階に、レンタルバイク兼バイクショップ「Portable」(二〇二〇年)[図13右]が二階に入った建物[図14]、その横に建つ「アラリオ・ミュージアム」の一階につくった「creamm」(二〇二〇年)[図15右]など、ピロティで持ち上げて、地上レベルで緩やかに繋がる街並みになっています。

二〇二二年には少し開発エリアがまた拡がり、美術館の南側にあるビルに、スポーツブランドであるKOLON SPORTのコンセプトストア「KOLON SPORT SOTSOT REBIRTH」(二〇二二年)[図15左]をつくりました。持続可能性をコンセプトとし、リサイクル素材を使って

【図15:「KOLON SPORT SOTSOT REBIRTH」(左)と「creamm」(右)】

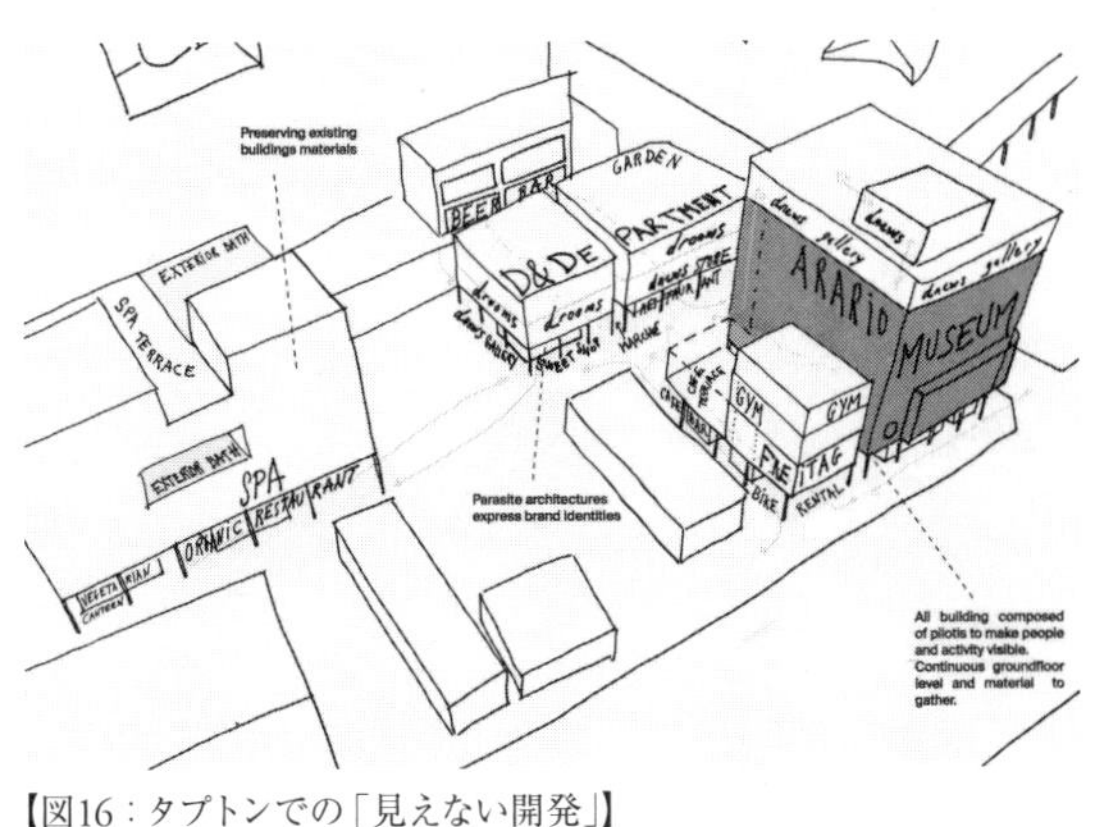

【図16:タプトンでの「見えない開発」】

つくられたワンオフの商品を扱うアパレルストアのため、僕らもそのコンセプトを引き継ぎ、済州島の海岸付近で集めた海洋ゴミを使って什器をつくっています。今もこのエリアではプロジェクトが幾つか進行中です［図16］。

街づくりで言えば、日本では福島県会津若松市の「ヒューマンハブ天寧寺倉庫」（二〇二二年）［図17］という倉庫の改修に携わりました。前橋市と少し近いかもしれませんが、このプロジェクトは会津若松のスマートシティ構想の一角として企画されています。元々は会津塗の製造から販売までしている関美工堂の倉庫をお店にする計画で、そこにシェア工房やカフェ、コワーキングオフィスが加わることになりました。奥の工房で新しい商品をつくってそのまま店頭に出していくという、デザインから実際につくることや売るところまでサポートするモノづくりのための場所です。

僕らも空間をつくるだけではなく、モノも動かして経済を少しでも助けられるようなことができないかと考え、漆を使った「FLAT TABLE」を開発中です。ただし日本では売れないと思うので、ニューヨークのブルックリンにある飲食店とインテリアショップCIBONEの複合店「50Norman」（二〇二二年）［図18］で販売予定です。

ちなみにこの「50Norman」の店舗もデザインさせてもらいました。ここ

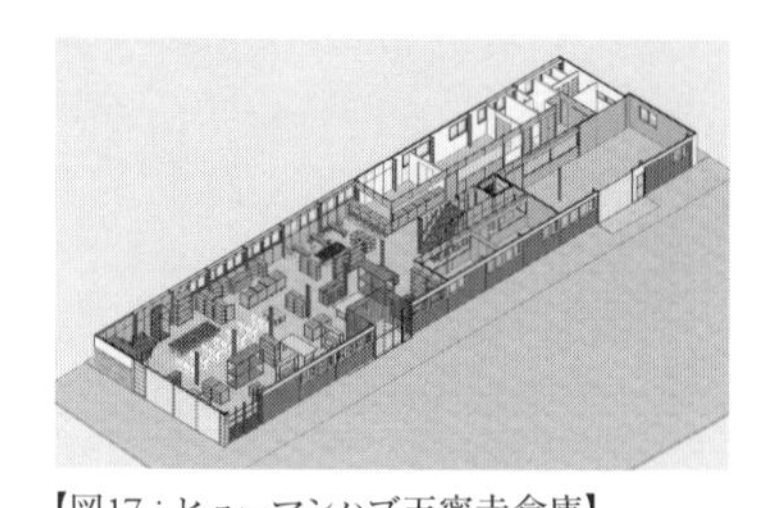
【図17：ヒューマンハブ天寧寺倉庫】

【図18：50Norman】

では、コストを抑えつつ、アウェイな土地でホームでのクオリティを維持しながらモノをつくる実践を試みました。日本にある解体予定の家から材料を集め、日本で加工し、できるだけ体積を落として船で運搬します。更に数名の日本の職人を現場に連れて行き、材の組み立てと加工を短期間で行いました。日本国内のプロジェクトと同等の施工クオリティを海外でも守るべく考案したもので、最近ではこの手法を「DEKASEGI」と呼んでいます。

尾道に家を買う

以前、「PACO」（二〇〇九年）［図19］という三メートル立方のキューブをつくりました。当時、クライアントがマンションの一室をリノベーションしようと思って一〇〇〇万円以上の予算を貯めていたのですが、ちょうどリーマンショックが起き、今さらリノベーションしてもしょうがないということで、「何かおもしろいものをつくってくれないか」と依頼をいただいたのです。

そこで、事務所の中で展示できるスケールのものをつくってみようということで、箱の内部で一通りの生活が可能なキューブ状の家具とも建築とも言いづらいものを考えました［図20］。構想としては、その箱を海辺や山の中など、

【図19：PACO】

敷地に規定されずに好きなように置けたらいいなと思っていました。しかし、現実的には自由にどこにでも置くことは可能なのですが、中で生活するためにはこんな小さな箱ですらインフラを引き込む大きな工事が必要になります。そんな当たり前のことをこのプロジェクトを通して改めて気付かされました。そして、インフラフリーな技術さえ実装できれば、場所にとらわれない建築もつくれると思ったのです。

その時に漠然と島を思い返しました。島とはそもそもインフラと繋がっていない環境です。そんな隔絶した環境にインフラフリーな「PACO」があれば、自立した生活ができるのではないかと考えていました。

ちょうど同じ頃、神原勝成さんから会社の食堂をつくってほしいという依頼をいただいたのです。少し忙しい時期で、その頃はまだ尾道がどこかも全くわかっていなかったのでお断りしました。すると、丁寧にスタッフの方が東京までご挨拶に来られて、これはまずいことをしでかしたなと思ったのです（笑）。その後すぐに九州に出張する予定があったので、無理や

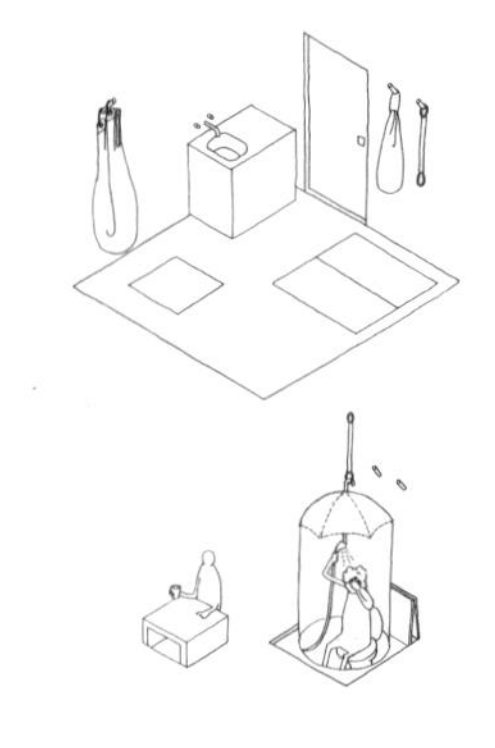

【図20：PACOでは一通りの生活が可能になっている】

り尾道に寄る時間をつくりました。初めて訪れた尾道はすごく素敵な場所で感動したことを覚えています。

それから何度か訪れているうちに尾道に「LOG」ができます。宿泊させていただけることになり、初めて線路をまたいで尾道の山手の方に訪れたのですが……僕は完全にやられてしまいました。見たことのない風景に圧倒されてしまったのです。西日本の人はそうでもないのかもしれないですけれど、関東から来た人間にとっては強烈で、想像を超えた風景でした。そのせいか、「LOG」に泊まった際に窓から見えた向かいの家をつい「欲しい」と言ってしまったのです。そこからとんとん拍子で話が進んでいきました(笑)。

その家を買いたいと思った背景には、外国人の友達が日本に来た時にオススメできる滞在場所がなかったからです。高いホテルかチープなホテルしかなく、自分の家もそこまで広くないので、彼らが気軽に滞在できるような場所をつくれないかと思っていました。しかし、コロナ禍になり外国人が日本に来れなくなってしまいます。さて、本当に尾道の家を買うべきかどうかと悩むことになります。

一方、コロナ禍でやることもなかったので、SUP[*4]で東京の川で遊んでいました[図21]。最初は自宅近くの多摩川で一人で遊ぶ程度でしたが、

4――スタンド・アップ・パドルボードの略称。サーフボードの上に立ち、一本のパドルで漕ぎながら海や湖などの水面を進むマリンスポーツ。

【図21:SUPで遊ぶ長坂常】

SNSで遊んでいる様子の写真をアップしたら、そのうちに興味をもった友人も参加し始めました。男の子が複数集まると発想はだいたいエスカレートしていきます（笑）。少し遠出をしてみようとなり、多摩川を下り始めて羽田空港の近くまで遊びにきてしまい、飛行機の離発着を水上から直近に見て楽しんでいました。その後も、神田川や隅田川、江戸川など、川を介すと割とどこへでも行けて、東京の断面を見ているようでおもしろかったです。しかし、僕らはそんな遊びを休日にしていましたが、東京には海も川もあるのにそこで遊ぶ人はいません。もし、このような遊びを瀬戸内でうまく展開して、注目されるようになれば、東京の人たちも海や川について見直すかもしれませんね。

その頃、ヴェネチア・ビエンナーレ国際建築展に参加する機会があり、僕は日本館の会場構成を担当しました［＊5］。主要材料となる建設現場の足場で用いられる単管と、大きさが一つ一つ異なる古い角材の接合方法を考えていく中で、工務店のTANKと一緒に丸鋸を使った旋盤加工［＊6］を考えました。旋盤加工では基本的に切削する対象が丸くないと、ノミを当てると弾かれてしまうため、素人にはできません。それゆえに主に丸棒を材として加工するのですが、解体した古材は角材でした。そこで角材を弾かれずに切削す

5——二〇二一年の第十七回ヴェネチア・ビエンナーレ国際建築展の日本館は「ふるまいの連鎖：エレメントの軌跡」をテーマに、キュレーターに門脇耕三、建築家は長坂常、岩瀬諒子、木内俊克、砂山太一、元木大輔、デザイナーは長嶋りかこが参加し、施工はTANKの福元成武らが担当した。耐用年数が過ぎた一軒の木造住宅を題材に、解体された古材と現代のマテリアルや技術を組みわせて別の形に再構築する建築の二次利用を展示した。また、屋外の中庭を展示スペース、日本館の展示室を資材置き場、ピロティを作業場として日本館の新しい使い方も提案し、会期中も展示（工事）が動き続けることを計画した。

6——工作物を回転させて切削する加工のこと。

るために、刃はノミでなく丸鋸にし、旋盤の回転と同じ方向に回転させた丸鋸を直角に当てて切削する機械を自作しました。その機械によって、切削さえできる材であれば、全く異なる形状の材同士でも接合部に正確なオスとメスをつくることができ、綺麗な組み立てを実現できます。

その後、アイデアはエスカレートし、色々な材を束にして丸鋸を回転させながら鉛直方向に当てると半円球状に加工できることがわかったり、丸鋸の刃をダイヤモンドカッターにすれば、石やレンガを切削できることがわかりました[図22]。新たに編み出した加工方法「SENBAN」を用いて、TANKと一緒に二〇二一年のミラノサローネで作品を発表しました。

ここでようやく舞台は尾道に戻ります。ミラノから戻ってきた時、この頃はまだ帰国者は二週間の隔離が必要でした。家も嫌だしホテルも嫌だしと考えた挙げ句、「そうだ! 尾道にあの家があるじゃん!」となり、関係者に連絡して「泊めてくれないですか」とお願いし、滞在できることになったのです。二週間隔離しながら部屋を掃除し、瀬戸内の風景を見て過ごしました。その間はお風呂もまともにないし、トイレなどの設備もままならないのですが、本当に飽きない二週間でした。改めて尾道の風景はやはり良いなと思い、家を買うことを決断します。

【図22：SENBANによる加工】

有人島計画

僕自身、先々のことを考えずにまず事を進めてしまってから考えるタイプの人間のため、今回も尾道で家を買ったはいいけれど、改修工事費が思いの外かかることを思い知らされました。工事車両が上がって来れないような敷地のため、階段と坂道を登って人力で荷物や資材を上げないといけないし、工事で出た廃棄物も全て人力で持って下がらないといけません。それだけでもお金がとてもかかるのです。

改修工事費をどう工面するかということで、クラウドファンディングでお金を集めることにしたところ、二〇〇〇万円ぐらい集まって、工事を進められることになりました。しかし、自分で週末に尾道に来て工事するだけでは一向に進まないため、母家の隣に付いていた離れに住みながら工事の現場監理を行い、改修後に何かしらの施設として運営した際の管理人を探すことにしたのです。

尾道に移住したい人を周囲で探してみたところ、元スタッフが手を挙げてくれました。また、「LLOVE」（二〇一〇）[*7]という展覧会で協働したオラ

7——代官山iスタジオを会場とし、日本とオランダのデザイナーたちが実際に泊まれるラブホテルをリデザインする展覧会。長坂氏がアーキテクト・ディレクターを務め、日本からは永山祐子、中山英之、中村竜治が参加した。

ンダのロイドホテルと再びコラボレーションし、この尾道の家は「LLOVE HOUSE ONOMICHI」[図23]というアーティスト・イン・レジデンスとして運営していくことになりました。ホテルにすると建築申請上、安全面や衛生面で難しいし、且つホテルとしてのグレードを維持しようとすると、どうしても宿泊料金はどんどん高くなってしまいます。僕が元々求めていたものは簡単に海外の友達を誘える家でしたし、海外の友達は基本的にはクリエイターなので、その目的を達成するためにもアーティスト・イン・レジデンスという形で運営していくとうまく回るだろうと思ったのです。クリエイターと言っても、レストランのシェフや音楽家、デザイナー、アーティスト、建築家もいるのですが、海外から滞在しに来た彼らがこの地域の人々と交流できる施設にしたいです。

実際は二〇二三年からオランダ大使館から毎年三人のアーティストが三年間来ることになっています。いきなり自分たちで商売をやることは難しいと思ったので、オランダ大使館と手を組むことで、運営も安定していくでしょう。「LOG」さんたちがつくってきたコミュニティが元々あるので、それを「LLOVE HOUSE ONOMICHI」によってもう少し広げ、この地域が少しでも長く保存できたらいいなと思っています。

【図23：LLOVE HOUSE ONOMICHI】

【図24：EL AMIGO】

その尾道の山手エリアから直線で一四キロメートル離れた位置に島があり、そこに神原勝成さんの自宅があります。神原さんから自宅のそばに「子どものためのゲストハウスと大人のための遊び場（＝食後に飲むパブ）」を設計してほしいと依頼いただき、「独忘＋EL AMIGO」（二〇二一年）をつくりました。

まずは神原さんのご自宅に一週間泊まらせてもらい、敷地を視察しました。と言っても、毎日ほぼ飲んでいたんですけれど（笑）。滞在中、瀬戸内海を南に望む斜面に立つ自宅の食堂から毎日のように海を眺めていました。建物を新しくつくるにしても、既存棟となる自宅からの眺望を邪魔してはいけないと思い、二つの建物は斜面の更に下に配置することにしました。

パブである「EL AMIGO」の屋根はＦＲＰになっているので、昼間は柔らかい光が入ってきま

【図25：独忘】

す。壁はコンクリートですが、打設する際の型枠に藁を張り付けることで壁面にテクスチャーを付けています［図24］。打設後に壁面に藁が残ってしまいますが、バーナーで燃やし、不思議なテクスチャーだけが残ったコンクリート壁になります。

子どものためのゲストハウス「独忘」には、五つの寝床ユニットとシャワーとトイレのユニットが格納されています。寝床ユニットの入り口は躙口（にじりぐち）のようになっていて、入ると目の前に瀬戸内海の絶景が広がります［図25］。子どもたちを現世から切り離し、瀬戸内海と対峙しながら孤と向き合う場所としての宿坊をイメージして「独忘」と名づけられました。ただし、僕が滞在させていただく時は、子どものためのゲストハウスというより、「EL AMIGO」で自分が飲んで潰れるための部屋になります（笑）。

更に、神原さんの自宅がある島から一七キロ

【図26：インフラフリーの建築】

メートル離れたところに神原さんの会社が所有している無人島があります。砂浜があってちょうどいい広さで素敵なんです。このような無人島でどうやって人が生活するかを考えました［図26］。

まず水に関しては雨から拾ってろ過すれば飲み水にできるし、海水もろ過をかければ中水として利用できるでしょう。ここで出た排泄物を肥料にすれば、畑を耕すこともできる。エネルギーに関してはソーラーパネルで発電し、予備バッテリーとして島を行き来する際は電気ボートを利用する。それが「PACO」のようなユニットでもいいし、もっと別の何かでもいいでしょう。今の技術

【図27：有人島計画】

を用いればインフラフリーの建築を無人島につくり、有人島にすることもできるのではないでしょうか。これが僕が今考えている「有人島計画」［図27］です。島にはSUPで渡ってもいいかもしれませんね。僕はそんな島を瀬戸内海につくりたいと考えています。

セッション

しでかす人たち

長坂 常＋原 研哉＋神原勝成＋藤本壮介＋福武英明

プロフィールはpp.436-451参照

美術館を街に溶かす

原　「ＬＯＧ」を設計したスタジオ・ムンバイのビジョイ・ジェインさんが、尾道の風景をパリンプセスト（Palimpsest）と評していました。パリンプセストとは、昔の情報と今の情報が重なって見えてくる羊皮紙のことです。何度も書いては消してを繰り返すことで、過去に描かれたものと現在に描かれたものが重層して見えてくる。尾道という場所の魅力も、過去・現在・未来が非常に重層的に重なって見えることだとビジョイさんは捉えています。

たまたま長坂さんの仕事やご自身の感性もそんな重層性を生かしたものに

感応しているように思え、僕は倉敷の街をどうするかということに対しての一つのヒントがあるのではないかと考えながらスピーチを伺っていました。一見すると倉敷の街も過去を丁寧に守ってきているように見えるわけですが、歴史を繋げたり伝統を守るということは、つくり直して昔の様式に揃えることなのだろうかと疑問に思うわけです。それよりも、昔と今の営みを重層させていくことで歴史というものが生まれてくるような気もしています。一方で、江戸時代の様式の建物を建て替えることも重層性という意味では懸念すべきところです。そんなことを頭に入れながら、「建築家」のセッションでは皆さんの考えを伺っていきたいと思います。

先ほどの長坂さんのスピーチで、藤本さんと自身は真逆のタイプの建築家だと話されていました。しかし、藤本さん自身も割と辺境のような場所からスタートし、今では世界的に活躍の場を広げて藤本スタイルができつつあります。藤本さんはいつも森を比喩に使って自身の建築について語られます。森とは複雑多岐にわたるもので、且つそこに内在する要素がせめぎあいつつ共存している。そんな無尽蔵の混沌の中から何かを抽出して再構築するようなプロセスを経て、建築も構想されているのではないでしょうか。そんな藤本さんは、長坂さんの活動や、今回の舞台である倉敷をどのように見ていますか？

藤本　僕が設計した「白井屋ホテル」（二〇二〇年）から歩いて二分ぐらいのアーケード商店街の中にある、二階建ての小さな和菓子屋「なか又」（二〇一八年）［図1］を常さんが設計しています。僕はこのお店がすごく常さんらしくて良いなと思ってました。どんな建築なのかを説明すると、アーケード商店街に突然、和菓子屋さんのカウンターが面しています。勿論、建物が建っているのだけれど、体験としては商店街の道に突然、家具のようなカウンターが面していて、そこで人とのコミュニケーションが発生している。

【図1：なか又】

常さんは元々家具から出発している背景もあるからか、建築を介さずに街と家具によって人を繋ぐことをすごく鮮やかに実現しています。これはすごいなと思いました。更に、隣接する中村竜治さん設計のパスタ店「GRASSA」(二〇一八年)との間に路地空間をつくり、そこにスルッと入っていくと、裏には小さな煉瓦敷きの広場が用意されていて、都市の中にちょっとしたポケットパークのような人々が憩う場所が生まれています。都市的且つ家具的なんだけれど、人々のコミュニケーションがきちんと取れるような建築になっているあたりが常さんらしくてすごく良いと思いました。前橋の街づくりの一つのモデルになっていると僕は思います。

前橋は、田中仁さんが仰っていたように、倉敷のような美しい歴史的な街並みがあるわけではありません。しかし、戦後につくられた意外と味わいのある昭和チックな路地やアーケード商店街があり、それはそれで残した方がいいと僕は思います。田中さんがすごいのは、その商店街周辺に新たな建築を差し込むことで、尾道の街にあるような歴史の重層性をつくったことでしょう。「白井屋ホテル」も然り、田中さんが企画したプロジェクトは実はそれほど大きくありませんが、小規模や中規模の建築を丁寧に街に差し込んでいくことで、街に新しいものと古いものの重ね合わせをつくっていきました。

倉敷は前橋に比べると、元々の街並みが立派で、建築的に何かを差し込む余地はあまりないかもしれないと思っていました。でも常さんの話を聞いていたら、もしかしたら家具的な、あるいはヒューマンスケールの何かを差し込んでいくことで、倉敷の街を生まれ変わらせる可能性はあるのかなと思い直しました。

あと、「食」のセッションで米田肇さんも街に美しい風景があることが重要だと仰っていましたが、僕もまさにその通りだと思います。一方で、美しい風景とは街並みとして視覚的に美しいかどうか以上に、そこで暮らす人々が街と響き合って、愛着を持ちながら生活や活動しているといった生きられている美しさがあると思うのです。その意味で現在の倉敷は、街と人が少し乖離しているのかなと思いました。ただし住む人が増えればそれで良いかといえば、そうでもない気もしています。ではどうするべきか。

例えば、倉敷には大原美術館がありますが、ある意味で街の中で孤立していると思いました。ドーンと建っている感じで、もっと街と溶け合ってもいいのかなと思いました。溶け合う方法は様々ですが、展示室が足りていないという話も聞きましたので、大原美術館の展示室を街の中に点在させてみてもいいかもしれません。街に残っている使われていない倉を展示室に利用してもいいし、展示室を新しくつくるとしたら主要な街区の裏側にあってもいいでしょう。そうなっていくと、街を歩く体験と美術館を巡る体験が連動していきます。つまり、街そのものが美術館になってくる。

大原美術館のコレクションを見に来る人も、本拠地の美術館に最初に寄り、鑑賞後に倉敷の街を歩いているうちにたまたま展示室に出会ってもおもしろいですよね。アートの展示は必ずしも綺麗なホワイトキューブである必要はありません。敢えてカジュアルな空間に展示してもいい。そんな形でアートと街がもっと密接に絡み合うと、美術館自体も活かせると思いますし、街としての可能性も広がってくるでしょう。倉敷は街が美術館になり得る歴史的なポテンシャルもあるし、街並みとしての格がある。そんな地域に活動の起点としてアートが入った時、一気に街が生きてくるのではないでしょうか。

原　「重層していくこと」「溶けていくこと」など、長坂さんと藤本さんが幾つもキーワードを残してくれたような気がしますね。一つひとつがくっきりと屹立して何かを主張しているのではなく、重なり合い、溶け合うことで街が生きてくるのでしょうね。

今回の瀬戸内デザイン会議では、視察として大原美術館を解説付きで見学させていただきました。美術館に飾ってあるアートの多くは、価値が確立された作品を後世の日本人が買ってきたわけでなく、ルノワールやモネが生きている時に現地に行って本人から買ってきたものです。そんなライブリーな感覚で集められた史実に驚きましたし、稀有なことだと思います。その意味でも、生き生きとしている感覚を重視する美術館の体験が街に飛び出していくことは、美術館と街が連動しておもしろいことになりそうですね。

しでかしの共犯者

原　神原さんの実践は非常に直観的、本能的だけれども、いつも良いところをついていると思います。「ガンツウ」［図2］は勿論ですが、「LOG」［図3］においてもどうしようもない感じの集合住宅だった建物を時間をかけて見事に再生させました。街をつくっていくセンスがあるのだと思います。そんな神原さんにとって、街づくりの衝動はどこから生まれてきているのでしょうか。

神原　どうでしょう。結果を振り返ってみると、おもしろそうなものにすぐ手を出してしまう癖があるだけかもしれません。実は、建築という切り口

【図2：ガンツウ】

【図3：LOG】

がおもしろいと教えてくれたのは私の義理の兄で、その人が当時会社の社外取締役に入ってくれていました。常石グループには「雇用を守り、地域とともに発展していく」という考え方があります。絶対に社員のクビを切るなということです。我々が中国やフィリピンに工場を新しくつくる時、国内の工場をどう縮小するかが議論になりました。工場を縮小する以上、社員のクビを切らないためにも、彼らが働ける場所を新たに確保する必要があったのです。その時に義理の兄から、「おもしろい建築があるだけで世界中の人々がその場所に訪れる観光のきっかけになる」とアドバイスしてもらいました。二〇年ぐらい前の話です。そこで常石グループがつくる施設を全て著名な建築家に手がけてもらったらおもしろくなりそうだと考えたのです。

まずは、「ベラビスタ」の中に「リボンチャペル」（二〇一三年）［図4］を中村拓志さんに設計してもらいました。その時に建築家との会話がすごくおもしろいと思いました。私はデザインのセンスや、そもそも美意識というものを今でもわかっていませんけれど、建築のデザインの話ではなく、建築家の考え方や思想がおもしろく、当時造船所の社長をやっていた私にとって刺激的でした。その後、藤本壮介さんに「せとの森住宅」（二〇一三年）［図5］、谷尻誠さんと吉田愛さんに「ONOMICHI U2」（二〇一四年）［図6］など、今では福山と

【図4：リボンチャペル】

【図5：せとの森住宅】

尾道に一〇以上の建築をつくることができました。

結論を言うと、おもしろそうなことを全部やってみたということが本質としてあり、そこに後付けっぽく街づくりが引っかかってきたように思います。普段は街づくりなんて言っていますが、それは建築を切り口にした自分の実践を正当化するための理由だったのかもしれません。大原あかねさんのオリエンテーションで、倉敷の街の成り立ちについて知ることができました。大原孫三郎さんや總一郎さんをはじめ、大原家を中心に倉敷の人々は街に美術館や病院、研究所をつくり、若い人を外国に留学させるなど、街を生かすための様々なミッションに向き合ってきました。それを聞き、自分なんて薄っぺらい街興しをやっていたんだなと木槌で頭を叩かれたようなショックを受けました。

原　神原さんが反省することなんてあるんだなと、今の発言を聞いてびっくりしました（笑）。

神原　常さんについてはスピーチでも紹介していた通り、一週間、私の家に拉致しました。お酒を飲みながら私がつくってもらいたかった子ども部屋の

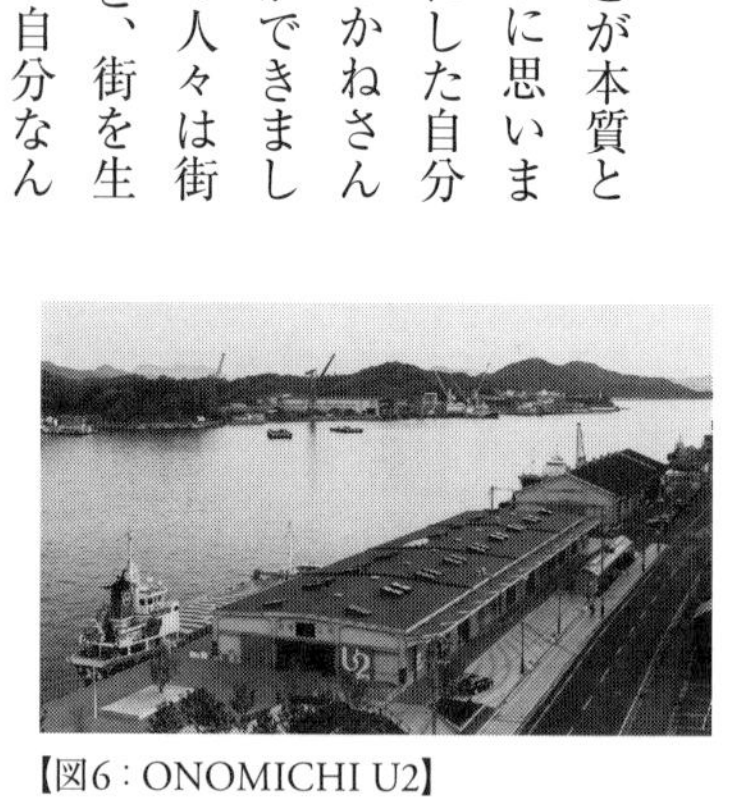

【図6：ONOMICHI U2】

話をしていると、だんだん構想が膨らんでいきます。その構想が膨らむ過程がすごく楽しくて贅沢な時間でしたね。

常さんは、言葉を選ばずに言えば、施主の言うことを聞かずに実験的につくってしまう人です。うちの「EL AMIGO」もそうなんです。「ちょっとやらせてみてください」という感じで勝手にやってしまう（笑）。でも、そのあたりが私とも相性がいいのかもしれません。建築家やアーティスト然り、そういう人たちとのやり取りが非常に楽しくて、今後もおもしろい建築家に尾道と福山に建築をつくってもらいたいと思っています。

原　福武英明さんのお父さんである總一郎さんも建築家の安藤忠雄さんに白羽の矢を立てて、直島を開発していかれました。福武さんはそれを横でずっと見てきたと思いますが、おそらく神原さんと福武さんでは建築家に対する捉え方が微妙に違うと思います。神原さんが建築家との対話がおもしろいと言うように、たしかに建築家とは大それたことを考える人たちです。その構想の実現には結構なお金もかかるし、失敗すると取り返しがつきません。ある意味で、建築家のしでかしに施主たちは付き合わないといけない。一方で、そのしでかしが地域を活かす起爆剤になることもある。施主として建築家と共にしでかしていく業を今後引き継いでいかなければならない立場の福武さんは、建築家についてどのように捉えていますか。

福武　直島のプロジェクトは、元々は子どもたちのキャンプ場からスタートしたもので、そのキャンプ場の監修を安藤さんにお願いしたのです。今考えると安藤さんにキャンプ場をお願いする時点で相当ずれていたのかなと思いますが（笑）。そもそもキャンプについても建築についてもよくわかっていない中で、島で新しいことをやると反対運動が出てくると予想されていたため、安藤さんは元プロボクサーで強そうだし、戦ってくれそうだということで依頼した経緯があります（笑）。建築の図面を引いてもらうといったことだけでなく、直島をこれからどうしていけばいいかといったコンセプトデザインも含め、入っていただきました。「こんなアーティストがいいんとちゃうか」「あのアーティストは性格が悪いからやめたほうがええで」など、建築以外の部分でもアドバイスをいただきながら、安藤さんと直島を開発していきました。

今思えば、アーティストはコレ、建築家はソレ、デザイナーはアレといったカテゴライズされた依頼の仕方はあまりしていません。神原さんのように、コンセプトの段階から建築家に入ってもらうケースもあれば、展示するアーティストからスタートして、後に建築家をアサインし、コラボレーションしながら場所をつくるケースもあります。どちらかといえば、クリエイター同士の相性を重視しているので、最初からガチガチに決めていません。

例えば、「豊島美術館」[図7]はアーティストは内藤礼さん、建築は西沢立衛さんの組み合わせですが、元々は全く違う組み合わせでした。先に西沢さんが決まり、アーティストは別の人でした。そのアーティストのスタジオまで見に行った際に違和感があったことも変更した要因の一つですが、そもそも西沢さんとの相性がどうなんだろうという話になり、そんな時、たまたま西沢さんと内藤さんは仲が良いらしいという噂を聞いて変更に至ったのです。

建築家とアーティストの相性や仲の良さは、僕

【図7：豊島美術館　内藤礼「母型」】

らが施設や場所をつくる上でとても重要です。仲が良いと彼らが無目的に集まって時間を共有することも多いため、その時間の中から新しいものが出てくることがよくあります。僕らはそんな瞬間を今まで何度も見てきているので、その意味でも最初に明確なテーマを設定せず、何となく話をして、そこから相性の良い人たちを組み合わせてプロジェクトをスタートしていくことが多いです。

あと、僕らは「島先輩」でもあるので、先ほどの長坂さんの有人島計画について少しだけ。瀬戸内海は多島美で綺麗ですし、世界的に見ても良いロケーションだと思っています。島の数も多く、外周一〇〇メートル以上の島は七〇〇以上あり、全部で三〇〇〇ぐらいの島がある。しかも、その中には名前のない島も沢山あります。是非そんな名前のない島も、第二回瀬戸内デザイン会議で話題に挙がったオフグリッドの技術で有人島にしてもらえたらおもしろいですね。無人島より有人島の方がそこにコミュニティが発生し、文化が生まれるので。

神原　あの……そんなことを言うと、常さんがまた勝手に動き出しそうな気がするので一応釘を刺しますけれど、無人島は私個人ではなく会社が所有している島ですからね（笑）。

長坂　すみません（笑）。

神原　福武さんが話されたように、たしかに瀬戸内海には島がいっぱいあります。無人島も、私が若い頃にこの島が欲しいと思って調べたところ、おばちゃんが一人で所有されていました。値段は言いませんが、割と安い金額で譲ってもらったのです。そんな島はいくらでもあります。常さんは島にホテルをつくりたいと本気で探しているので、皆さんのお知り合いで島を所有されている方がいましたら是非紹介してあげてください。うちの無人島はちょっと遠慮いただいて……。

長坂　いや、無人島は場所が良いんですよね。

神原　それはあなたがＳＵＰで来れるからでしょうよ（笑）。

原　瀬戸内デザイン会議には島や船を持ってる人も参加しているため、

ここで出た構想がすぐに動き出しかねないところがおもしろいですよね。

変わらない風景を守る者

原　島の話はひとまず置いておき、倉敷に話を戻しましょう。先ほどの福武さんの話では、直島のキャンプ場の監修を安藤さんに頼んだことがスタートと聞きました。昔、安藤さんが直島の一連のプロジェクトを着手したプロセスが雑誌に取材されていて、その記事には、クレーンでとんでもない巨大な穴がどんどん掘り進められている現場の様子が載っていました[図8]。キャンプ場を頼んだだけなのに、建築家が本気になるとこんなことになるのかと驚いた記憶があります。しかし、あえてそんな建築家の壮大なヴィジョンに応えていくオーナーシップが未来の展開性をつくってい

【図8：地中美術館の建設現場】

くのだろうとつくづく思いました。建築家との関わり方は本当に大事だと思います。

倉敷ではこの十数年間、楢村徹さんという建築家が倉敷のタウンアーキテクトとして地道に活動されています。今の倉敷の街並みに対して様式が整い過ぎているという指摘もあるわけなんですが、倉敷という街を昔の姿のままに維持できてきたのは楢村さんのような建築家の成果とも言えるでしょう。そのあたりも皆さんと一緒に少し考えてみたいです。藤本さんは同じ建築家として、楢村さんたちの仕事をどのように見えていますか?

藤本　日本では倉敷のように昔の街並みが中々残りませんよね。成り行きでワチャワチャと漠然とした街になっていくか、真新しい街になっていく。一方、例えばパリの街は何百年も概ね変わっていません。僕はパリに事務所をつくって五、六年経ちますが、頻繁に行き来し始めた頃、ここだったら自分が死んでも安心して死ねるなと思いました。日本は自分が死んだ後、自分が住んでいる周りがどうなるかなんて全くわかりませんよね。おそらく十数年もすればガラッと変わってしまうでしょう。パリにいると、ここで生まれてここで死んだとしても、ずっと自分が見た風景が変わらずに残っていってくれるという安心感があります。その時、日本の死生観とヨーロッパの死生観がそれぞれの街の特徴にリンクしてるように思えて、こんなことを自分も感じるんだなとおもしろかったです。

倉敷の街を歩いた時に感じたずっと変わらないであろう風景は、あの時にパリで感じたものと似ていました。自分の人生の間だけではなく、これからも街の風景がずっとそのまま続いていくといった安心感です。その安心感があるだけで今の人生と生き方も変わってくるでしょう。例えば、僕で言えばつくった建築、皆さんで言えば起こした事業やお店などが、自分が死んだ後にすぐに無くなってしまったり、そこら辺の街区一帯が全く別の変なものにならない安心感がパリにも倉敷にもある。

安定したコミットメントができるというマインドセットも、都市環境によってつくることができると思うのです。脈々と受け継がれているものの中に自分を位置付け、更にそれを自分なりにアップデートや解釈するところから美しい街は生まれてくるのではないでしょうか。僕らみたいに「よし、つくってやるぜ」みたいなことではなく、タウンアーキテクトがしっかり受け継ぎ、次のタウンアーキテクトにも将来引き継いでいく。そんな担い手をどの街も本来持つべき必要があると感じました。

原　モンペリエの街に建物全面にバルコニーを大量に飛び出させた集合住宅「L'Arbre Blanc」（二〇一九年）［図9］をつくった藤本さんから安心感という言葉を聞くとは思いませんでした。

藤本　「L'Arbre Blanc」もモンペリエの街と繋がっているんですよ（笑）。旧市街が厳然としてあるからこそ、カウンターパートとしてあの建築が街の人々に受け入れられるわけです。

原　失礼しました（笑）。

僕も「HOUSE VISION」というプロジェクトを二〇一三年から続けています。このプロジェクトは建築を扱っていたわけではなく、エネルギーや物流、通信、食、医療など、様々な産業の交差点になる「家」の可能性について、皆でもう一回考え直そうという企画です。第一回の「HOUSE VISION 2013 TOKYO EXHIBITION」をお台場

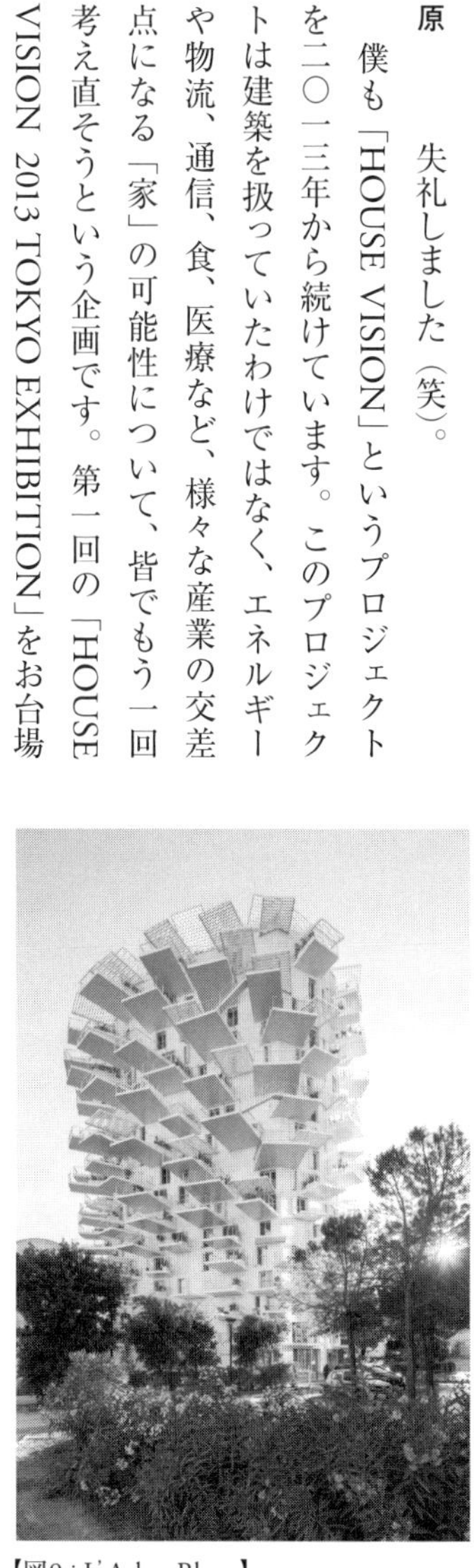

【図9：L' Arbre Blanc】

で開催していた時、東京湾をまたいで対岸にあるパナソニック汐留ミュージアムで「日本の民家一九五五年 二川幸夫・建築写真の原点」展が開催していました。会場構成は藤本壮介さんでしたね。その写真展で見た二川幸夫さんが撮られたかつてあった日本の風景は、現代を生きる僕らの喉元に刀を突きつけるようなものでした。住居という未来を自由奔放に構想してもいいのではないかと考えていた僕はとても反省したのです。

「日本の民家」を見ていると、日本において建築という情報がまだ流通していない時代に、民家というものがオートポイエーシス的に生まれていったことがわかります。つまり、誰か設計者がいたわけではなく、人々の知恵が融合して民家が生まれ、更にそれらが集まり、葡萄やイチヂクが実るように村や街になっていった。その姿が素晴らしく美しいものであったと、二川さんの写真を通して強烈に感じました。ヨーロッパはそういった街の在り方が現代においても守られていますよね。楢村徹さん的な価値観を窮屈に思うこともあるけれど、そういった担い手がいなくなると街の伝統や風景は失われてしまうかもしれません。倉敷にとってとても貴重な存在だと思います。

可能性は裏口にあり

原　一方、長坂さんはライブリーな現在を生きる思考の持ち主だと思います。そんな長坂さんは倉敷の街をどう捉えていますか？

長坂　美観地区では何かやってくださいと言われても、なかなか触れないというのが正直な印象です。

原　確かに中心部はなかなか触りにくいでしょうね。その要因の一つは、倉敷の「美観地区」という呼び方にあるかもしれません。

長坂　ただ、藤本さんが提案されていたアートを街に点在させて、街を美術館にしてしまうアイデアはおもしろいと思いました。なぜなら、僕自身が大原美術館を見学させていただいた時、お腹いっぱいになり過ぎるぐらい密度が濃いと思ってしまったからです。一つひとつのアートがもう少し散らばっていたら消化できるけれど、色々な時代の世界中から集まってきたアートが密に並び過ぎて、もう少し距離を取りたいと思いました。その点でも、街のスケールでそれらのアートを引き受けるといった藤本さんのアイデアはおもしろいそうだなと思いました。

あと、昨夜、皆さんと一緒に訪れたワインバー「倉敷酒商 いときち」の商店街に面した正面口とは反対側にある裏口のアプローチがすごく魅力的でした。あのような裏口がある場所が街の中に三カ所ぐらいできると、街の次の展開に期待した若い人たちが少し寄ってくるかもなと思いました。先ほどのスピーチで紹介した済州島での「見えない開発」による一連のプロジェクトがまさにその類のものです。おもしろい場所が二個か三個あると、それが五個、六個にも見えてくる。そんな感覚で街の外堀を少しいじくれると、街への期待感が出てくると思います。

一番大事なことは、次の世代の子たちが絡まれる代をつくることだと思うのです。高価格帯のお店をつくっても無意味で、「倉敷酒商 いときち」ぐらいのお店ならおそらく若い人も絡まれる余地があるでしょう。あのようなアプローチをつくれる場所は、倉敷の街には他にもありそうだなと思いました。

原　ひょっとすると倉敷の成長点は、長坂さんが注目するように中心部よりも周辺にあり、その周辺がじわじわと発展していくことで街が変わっていくのかもしれませんね。中心部においても裏口が二つ、三つあると、まさに街の歴史の重層性を感じられるような街の空間になる気がするので、裏口には可能性があると思いました。

また、裏口から入った「倉敷酒商 いときち」で本格的なナチュラルワインに出会うという体験もおもしろかったですよね。あのワインは醸造家の大岡弘武さんがつくられたもので、倉敷の食も大岡さんのワインを軸に考えていってもいいでしょう。フランスでワインづくりを修業された大岡さんは、晴天が多く日照時間を確保できる岡山という土地に目を付けて、葡萄栽培と本格的なワイン醸造を始めました。倉敷の食もそんな岡山生まれの本格的なワインに何が合うかを考えてみるところからスタートする方が本質に近づけれるかもしれません。

有人島計画の行方

原　先ほど長坂さんが「無人島が欲しい」と言い、神原さんが「いやいや、あれは会社が所有している島だから、他にしてくれ」と一連のくだりがありました（笑）。

無人島が沢山ある瀬戸内海も、かつては海運で非常に栄えていたエリアです。今は三五人しか住んでいない犬島も昔は三五〇〇人ぐらい住んでいて、花街もあったそうです。新しいインバウンドの時代を迎える現在、世界の人々の流動の中で、瀬戸内海は非常に可能性を秘めています。しかも、島という形でその可能性が丸ごと残っている。そのはじまりが直島をはじめとする福武さんたちの実践だったと言えるでしょう。

では、次はどうなるか。まずは島に可能性を見出している長坂さんに、自分だったらこう開発するぞという構想があれば教えてください。

長坂　僕は島を開発することで知らないことが沢山出てくるかと思っています。その時に知らない技術を学びながら、今まで考えたことのないことを島を通して考えられるのではないかと期待しています。言い換えれば、普通の土地の上に建築をつくることに関してはある程度想像できるようになってきましたが、インフラのない場所に建築をつくって人をどのように住まわせるかというお題は、実際に考えたことがないので考えてみたいです。

船一つとっても、どうやって船を島に着岸させて、そこからどうやって人が陸に上がるのか。当然食べるものも必要だから、どうやって食べ物をつくるのか。建築をつくるだけでなく、そういったことが全て絡んできて何重もの人の関わりがそこに生まれてくるはずなので、とても楽しいことだろうと想像します。

いずれにしても、先ほどのスピーチで無駄に参考事例を紹介したわけではなく、やはりアクティビティが想像できずにただ島をつくっても、結局、ゴージャスなホテルにしかならないでしょう。それだけではない何かもう少し別の楽しみをつくれるといいでしょうね。

原　オフグリッドは世界中で色々な方が構想しています。前回の第二回瀬戸内デザイン会議でもＡＲＴＨという企業が参加し、オフグリッドについて皆で議論しましたが、まだまだコストが膨大にかかってしまうことがわかりました。長坂さんもインフラフリーの建築を考えているということは、今後、様々なスタイルのオフグリッドができてくるのでしょうね。

そういった構想やアイデア、技術が島を新しい姿に切り替えていってくれるような気がしますし、実際にオフグリッドによって瀬戸内の島が生き生きし始めたら、次はその島と島の間を繋ぐものについても考えないといけません。あるいは日本ではなく、二〜三万あると言われるインドネシアあたりの島々も、オフグリッドが普及してくると、また別の活性が起きてくるでしょう。東南アジア全体の島や海もまた違う息づかいになってくると思います。

最後に神原さんに確認しておきますが、無人島はご自身で今後開発していくような予定はありますか？　それとも観念してもう長坂さんに渡されるのでしょうか（笑）。

神原　あまり開発されたくないと言いますか……。私個人の考えを正直に言うと、開発した島が瀬戸内海に沢山できるのは嫌だなという想いがあります。常さんが構想するような、少しこぢんまりとした島が瀬戸内海に二、三あるのは、家族連れというような切り口でいくとニーズはあるかもしれませんけれどね。

無人島は夏にお客さんが来たときに船で連れて行きます。実はあの島は魚がよく釣れますし、県外から訪れたお客さんの子どもたちを連れていくと喜んでくれます。地元の人たちが釣りに来ることもあります。あと、「ベラビスタ」であの島を貸し切って食事するサービスにも利用していますね。

あの島に住むとなると簡単ではありません。虫とか蛇とかいっぱいいるんです。アウトドア・アクティビティとして、一日や二日の滞在ならあり得るかもしれませんけれどね。

原　倉敷も瀬戸内海やその島々との関係も考えていく必要があるでしょうね。直島や豊島、犬島をはじめ、イサム・ノグチ庭園美術館、丸亀市猪熊弦一郎現代美術館など、アートゾーンとしての瀬戸内は海を中心に広がっていきます。その海へと繋がる拠点として、大原美術館がある倉敷が今後どんなポジションを取っていけばいいのか。つまり、瀬戸内の島々が次の活性を迎えた時に備えて、倉敷自体がどのように相対化して価値を持っていくのかも考えていく必要があるかもしれません。古い歴史的な街並みの倉敷で完結するのではなく、広域アートゾーンとの連携の中で倉敷の役割、位置付けを見直さなければいけません。児島虎次郎さんや大原孫三郎さんは、中国や欧州を知った上で、日本で自分自身のアートや美意識をどのように発信できるかを考え、共に実践していった人たちです。彼らのように、未だ見ぬ来るべき新しい世界に向けて、倉敷がどんなスタンスを取っていくのかが今後の大きな課題になっていくことでしょう。

海島

報告
「海島」は実現するのか　松田敏之

フィードバック
あきらめない海賊たち　松田敏之＋原 研哉＋石川康晴＋神原勝成＋御立尚資＋藤本壮介

「海島」は実現するのか

松田敏之

両備ホールディングス
株式会社 代表取締役社長

前回のおさらい──共通認識の更新

瀬戸内という地域は海に面していながら、海での過ごし方、海の使い方、海の移動手段をうまく活用していないという共通認識が私たちにあり、前回の第二回瀬戸内デザイン会議では「宿泊型フェリーを構想する」というテーマで議論が始まり、皆さんから多角的な提案をいただいた結果、「海島」構想が立ち上がりました。

会議の序盤で藤本壮介さんが「宿泊型フェリーを構想するのではなく船そのものを再考してみてはどうか」と、宿泊施設やレストラン、ボールルーム、劇場、スパなど、様々な機能を有した海に浮かぶ人工島を提案してくれました。そのアイデアが起爆剤となり、一気に会議がドライブしたように思います。原研哉さんからは「海島」という名前や分校としての島というコンセプトもいただき、その島が移動して瀬戸内の島々をオフ（無人島）からオン（有人島）に切り替えていくといった構想に行き着きました。

神原勝成さんや西山浩平さんたちからは「島にはエンジンをつけず、巨大なバージ型の浮体として考え、それをタグボートで引っ張ったらどうか」と実現に向けた具体的な方法を提案いただきました。更に神原さんに至っては「それなら俺の造船所でつくれるぞ」と、「とにかくおまえには安くつくってやるぞ」と心強い言葉までかけてくださったと記憶しています（笑）。石川康晴さんや須田英太郎さんたちからは「島にイベントホールや劇場、コンベンションホールといった機能を配し、桑村祐子さんの和久傳や杉本博司さんに協力してもらい、こけら落としをしてみてはどうか」とソフト面でも提案いただきました。

他にも、青井茂さんから「一社だけでなく、このメンバー全員が関わるプロジェクトにして、皆からバジェットを集めてはどうか」、高橋俊宏さんから「地元の人たちに向けて、どんな考え方でどう進んでるのかをオープンにして、タイムリーにプロセスを発信していった方がいい」、青木優さんから「瀬戸内を周知するためには世界中の人々を巻き込んでいくことが大事で、その手段としてNFTはどうか」など、アドバイスいただきました。ゲストスピーカーとして参加いただいていた宮田裕章さんには、大阪万博に向けた大阪と瀬戸内という地域を繋ぐ島の役割も示唆いただきました。

そして御立尚資さんからは瀬戸内の海の民、海の街、森の恵みを復活させるべく、「瀬戸内ルネッサンス」というコンセプトも挙げていただきました。重工業によって環境破壊されたまま残っている瀬戸内海の島をどう生き返らせるかも私たちの使命の一つだと再認識できました。バブル期にあったような島の開発ではなく、自然を破壊せずに活用しながら、且つ瀬戸内に何十回訪れても飽きないような場所や機能をつくっていく必要があるという新たな共通認識が私たちの中に生まれたように思います。

「海島」のリアライズ検証

会議の後、「海島」構想の実現に向けて私たちは課題を整理していきました。法規制及び技術面での課題検討に関しては、常石造船の皆さんにご協力いただだきました。

まず法規制です。一般的な船であれば海事局による規制だけを考えればいいのですが、「海島」になると、宿泊業や飲食業といった陸の規制が加わり、両方の規制に対応する必要があります。プロジェクト進行に応じて運輸局、環境省、厚生労働省などの各省にも随時相談しないといけません。

防火消防においても、海上と陸上の要件を満たさないといけません。また、エンジンを付けないバージ、つまり動力が付いていない浮体だから関係ないだろうと思っていた漁業協同組合と漁業補償についても思慮しないといけないことがわかり、かなりハードルが高いと思いました。

次に技術面です。やはり沿海域でのサービスは難しく、瀬戸内のような波がほとんどない平水のみの運転になることがわかりました。神原タグマリンサービスが保有する台船に「常石15号」という、載荷重量五〇〇〇トン、長さ七〇メートル、幅二六メートル、高さが三メートルの大きなバージ船があります。これと同じ規模であればつくれるのではないかということで、事業化する時にも参照しました。

重量についても平米当たり三・二トンで、規定内に収まる想定です。ただし、エンジンを付けないバージ船だと、滞在時に利用する電源をどこから確保するのか、島内の人数が増えた時の排水や給水は可能なのかといったインフラ関連は未だ課題として残っています。

最後に事業性についても検討してみました。排水、給水、電源の問題を考えると、宿泊施設は現実的ではないことに辿り着き、仮の想定として、一階はボールルーム、二階には石川さんが熱望されているギャラリーと桑村祐子さんが熱望されているレストランを配した計画にしました。

船は海に浮いているため、船体の高さを上げれば上げるだけ喫水［＊1］の深さも出していく必要があります。つまり、揺れた時に戻る復元性を考えないといけないわけです。そのため、あまり高い建物をバージの上に建てるわけにはいきません。そこで一階は天井高七メートル、二階は天井高三メートル、高さ一二〜一三メートルあるRC造の建物をバージ船の上に建てることを想定しました。

実際に「海島」が事業として成立可能かもシミュレーションしました［図1］。まず、常石造船に見積もりを出していただいたところ、台船が五億円、坪単価約一〇〇万円で、上物が一五億円、坪単価約一五〇万円の試算になり、建造費は約二〇億円になります。シミュレーションする際の前提として、ボールルームの利用価格を地方のコンベンションホールと同程度の一日一五〇万円

1——船が水面に浮いている状態で船体と水面が交わる線を喫水線、船底から喫水線までの距離を喫水と呼ぶ。

として、前日準備が全日利用の三〇%の四五万円、搬出には全日利用の六%の九万円をいただく条件にしました。レストランは完全歩合で売上の六%、ギャラリーは弊社で運営している「杜の街グレース」にあるギャラリーと同

〈設立〉

※金額の単位は円

会社		
	資本金	1,750,000,000
	うち、運転資金	250,000,000
	個入金	0

建造		
	台船＋構築物	1,952,000,000
	厨房設備	10,000,000
	事務所機器	5,000,000

※構築物の坪単価：1,500,000/坪

〈運営〉　2パターンを想定

常時海上
- ・都度、曳航費用発生（800,000/日）
- ・天候による稼働日数影響大
- ・会場までの顧客移動手段・コスト
- ・特にレストラン稼働率の低さが懸念事項

原則係留，定期的係留地移動（月1回程度）
- ・曳航費用節約（浜町地変更時のみ）
- ・天候による稼働日数影響抑制
- ・会場までの顧客移動手段・コスト不要
- ・別途、係留→海上移動のオプション付与は可（費用は利用者負担）

〈5か年シミュレーション〉

損益分岐：ホールALL稼働328日/年で試算

	N年度	N+1年度	N+2年度	N+3年度	N+4年度
売上	576,540,640	582,306,046	588,129,106	594,010,398	599,950,503
原価	506, 122,208	507,367,265	508,977,138	510,920,316	513,168,890
売上総利益	70,418.434	74,938,781	79,151,968	83,090,082	86,781,614
販管費	69,728,205	70,310,117	70,905,759	71,512,389	72,128,271
営業利益	690,229	4,628,664	8,246,210	11,577,693	14,653,343
営業利益率	0.12%	0.79%	1.40%	1.95%	2.44%
ROE	0.03%	0.18%	0.31%	0.44%	0.56%
ROIC	0.03%	0.26%	0.47%	0.66%	0.84%

損益分岐：ホールALL稼働161日/年で試算

	N年度	N+1年度	N+2年度	N+3年度	N+4年度
売上	293,451,680	296,386,197	299,350,059	302,343,560	305,366,996
原価	230,885,237	229,377,926	228,207,905	227,343,391	226,756,196
売上総利益	62,566,443	67,008,271	71,142,154	75,000,169	78,610,800
販管費	62,560,084	63,070,315	63,593,558	64,127,067	64,669,095
営業利益	6,360	3,937,957	7,548,596	10,873,101	13,941,706
営業利益率	0.00%	1.33%	2.52%	3.60%	4.57%
ROE	0.00%	0.15%	0.29%	0.41%	0.53%
ROIC	0.00%	w0.23%	0.43%	0.62%	0.80%

ホール	1,500,000	全日
	450,000	前日準備（21:00〜）　全日×30%
	90,000	搬出（21:00〜）　全日×6%
レストラン	500	m^2
	6%	完全売上合（6%）
	200	席
	7,000	客単価（昼4,000円、夜10,000円）
	50%	稼働率
	2	回転率（昼夜各1回転）
	84,000	賃料/日　5,208円/m^2・月
ギャラリー	500	m^2
	500	賃料（m^2単価）
	250,000	賃料/日
	50%	占有率
	60	年間 働日数 月5日と仮定

【図1：事業シミュレーション】

程度の単価である一日二五万円にしています。

運営は二パターンを想定しました。常時海上を動きながら使っていく場合と、原則としてどこかに係留[＊2]させて移動する際は定期的に人が乗っていない状態で曳航[＊3]していく場合です。

常時海上の場合、まずそもそも乗っていいのかという問題があります。動きながら人が滞在することはハードルが高いと感じました。更に、引っ張ると船が意外と揺れるため、天候による稼働日数への影響もかなり大きいと予想されます。また、常時海上にいるならば、そこまで人を運ぶテンダーボートが必要になり、顧客の移動コストがかかります。レストランの稼働率の低さも懸念事項になります。常時海上となると、問題は山積みになるとわかりました。

一方、原則的に係留する場合です。オフになっている無人島にオンとなる機能として「海島」を持っていくことができるし、例えば、直島や豊島にはボールルームなんておそらくないと思いますので、そういった場所に持って行き、利用してもらうこともできるでしょう。

しかし、実際に試算してROE[＊4]とROIC[＊5]を出してみると、常時海上も原則係留のいずれも、はっきり言って事業的な採算はほぼ取れませ

2――浮体を索や鎖により海底に繋ぎ留めること。

3――海上で自力で動くことができない船を、ロープなどで引っ張って目的地まで運ぶこと。

4――Return On Equityの略称で、自己資本利益率のこと。企業の一年間の自己資本（株主資本）に対する純利益の比率。投資家にとってROEは、自分の投資に対して企業がどれだけの利益を上げているかを示す指標になる。

5――Return On Invested Capitalの略称で投下資本利益率のこと。ある事業のために投資した資本に対して、どれだけ収益が出たのかを示す指標。

ん。私が当初想定していた数字よりは良かったのですが、両備グループとして事業を走らせる数字には届きませんでした。

シミュレーションで見えてきた課題を整理してみました。まず、予算が約二〇億円であれば、約一七億円ぐらいは資本を集めないと難しいです。シップファイナンスからの借入は難しいと思います。船舶と異なって担保設定も難しく、返済の見通しも立たないからです。そのため、おそらく趣旨賛同者による資本金で約一七億円を賄うことになるでしょう。しかし、試算する限り、常時海上も原則係留のいずれもROEとROICが低いため、単一の事業体で投資を募ることは困難だと判断しました。そして、「海島」という前代未聞の施設の稼働シミュレーションは事前検証もかなり難しいと思います。

ネガティブなことばかり言っているじゃないかと皆さんは思われるかもしれませんが、決してそういうことではありません。シミュレーションしたことで、行政などを巻き込みながら、収支ではないパラメータ、つまり瀬戸内という地域における「海島」の必要性をより明確にするべきだと思いました。「海島」が必要だと認知されれば、資金を集めていくこともできると思います。そのための推進体制としてどんな人たちがふさわしいのだろうか、運営母体をどうしていけばいいのかなどを考えていくと、今後の可能性が見えてくると考えています。

七五人で共有する動産

数年前、両備グループの会長であり私の父親でもある小嶋光信の「世界一周できるクルーズ船をつくりたい」という夢への実現に向けて、水戸岡鋭治さんと一緒にクルーズ船プロジェクトを始めました。そんな中、水戸岡さんがやはり難しいと言ったタイミングで、第二回瀬戸内デザイン会議で「宿泊型フェリーを構想する」をテーマにしてもらい、皆さんに様々な知見やアイデアを出していただきました。そして「海島」構想も生まれました。

ただ、「海島」の実現に向けたシミュレーションを重ねていく一方で、小嶋には「海島」とは別にやはりクルーズ船をどうしてもつくりたいという想いがずっとありました。父親の夢を叶えることも息子の仕事だと考えています。そこで私は、クルーズ船の製造事業に着手しました。

今回つくる船は約一万トンの七五室のクルーズ船です。全ての客室を分譲して七五人の共有持ち分にする想定のため、まずは購入した方々にどんなメリットがあるのかを考えました。購入いただいた方は、客室を自分で使えることは勿論、貸すこともできます。貸している時は、用意したオーナー専用ストレージに自身のプライベートの物を収納可能です。また経済面でも、土地がないため全て償却資産になり、一四年ぐらいで一〇〇％償却でき、相続税対策にもなります。クルーザーなどの購入と比較すれば、メンテナンスもこちらが請け負うため、煩雑な維持管理に関与する必要もありません。キャピタルゲインが狙えるかもしれないし、事業収入も得られるかもしれないというメリットも挙げられます。

船全体を共有することになるため、造船費の一五〇〜二〇〇億円を七〇人強で割る形になり、部屋の専有坪単価だけでいったら二二〇〇万円ぐらいです。広大な土地を買って小さな家を建てたような考え方になると思います。利回り的にいうと、ＮＯＩ［*6］ベースで四〜六％です。一〇〇％償却していただけるので、その意味だと利回りは不動産よりも若干良く、税金に関しても不動産より優遇されます。また、船である以上、土地とは違って使える限界があるため、最終的にセカンダリのマーケットに出すこともあり得ます。その時は共有持ち分で売れた金額を返すことになりますが、その点についても世界のクルーズ船のセカンダリマーケットの価格を試算して顧客候補の方々に提示することになると思います。

6――Net Operating Incomeの略称で、営業純収益と不動産価格の比率を指す。ＮＯＩ利回りとは、ＮＯＩ（年間家賃収入から不動産の年間運営費と空室期間の損失を引いたもの）を不動産の取得価格で割ったもの。

基本スペック

全長	110～120 M
総トン数	約10,000 GT
船速	約15knot
客室数	60室
旅客数	120名（ツインベース）

※2022年12月時点のものです。

【図2：2022年12月時点でのクルーズ船のデザイン案】

今回の瀬戸内デザイン会議から参加している神義一さんが販売関係のスキームを組み立ててくれて、顧客候補となる方々にアンケートを取ってくれました。そのアンケート結果がとても良く、おそらく私たちが基準としている不動産価格で売れるだろうという数字が出てきています。

船のデザインについては、水戸岡さんがこのプロジェクトから降りられたので、デザイナーを選定するコンペを行いました。その結果、グエナエル・ニコラさんに決まり、これから私たちと議論を重ねながら進めていくことになります［図2］。ちなみに船型については、一から起こしていくと造船費が五〇～一〇〇億円と上がってしまうため、船型自体は既存のものを使うことになると思います。船の完成が三年半後、客室の販売開始は二〇二五年を予定しています。是非、瀬戸内デザイン会議のメンバーの方々にも一室ずつ買っていただけると嬉しいです（笑）。

注：この計画内容は二〇二三年一月時点のものです。

フィードバック

あきらめない海賊たち

松田敏之＋原 研哉＋石川康晴＋神原勝成＋御立尚資＋藤本壮介

プロフィールはpp.436-451参照

可能性のヴィジュアライズ

原 前回の瀬戸内デザイン会議で「海島」構想が立ち上がり、会議が終わった後、石川康晴さんや神原勝成さん、当事者である松田敏之さんと共に議論を重ねていきました。あの会議で松田さんが「やります！」と言われて終わったものだから、松田さんだけに構想の実現という責任の重いことを任せてよかったのだろうか、どのようにサポートしていけばいいのかなど真剣に考えてきました。一企業に第一号の「海島」を任せることはいいと思うのですが、松田さんのプレゼンテーションでもあったように、法規制や漁業権の問題、あるいはプロモーションをどうしていくかなど、様々な問題や課題が出てきます。その意味でも、松田さんたちと並走する組織をつくった方がいいのかもしれません。瀬戸内デザイン会議はあくまで出会いやアイデアをスパークさせる場所です。僕と石川さん、神原さんの三人で勝手に決めるのではなく、この会議に一旦戻して、「海島」構想を今後走らせていく時のサポート体制についても皆で議論した方がいいと思いました。

今回のフィードバックでは、神原さんと石川さんをはじめ、僕らが第二回瀬戸内デザイン会議以降にどんなことを話し合っていたかを振り返りつつ、アイデアを発案された藤本壮介さんにも意見を聞きたいと思っています。

まず僕の方では松田さんとは別の角度から、「海島」を実際につくるとなると一体どれくらいのスケールになるのかを検証してみました。そもそも海の上に浮体をつくるためには母港が必要になるそうです。「海島」をつくるとどこかの母港に帰属しないといけませんし、錨を下ろしてきちんと固定しておかなければなりません［図1］。

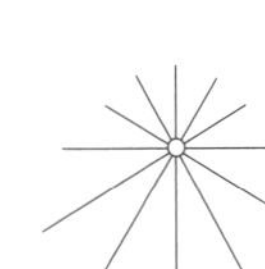

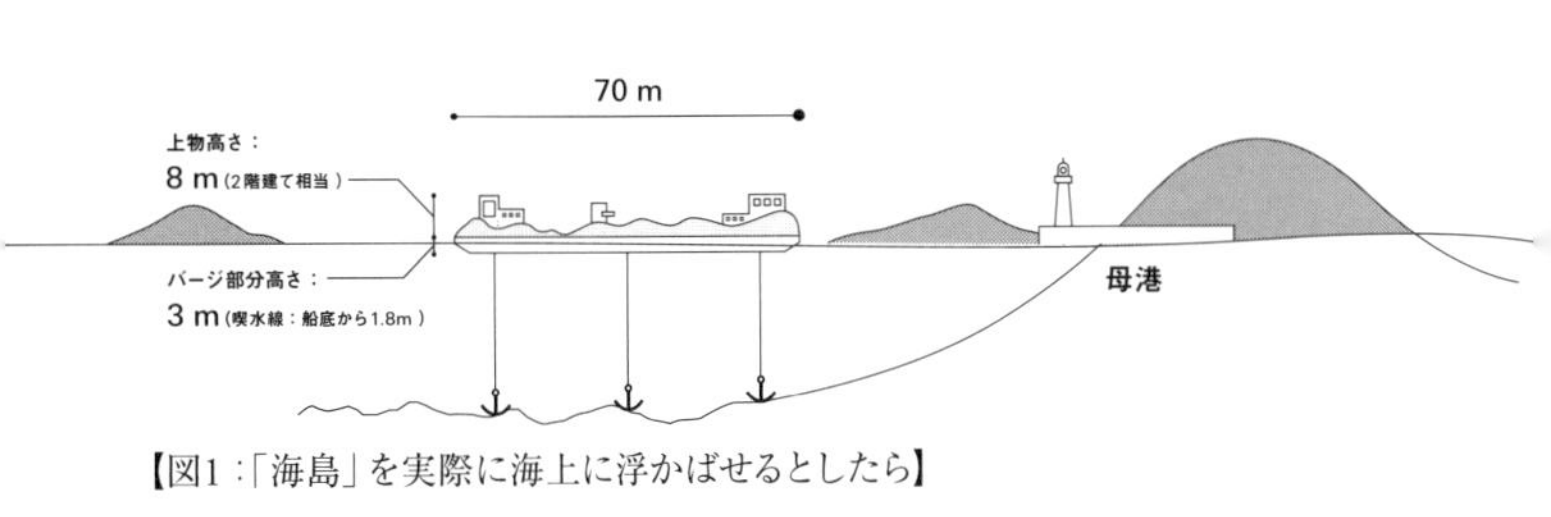

【図1：「海島」を実際に海上に浮かばせるとしたら】

次に、常石造船が今までにつくったバージ船を参照にして、「海島」の大きさについて検証してみました。常石造船はこれまで一〇種類以上のバージ船をつくっています［図2］。その中でも最も大きいバージ船が、長さ七〇メートル、幅二六メートル、高さ三メートルの「常石15号」です。

僕らが最初にイメージしていた「海島」は、この「常石15号」でも全然小さく、もっと大きなものを考えてました。長さ約八〇メートルの「ガンツウ」と比較してもらえばわかる通り、長さ七〇メートルの「常石15号」を使った「海島」ではやはり小さい［図3上］。そこで、「常石15号」を四倍（縦横二倍／長さ一四〇メートル×幅五二メートル）にして考えると、「ガンツウ」と比べても見劣りしない規模になります［図3下］。更に「常石15号」を一六倍（縦横四倍／長さ二八〇メートル×幅一〇四メートル）にすると相当巨大になり、流石に一つのタ

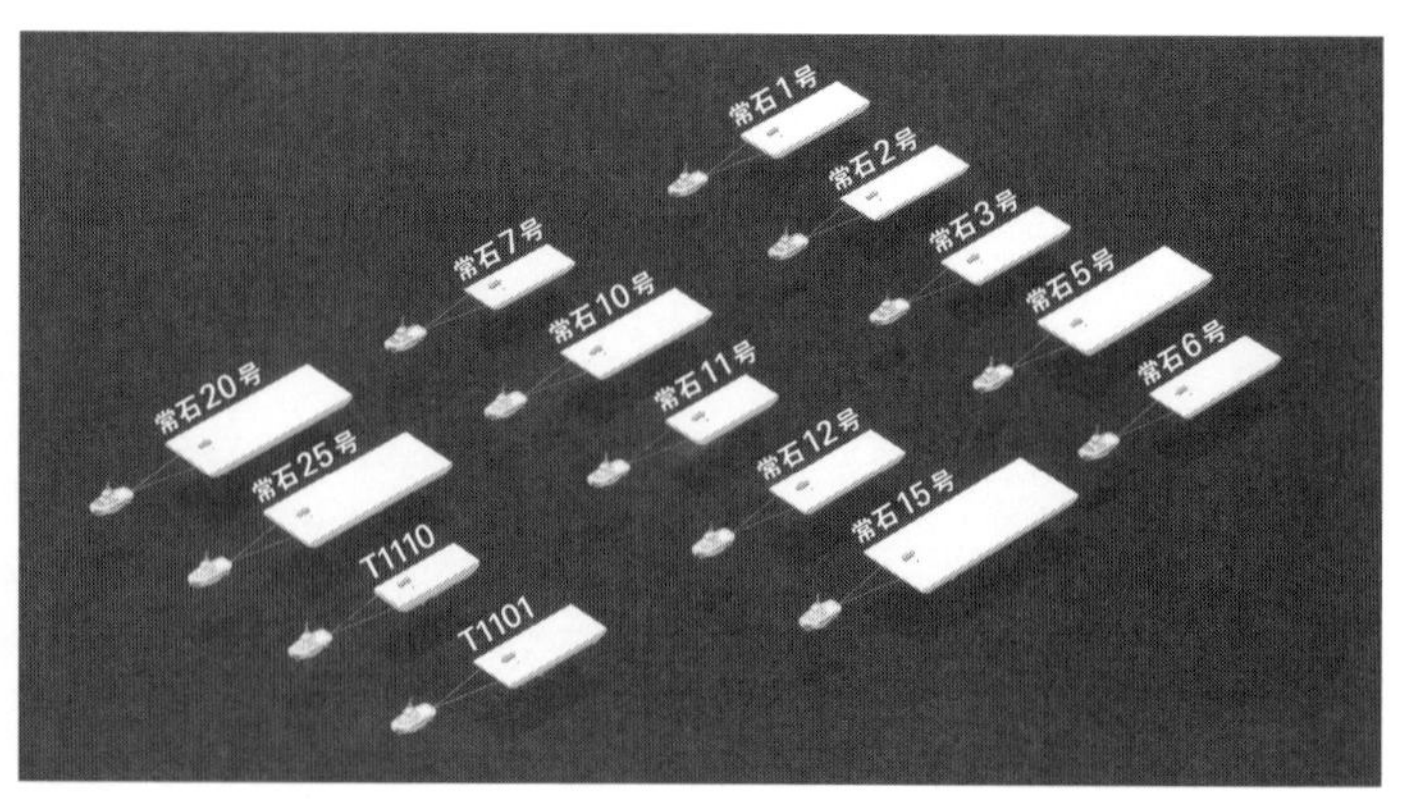

台船明細

台船名	D/W	寸法（M）
常石1号	1,500	45 x 16 x 3.0
常石3号	1,200	40 x 16 x 2.5
常石5号	3,000	60 x 22 x 3.0
常石6号	1,200	40 x 16 x 2.5
常石7号	850	36 x 13.5 x 2.5
常石10号	2,000	50 x 18 x 3.0
常石11号	800	35 x 15 x 2.5
常石12号	1,400	45 x 16 x 2.5
常石15号	5,000	70 x 26 x 3.0
常石20号	3,000	60 x 22 x 3.0
常石25号	3,000	60 x 22 x 3.5
T1110	850	33 x 12 x 2.53
T1101	1,200	40 x 16 x 2.25

【図2：常石造船がこれまでつくってきたバージ船】

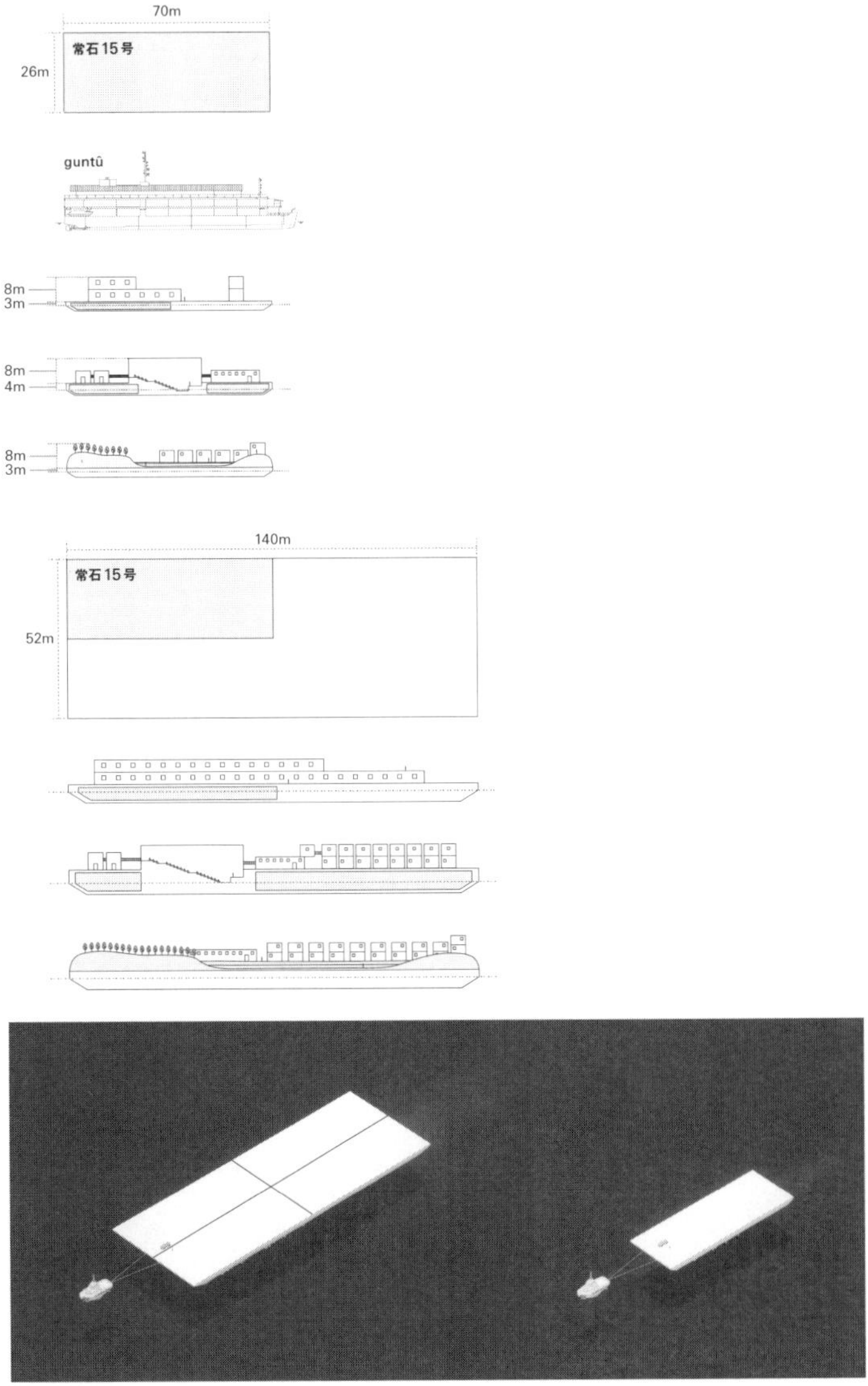

【図3：「海島」のスケール検証：「ガンツウ」との比較。「常石15号」を4倍にしてみる】

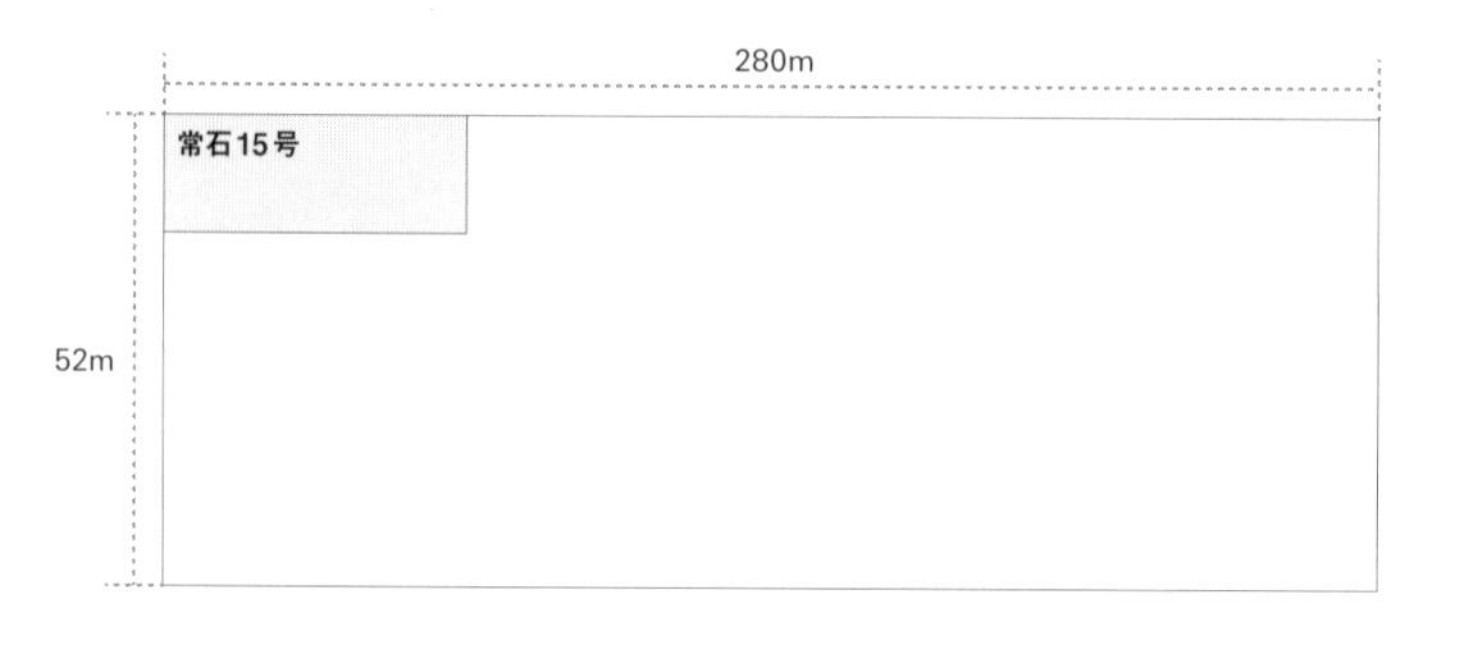

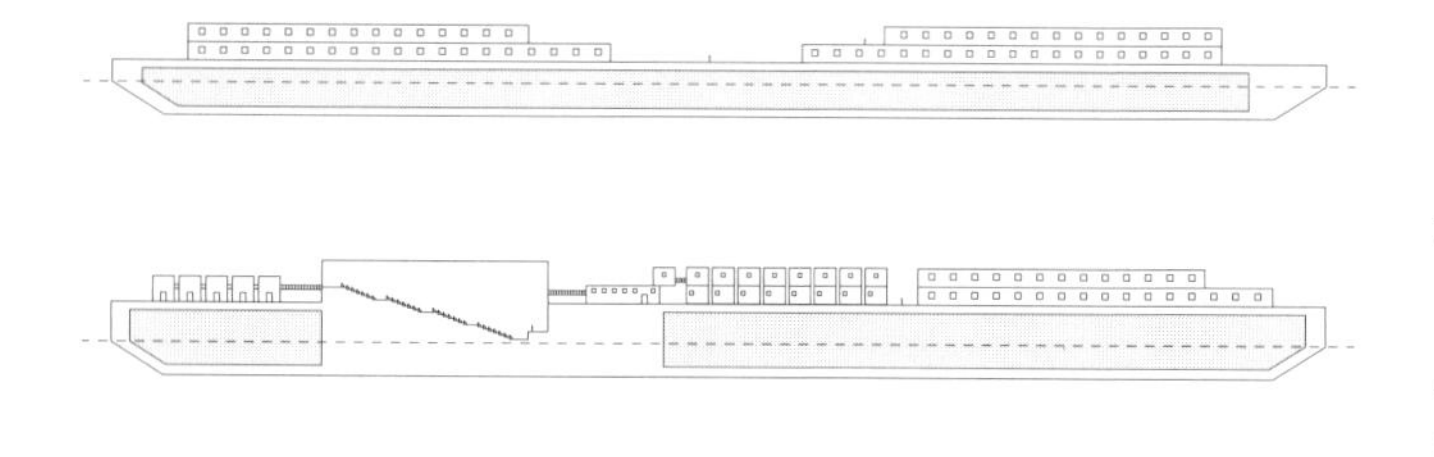

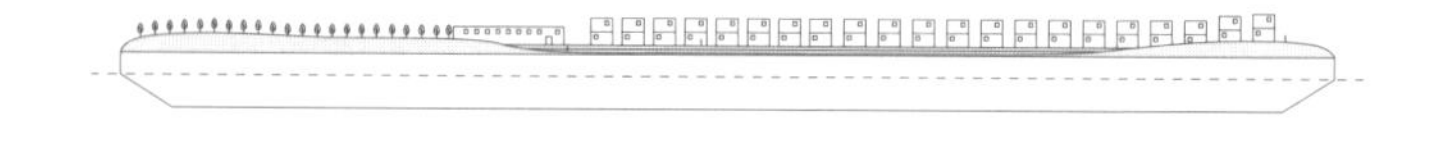

【図4：「海島」のスケール検証：「常石15号」を16倍にしてみる】

グボートでは引っ張れなさそうですが、まさに島と言えるぐらいの規模になりました［図4］。

今度は、そもそもこの大きさがどれくらいのものなのかを検証すべく、藤本壮介さんがパリで進行している複合施設「Mille Arbres」を載せてみました［図5上］。「Mille Arbres」の屋上では森の中に集合住宅が配されています。そんな環境が海に浮かんでいてもおもしろいだろうと思い、勝手に検証させてもらいました。検証してみると、「常石15号」を九倍（縦横三倍／長さ二一〇メートル×幅七八メートル）にすると収まりそうです［図5下］。これぐらいの規模になれば、「海島」と呼べそうだと

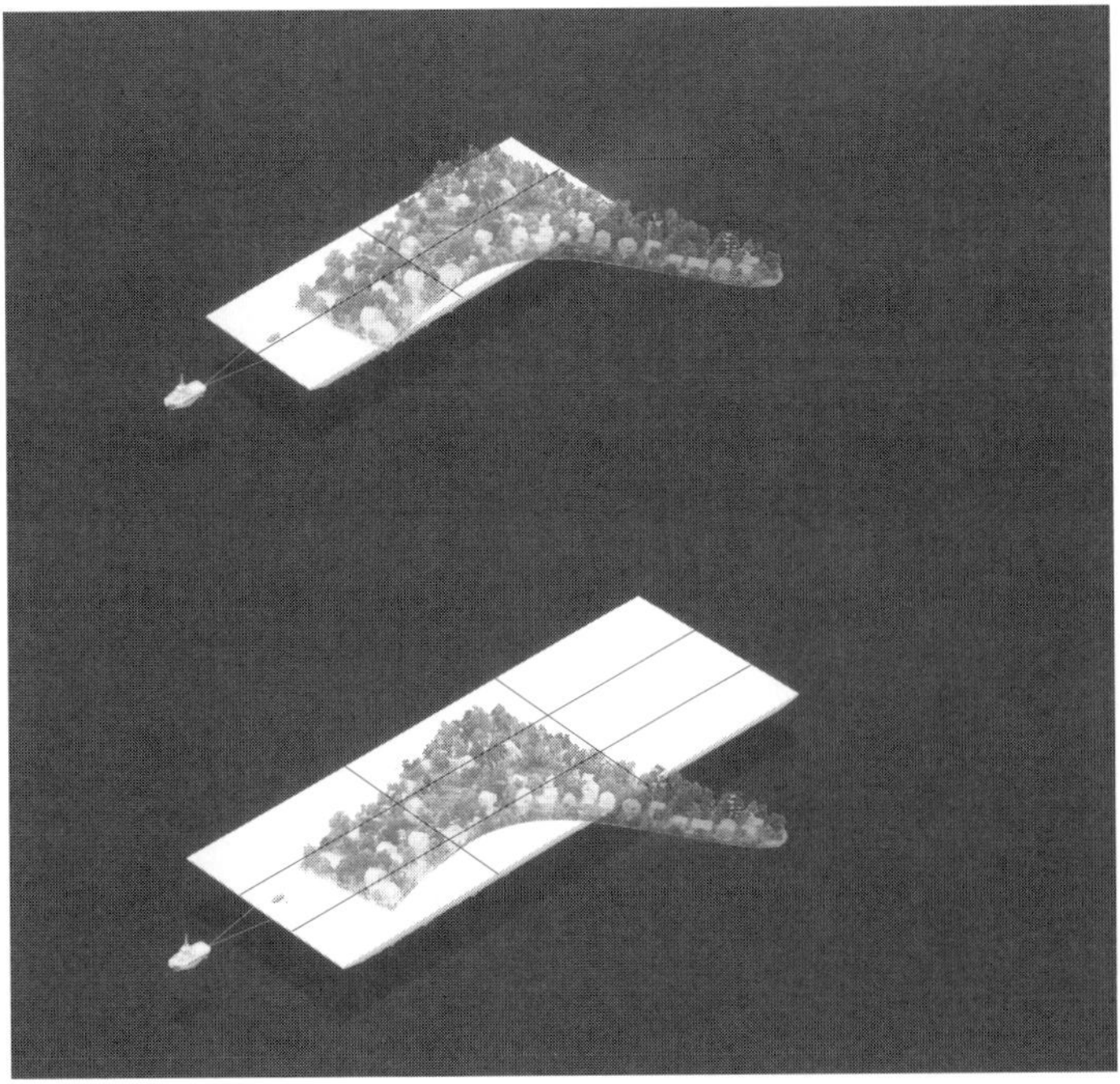

【図5：「海島」のスケール検証：「Mille Arbres」を載せてみる】

思いました。

僕が見せた検証はおそらく現実味がないものです。勝手な構想を無責任にバサバサとイメージの翼を広げつつ考えていました。しかし、このようにヴィジュアライズすることで、それに触発されて知見やアイデアが集まる可能性もあります。例えば、今回の瀬戸内デザイン会議では笹川平和財団の理事長である角南篤さんがゲストで来られていますが、海洋のプロフェッショナルである角南さんに「海島」構想を聞いてもらうことも有意義でしょう。

自然と人間の新しいインターフェース

藤本　前回の会議で僕が勢い余って提案したものが、色々と騒ぎを巻き起こしてるみたいで……（笑）。でも、それがこの会議での僕の役割でもあり、良い騒ぎを巻き起こせたと思っています。勿論、騒ぎだけではなく、僕としても実はこのプロジェクトは自分の中で盛り上がってきています。前回の二泊三日の間に皆さんと議論を交わす中で、最初はちょっとしたスケッチだったアイデアが、すごくおもしろいことになるのではないかという予感があります。
一方で、先ほど松田さんから事業性や法規制の話を聞き、人を乗せたままではバージ船は曳航できないというレギュレーションを知り、とても残念に思いました。前回、石川さんが「朝日が覚めると周辺の風景が変わっていて、その風景を見るだけでもすごい体験なんじゃないか」と仰っていたことが未だに記憶に残っています。船の移動とはまた異なる瀬戸内海の体験の仕方があり得るという新しい可能性を感じていましたから。

二〇二二年、ニューヨークに行き、トーマス・ヘザウィックが設計した「リトルアイランド」[図6]というハドソン川にある人工島を訪れました。規模はおよそ一〇〇メートル四方で、陸地から少し離れているのですが、船ではなくブリッジで渡ります。島内は起伏があって回遊できる道と中央に芝生があり、小さな劇場と売店を除けば何もありません。基本的にはただそこを歩き回り、芝生でゆっくり過ごすしかすることがないのですが、沢

【図6：リトルアイランド】

山の人々が訪れていて賑わっていました［図7］。海の上にいる感覚は、やはり人のテンションを上げるのでしょう。

実際に訪れると、一〇〇メートル×一〇〇メートルの「リトルアイランド」は結構大きい印象でした。そのため、先ほどの原さんの検証にあった「常石15号」を四台連結する規模は少し大き過ぎる気もします。長さ八〇メートルの「ガンツウ」くらいの、八〇メートル×八〇メートルくらいでも良さそうだなと思いました。

あと、もしバージ船でなければ、僕としてはやはり丸っぽくしたいんですよね（笑）。バージを連結してその上を森と海にする構想も良いとは思ったのですが、少し丸っぽく地形みたいにしても良いと思っています。それが海の上をスーッと動いている。バージ船ではなく動力付きの船にした時、一体何が起こるのだろうかと松田さんの話を聞きながら少し考えていました。

言ってしまえば両備がつくる新しいクルーズ船は海の上の別荘のようなものです。それらが結構売れそうだというお話があったので、海の上の海付きの別荘があってもいいかなと思いました（笑）。そこに和久傳のレストランや、ギャラリーとカンファレンスホール、劇場が融合した多目的スペースもある。建造費は上がるでしょうけれど、その分別荘の売り上げでペイできない

【図7：リトルアイランド】

かなと想像していました。

バージのままでコストを低く抑えつつ、何らかの方法で少しお金の動かし方を考えていく方向性も考えられるとは思うのですが……、やはり僕としては人を乗せながら動いてほしいし、僕自身そこに乗って瀬戸内海を体験してみたい。色々な選択肢がある中で、是非諦めずに何らかの形で実現し、世界に発信していきたいという想いは僕の中でもますます高まっているので、皆で知恵を集めながら「海島」構想を動かしていけると素晴らしいと思います。

「リトルアイランド」もマンハッタンだけに留まらず、グローバルな話題になっていて、ニューヨークの新しいアイデンティティーになりつつあります。その意味で、動く島が新しい海洋や地域を繋ぎ合わせるといった、自然と人間の新しいインターフェースになってくれると、時代性も含めて世界中に響くものになると思います。

原　あの時、あの場所で生まれてしまった「海島」というイマジネーションはもう消えることはありません。「あんなものをつくりたい」という持続する志が実現させてくれると思うのです。松田さんのお父さまの夢は息子である敏之さんに実現していただきたいと思うのですが、正直に言って、どんなものができても豪華客船では世界中の人々の耳目を集めることはできないと思います。

　ニューヨークのハドソン川でもギリシャのエーゲ海でもなく、瀬戸内海に内在する可能性は果てしないものです。あの平水区域をどんなものが航行すると島々がおもしろくなるのか、景観が最大化されるのかを考えると、やはりゆっくりでもいいから移動する島なのではないでしょうか。

　僕が見せた「常石15号」を繋げたシミュレーションも現実的な実現に向けた方向で、もっと具体的なプランとして煮詰めていきたいと思っています。僕はデザイナーですから、可能性をヴィジュアライズすることが仕事です。諦めずにつくり続けてみたいと思います。

夢や理想のマネタイズ

石川　冷静に考えると、両備の松田さんだけに二〇億円のお金を出してもらい、全く収益が出ないような事業をやらせてしまうこと自体、はたしてどうなのかという懸念は当初からありました。松田さんが暴走して変な「海島」になってしまうかもしれないし、その意味でもコンサルのような会社をつくってお金やデザインの面で僕たちもサポートできないだろうか、あるいは瀬戸内デザイン会議のメンバーがこれまで通り手弁当でアドバイスしていく方がいいのではないかなど、様々な議論がありました。瀬戸内デザイン会議として「海島」プロジェクトを手厚くサポートしてもいいし、松田さんが感性の似通う人たちをアサインして手弁当的なチームをつくってもいいでしょう。プロジェクトの資金調達として、今ここに三〇人くらいのメンバーがいますが、もっと五〇人や一〇〇人に増やして、皆で出資してもいいかもしれない。もしくは協賛金を集めてもいいでしょう。

そもそも瀬戸内デザイン会議が単なる二泊三日の勉強会で終わるのはもったいないし、瀬戸内の価値を創出していくような会議体として会社みたいな組織をつくってもいいかもしれません。ただ、そんな大事なことは立ち上げメンバーだけで勝手に進めていくのではなく、皆さん一人一人の意見を聞きながら進めていきたいと考えています。

神原　前回、藤本さんから非常におもしろいアイデアを提案いただき、皆でちょっと盛り上がり過ぎてしまったところもあったかもしれません。実際、会議後に松田さんをはじめ、原さんや石川さん、事務局の皆さんと共に、どうにか実現したいという強い想いを抱きながら打ち合わせの回数を重ねていくと、徐々にテンションが下がってきてしまいました。なぜなら、事業的にも難しそうだし、事業以前に厳しいレギュレーションが多すぎて、本当に実現できるのだろうかという現実を突きつけられたからです。

第三回は倉敷が舞台ですが、瀬戸内海をどう盛り上げていくかはこの瀬戸内デザイン会議の一貫したテーマでもあります。両備グループがクルーズ船を新たにつくることを決めましたが、それも瀬戸内海を盛り上げる際の一つの大きなメッセージになると思います。一方で、瀬戸内海はもっとＰＲできるし、世界中から沢山の人々に来てもらえるポテンシャルがあるはずです。私たちも加わってそんな瀬戸内海で何かおもしろいことをしたいという想いから、簡単に「海島」構想についてギブアップするのではなく、皆の意見を聞いてみたいと思いました。

では、これからどうするか。松田さんのプレゼンテーションにもあった通り、常識的に考えて採算をとることは難しいでしょう。しかし、松田さんも提案していたように、地元の行政や大学などを巻き込み、採算の見通しを立てる努力をした上で、実際に稼働させながら更にブラッシュアップしていく方向はまだ希望があるのかなと個人的には思っています。

御立　まず、誰がこのプロジェクトを引っ張るかという話で、やりたい人がリードしていき、そこに他の人たちが参加していくという形をとらないと難しいと思いました。

前回、私が「無人島を買え」と言ったのは経済性の観点ゆえです。不動産のキャピタルゲインと税メリットを出していかないと、リスクシェアが成り立ちません。無人島とは移動手段がなく、水と電気のインフラもなく、開拓性もないから安い。そんな無人島を開発し過ぎずにどうやって価値を上げるかを考えることも「海島」構想には含まれていると思います。

例えば、島を一〇島買い、小さな「海島」を一〇隻つくってみてはどうでしょうか。無人島と移動手段である「海島」をセットにして販売するのです。その無人島自体はほとんど手つかずにし、快適な居住機能は「海島」で持っていくような仕組みにする。一五年後には「海島」接続による快適な無人島滞在が普及するだろうから、自ずと無人島自体の価値も上がるでしょう。キャピタルゲインを必ず取れるようなシナリオを書き、リスクシェアに繋がるように計画することは必須だと思います。

時には、小さな「海島」を集めて大きな島にしてみてもいいでしょう。例えば、「海島」を所有している一〇人が、それぞれの島を円形状に繋げて渡れるようにする。各島に木が一〇本しかなくても、一〇の島が繋がれば木は一〇〇本になり、森になる。その一〇の島の中には、レストランの島やイベントの島があってもいいでしょう。小分けにしながら島を動かして繋いで、大きな島にする方が、実現の可能性が高いのではないでしょうか。

松田敏　皆さん、貴重なコメントをありがとうございます。誤解なきように改めてお伝えしますが、私は「海島」ができないとは全く思っていなく、そのやり方を再考すべきだと考えています。新しくつくる父親のクルーズ船も、赤字を毎年出す事業にするつもりはありません。いくら企業のオーナーであると言っても、会社のお金は私たちのお金ではないため、きちんとしたお金の使い方をしなければいけないからです。今回はスキームを変えて共有持ち分にすることで、例えば二〇〇億円で船をつくって、二二〇億円で売り、二〇億円のキャッシュを持ちながら一年目、二年目の赤字を埋め、三年後ぐらいに四％の利回りにしていくというような事業計画です。

日本にクルーズ客船は、「ぱしふぃっくびいなす」「にっぽん丸」「飛鳥Ⅱ」と「ガンツウ」しかありませんが、コロナ禍の期間中では実のところ、「ガンツウ」以外は全て赤字と思われます。「ガンツウ」だけ小型船で利用価格も高く、飛び抜けた位置にいる。今までのクルーズ船事業で黒字にのせるためには、大型船で利用価格が安くすることが定石でした。初めて「ガンツウ」が瀬戸内海という平水区域ならではの事業を展開し、新しい領域にいけたわけです。そんな「ガンツウ」に共有持分型スキームを入れたとしたら、おそらく投資回収は既に終わっているでしょう。

今回、父親の船をつくる際の共有持分型スキームの良いところは、二船目、三船目の目処が立つことです。利回り四％だけでは投資回収に二五年かかり、二船目をつくることは難しい。そもそも、二船目をつくることは「飛鳥Ⅱ」を持つ郵船クルーズや「にっぽん丸」を持つ商船三井クルーズでもできていないことですが、新しいスキームにすることで、毎年新たに船をつくることが可能になるでしょう。そんなスキームを「海島」に入れたら、事業としてどう回せるのだろうかと考えています。

ただし、その場合、どんな位置にどんなコンテンツをつくっていくべきかは考えていかなければいけません。例えば、レストランの単価を一万円では採算が合わないので、単価を一〇万円に上げるとした時、何ができるのかを考えますよね。船で言えば、何に使えるのか、権利関係もきちんと求めていかなければいけません。本当に船は大変な事業だなと正直に思います。

一方で、この与件を全て整理できたら世界で戦っていける事業ができあがるでしょう。それだけ高いハードルを乗り越えていくこともおもしろいと思います。実際にシミュレーションをしてみても、NOI利回りで稼働率が六〇%になれば、共有しているそれぞれのオーナーに四%くらい、運航会社にも一%ぐらいの利益が出せるようになる。運航会社への利益は少ないけれどリスクはゼロで、オーナーたちにはきちっと利益を回していける形になるでしょう。今後、様々な業界でこのような共有持分型スキームが現れてくると思っています。実際にホテル業界でも、ニセコの「パーク ハイアット ニセコ HANAZONO」も同様のスキームで運用しているようです。

もし日本の地域を元気にするのであれば、アイデアや実践をマネタイズする仕組みをつくらないといけないと思います。おもしろいことや理想的なことを皆考えるけれど、「では、それって誰がお金を出すの?」「どうやってやりくりするの?」という段階になると余所（よそ）を向いてしまう。そこはやはりきちんと向き合う必要があると、皆さんから色々なヒントをいただく中で改めて感じました。おそらく、クルーズ船構想を経て共有持分型スキームを整えていけば、多少形は変わるかもしれないけれど、「海島」を実現させる道筋が見えてくると考えています。

夢を形にするまで、夢を見る

石川　もしかしたら僕らは「ガンツウ」と全く違うものをつくろうと思ってこれまで議論してきたかもしれませんが、そこを考え直してもいいかもしれませんね。八〇メートルの「ガンツウ」が瀬戸内海の狭い橋の下を国土交通省などとやり合いながら運航できたことや、あれだけの単価でもお客さんに受け入れられていることはとてつもない努力の賜物で、その障壁を乗り越えた現状が瀬戸内にある中、言葉は浅いですけれど、「ガンツウ　パート2」があってもいいのではないかと思いました。むしろパート2をつくらないと、「ガンツウ」が頑張って瀬戸内海を航海できるようにした成果が次から次へと続かないでしょう。その際、パート2として進化していくのであれば、堀部安嗣さんではなく藤本さんに設計を任せてもいいでしょうし、常石造船ではなく両備ホールディングスが船をつくってもいいかもしれません。

一方で、六〇〇もの無人島が瀬戸内海にあります。そこは電線も水道もない状態ですし、神原さんが言うように、虫や蛇もいる。そんな無人島を御立さんが提案するように開発せずに利用することを考えると、遊ぶのは無人島で、風呂やバーベキュー、寝たりする時は小さなバージ船でもいいかもしれません。「常石15号」の四分の一ぐらいのサイズで十分でしょうね。無人島プラス小型バージ船をセットにしたプロダクトとサービスを、ここにいる一〇人ぐらいで区分所有や出資してみてもいいでしょう。島で遊ぶことも毎日するわけでもないから、何人かで所有することはあり得ると思います。

このように「海島」には色々な事業パターンや実現方法が考えられるので、皆さんにも是非一緒に考えていただけたらと思っています。

原　七月に生まれたばかりの構想だからそんなに早く動き出すわけではないのですが、松田敏之さんという非常に経営に優れた方が一回スタディしてくれたことがとても大きな一歩であり、まずは感謝したいと思います。

日本の観光の可能性というより、場所としての可能性、文化の可能性に反応しているのは決して日本企業だけではなく、世界中の人々が関心を抱いています。瀬戸内海にどんなものを浮かべるとどんなことが起こるのかというイマジネーションは日本国内から出てくるとも限りません。このような構想を世界に向けて打診し続けていくうちに、どこからか大きな仕事が舞い降りてくる可能性もあると思うのです。それぐらいの環境資源を日本は持っている。夢として終わらせるよりも、もう少しその夢を具体化していくことによって実りが訪れると思うので、走り続けていきたいです。

今回、松田さんも藤本さん、神原さん、石川さん、僕も、それぞれ違う想いがあると思います。瀬戸内デザイン会議には、無責任に構想する人、責任を持って運営する人、アイデアを具現化する技術を持つ人、建築を設計する能力がある人など、様々な人がいるわけですが、その全ての想いを吸収すべく、あるいはその想いを乗せて「海島」構想は今後も動いていくと思います。この構想を発展させていく際には、瀬戸内デザイン会議の皆さんにサポートいただきたいと考えていますので、引き続きよろしくお願いします。今回は中間報告ということで、また次回のご報告をお待ちください。

海洋

ゲストスピーチ
持続可能な海の開発　角南 篤

セッション
海の可視化の先にあるもの　角南 篤＋原 研哉＋石川康晴

持続可能な海の開発

角南 篤
公益財団法人笹川平和財団
理事長

綺麗な海から豊かな海へ

現在、二〇二五年の大阪・関西万博に出展予定の海洋汚染問題を取り上げたパビリオン「ブルーオーシャンドーム」に携わっています。パビリオンの出展団体は、資源とエネルギーを循環再利用して廃棄物をゼロに近づけるゼロエミッション構想（Zero Emissions Research and Initiative = ZERI）を掲げ、循環型社会の実現を目指しているNPO法人ゼリ・ジャパンです。その理事長を務める、洗浄剤や消毒剤などの衛生用品を開発しているサラヤの更家悠介さんとは海洋関係で付き合いが長く、「大阪万博を海の万博にしたい」という想いでパビリオンの実現に向けて尽力していたことは聞いていたので、協力できて嬉しく思っています。更に今回は、パビリオンの設計を坂茂さん、総合プロデューサーを原研哉さんが担うという最強のチームのため、とても楽しみです。

そのプロジェクトの打ち合わせで原さんからパビリオンのコンセプトを伺う中で、この瀬戸内デザイン会議の話が出てきました。私は倉敷の南にある児島で生まれ育ったこともあり、自分の人生の中で瀬戸内に何か寄与できないかと考えていた頃にこの会議について聞いたものだから、打ち合わせ中、私の頭の中はパビリオンより瀬戸内ばかりになってしまいました（笑）。

この倉敷も昔は海がすぐ目の前にありました。私の故郷である児島もその名の通り、かつては島で、現在は埋め立てられて陸続きとなった場所です。私の実家は少し高台にあり、瀬戸内海を毎日見渡すことができました。正月も、瀬戸内海に浮かんでくる初日の出を両親と共に見ながら毎年過ごしてきましたし、私が通った地元の小学校や中学校でも、「早く授業おわらないかな」と窓の外を眺めていた先には瀬戸内海がありました。また、親戚が瀬戸内の島々に住んでいたので、小さい頃の海水浴といえば、島に渡って遊んでいました。本当に瀬戸内に育てられたなと思っています。

数年前、私たち笹川平和財団の名誉会長である笹川陽平さんから声がかかりました。笹川さんは「瀬戸内には島が沢山あり、それぞれの島に独特の文化と歴史がある。生活様式もみな違う。しかし、こんな多様性が豊かな瀬戸内にもかかわらず、その魅力があまりにも知られていない。日本財団グループとして笹川平和財団で瀬戸内に貢献できないだろうか」と仰ったのです。そこで私が児島出身ということで、笹川平和財団の瀬戸内プロジェクトを考えるというお題をいただいたのです。

私は一九六五年生まれですが、六〇年代後半から七〇年代くらいまで瀬戸内海には色々なものが浮かんでいて、足を入れると病気になるんじゃないかと思ってしまうくらい、汚い海というイメージでした。近くに水島コンビナートがあり、私が小学生の頃、そこで重油の流出事故が起きました。日本全国から自衛隊が来るような大事故で、その時の臭いは今でも覚えています。重工業によって地域の経済は豊かになったと思うのですが、私にとって幼少期の瀬戸内はどちらかというと汚いという印象でした。

ところが、その瀬戸内海があまりに汚いということで、一九七三年に瀬戸内海環境保全特別措置法ができます。そこから国を挙げて瀬戸内海を綺麗にする動きが始まりました。すると、汚いものから綺麗なものへと海が劇的に変わっていったのです。大人になってから児島に帰った際、子どもを連れて渋川海水浴場に行くと、もう信じられないぐらい海が綺麗で驚きました。私が小さい頃は泳げたようなものではなく、海水浴するためにわざわざ船で島に渡っていたくらいですから。

そして二〇二二年、瀬戸内海環境保全特別措置法の改正がありました。なぜ改正があったかと言えば、瀬戸内海が綺麗になり過ぎて魚が減ってきているからです。綺麗になり過ぎた海は、生物にとって必ずしも住みやすい環境ではありません。窒素やリンなど、生物にとって栄養素になるような物質まで無くなるくらいに綺麗になると、魚たちも育たないわけです。今回の法改正では魚がいなくなった湾や地域では、自治体の判断によってリンなどの栄養源を放出していいことになりました。つまり、人間の手で綺麗にしたものを本来の自然に少し戻そうとしたわけです。やはり綺麗過ぎるのも自然ではないし、ある一定の環境がないと魚も育たない。

藻場がある海を泳いでいると痛くてしょうがないなんて海水浴の経験が皆さんにもあるかもしれません。瀬戸内海にも藻場があります。ついつい瀬戸内海もエーゲ海やパラオのような海になってくれるといいと思ってしまうけれど、実はそんな海は魚にとっては良い環境ではない。藻場があることで卵を産めるし、外敵から守ることもできる。つまり、豊かな海洋資源を生んでいるわけです。だから、ある一定のバランスを取ることは実はとても重要です。瀬戸内海を綺麗な海から豊かな海に変える。これが私たちの今のテーマになってます。

地域全体で共有される資源

私たち日本財団グループは二〇二〇年から、岡山県、広島県、香川県、愛媛県の四県と一緒に、海洋プラスチックごみの問題について取り組んでいます。河川のプラスチックごみ発生源を皆で綺麗にして海に到達しないようにしたり、既に海に流れてしまったプラスチックごみを回収しています。ただ、これはマイナスからゼロにするだけの話であって、その活動によって瀬戸内の価値を生むわけではありません。どうすればこの瀬戸内の豊かな歴史や文化、生態系を含めた資源をプラスにしていくのか、そのためにはどんな可能性が考えられるのかが私の課題です。そのあたりを考えていた時に原さんと出会い、瀬戸内デザイン会議ではまさにその可能性について議論されているると知りました。先ほど議論されていた「海島」構想は、まさにその可能性を秘めたプロジェクトだと思います。

私も瀬戸内はグローバルブランドだと思っています。直島のサクセスストーリーや瀬戸内国際芸術祭もありますし、海の視点をベースに瀬戸内のブランドを考えることはできるはずです。例えば、同じ海に面した地域のモナコと比較してみましょう。モナコにはアルベール大公が運営している海洋汚染問題に取り組む財団があり、私はその財団のアドバイザーを務めています。財団の海洋環境に関する国際会議に参加するため、この数年間、モナコを毎年訪問しているのですが、モナコを訪れると、自分の故郷である瀬戸内にも似たような眺めではあるけれど、何か足りないものがあると感じてしまいます。モナコにはスーパーヨットやクルーズ船が沢山あったり、街でＦ１レースが催されたり、一流のシェフがいるレストランやホテルがある。瀬戸内にも「ガンツウ」をはじめとする一流の宿泊施設が少しずつできてきていますが、地域全体でいえばまだまだ及びません。おそらくそれは地域全体のコンセプトが不在しているからだと思います。

つまり岡山でも広島でも香川でもない、「瀬戸内」という共通ブランドがあると、それぞれのアプローチが同じ方向に向いてくると思います。モナコや南仏にあるコンテンツが持っている一つひとつのユニークな特殊性も、「地中海」という共通ブランドを基にできているからです。

例えば地中海料理がその一つでしょう。私は地中海料理が大好きで、ギリシャでも食べるし、ＴＩＣＡＤ［＊1］に参加するためにチュニジアに行った際も食べました。同じ地中海の魚を食べているのですが、どこに行っても美味しくて楽しめる。そんな地域全体で共有している資源がこの瀬戸内にも沢山あるはずで、それをどのように活かして楽しい場所にしていくかを考えていく必要があると思います。

そして、私たちにとって瀬戸内は生活圏です。昨日の「起業家」のセッションを拝聴した後、児島にある実家に帰って、うちの父と酒を飲みながら会議で議論されていたことを振り返っていました。「倉敷美観地区が映画のセットみたいだ」という指摘があったことを伝えると、大笑いして「本当だよな」と言っていましたね。倉敷に住んでいる人も、美観地区は観光地であって生活圏に入っていません。

料理にしても、うちの田舎だと魚の料理が出てきますが、それは料理というより獲ってきた魚をそのまま捌いて出しているだけです。そこに付加価値をつけて瀬戸内料理とするためにはどうすればいいのか。やはりその土地には人々の生活があり、その営みが見えてくることで、料理一つにしても見方

1——Tokyo International Conference on African Development の略称。一九九三年以降、日本政府が主導し、国連や国連開発計画、世界銀行及びアフリカ連合委員会と共同開催している、アフリカの開発をテーマとする国際会議。

が変わってくるのではないでしょうか。

実証実験しか道はない

私は、二〇二三年五月に広島で行われるG7広島サミットでは海をテーマとして発信してほしいと願っていて、二〇二二年に岸田文雄総理大臣に官邸でプレゼンしました。岸田さんは「うんうん」と話をよく聞いてくれたのですが、何となく不安になってきたので、麻生太郎さんにも会いに行き、同じ話をさせていただきました。すると「俺がワーッと岸田に言っておけばいいんだよな」と言ってくれました（笑）。

この瀬戸内デザイン会議からもG7に向けて発信すべきでしょうし、私もできる限り、皆さんと行政や自治体を繋いでいきたいと考えています。「海島」も、国際会議の場所としてG7で利用されたら、世界に向けた瀬戸内の魅力の発信にもなるでしょう。G7は時間的に難しいと思いますが、是非とも万博に向けた実現を目指していただきたいです。

そんなG7やG20でずっと議論されているほど、海洋問題は地球規模の課題として世界から注目されています。東シナ海、南シナ海を含めた海洋安全保障の課題から、海洋プラスチックごみの問題や違法漁業対策など、多岐にわたりますが、特に気候変動や地球温暖化によって海で生じている様々な問題について議論されています。ヨーロッパで言えば、フランスのマクロン大統領は海洋問題に非常に力を入れていて、国際会議まで主催するほどです。私たちもフランスにある笹川日仏財団を介して、パリと日本を結んで海洋事業として何かできないかを考えているところです。

もう一つのトレンドとしてはエネルギーです。ロシアのウクライナ侵攻があり、エネルギーコストが高騰している中、海洋を使って再生可能エネルギーを生み出していくことが注目されています。アジア最大の洋上風力発電のポテンシャルを持つ日本は、将来のグリーン水素やアンモニアの洋上製造を見据えた浮体の開発など、様々な展開が期待されています。

それらがカーボンニュートラルにも繋がるわけですが、そうなってくると、船もおそらく全てディーゼルから電気推進船や水素燃料船になってくるでしょう。二〇五〇年に日本はゼロエミッションを目指してます。カーボンニュートラルを本当に目指すのであれば、船は一回つくると三〇年ぐらいで廃船になりますので、二〇五〇年から三〇年を逆算すると、まさに今から設計段階にある船は水素燃料船や電気推進船に代えていかなければいけません。これが世界のトレンドです。

技術としては必ずそちらにシフトしていくでしょう。私たちも神原勝成さんの常石造船に協力してもらい、駿河湾で水素をベースとした船の実証実験をしています。また、尾道造船とは「方舟プロジェクト」をやっています。このプロジェクトは「海島」にも似ているのですが、人ではなくデータセンターを載せた方舟を海に浮かばせます。津波などの災害時に重要なデータベースを沖で守ろうとすると、延々と高い防波堤をつくるしかありませんが、逆に船に載せてしまい、災害が起きた時には沖に出し、洋上でデータベースを守るといった逆転の発想です。現在、木更津のトライポッドの上で実証実験しています。

なぜ実証実験を進めるかと言えば、先ほどの「海島」でもハードルとして挙がっていた法規制を変えられる可能性が生まれるからです。「これから〈海島〉をつくるから法規制を変えてください」と頼んでも、誰も変えてくれません。行政も立ち会ってくれません。残念ながら日本は法律に真面目な国ですから、イノベーションが起きる前にNOと言うことばかりです。霞が関の人たちは一〇〇でも二〇〇でもNOの理由は持ってきますので、それらをいちいち聞いていたら何もできません。しかし、実証実験によって安全性やその価値が見えて、初めて法規制を変えてくれる兆しが出てくる。だから先にモノをつくってしまい、実証実験をとにかくやる必要があります。そこから説得していく作業を続けるしかありません。私たち笹川平和財団も、ゼロエミッションやカーボンニュートラルというコンセプトを海で実現するための新しい技術や構想の実証実験に関しては、どんどん後押ししていこうと考えています。

ブルーカーボンと海業

地球の表面の約七〇%は海に覆われています。しかし、私たちは海のことを知りません。深海のような光が入らない場所に何があって何が住んでいるのか、全く知らないわけです。この瀬戸内海ですら、岡山側から香川側までの海底で何が起きているのか把握できていません。そこで私たちは、無人運航船や個人潜水艇で海底をマッピングし、海を可視化しようとしています。

なぜそんなことをやっているかと言えば、わからないから知りたいということもありますが、わからないという理由で様々な開発が遅れているからです。海洋状況を把握することで、海を適切に管理できるし、海の価値やリス

1――海洋生態系に取り込まれる炭素のこと。ブルーカーボンを隔離、貯留する海洋生態系として海草藻場や湿地、マングローブ林などが挙げられ、これらをブルーカーボン生態系と呼ぶ。陸上にはないメリットとして、海洋中に炭素を長期間貯留できることが挙げられる。ブルーカーボン生態系に取り込まれた炭素は、一部は呼吸によって排出、残りは食物連鎖の中で生物中の有機炭素として循環し続ける。この過程で無機物に分解されるか、難分解性の有機物となって海底に堆積するか、海中の対流によって深海に運ばれる。海底は無酸素であるため、バクテリアによる分解も抑制され、場合によっては炭素が数千年間も海中に貯蔵されることになる。

クを科学的に評価しながら海での生産性を高めていくことができるでしょう。つまり、海を可視化し、皆で海を理解すれば、新しいビジネスモデルが生まれてくると思います。現在、海洋における課題は環境、水産、資源・エネルギー、災害・国土管理と大きく四つに分けられますが、それらを軸に様々なイノベーションを起こすことができるでしょう。

そのためにも、研究者も漁業者も行政も、海洋関係者は全て連携すべきだと考えています。二〇二二年末、全漁連の会長と会食させてもらいました。今まで私たちは海洋で言えば国土交通省とは付き合いがあったものの、水産関係とはあまり付き合いがなかったため、全漁連とも意見交換したかったのです。その結果、私たちは今、漁業組合と一緒にブルーカーボン［＊1・図1］を取り込む生態系の藻場を増やす活動を始めました。藻場を

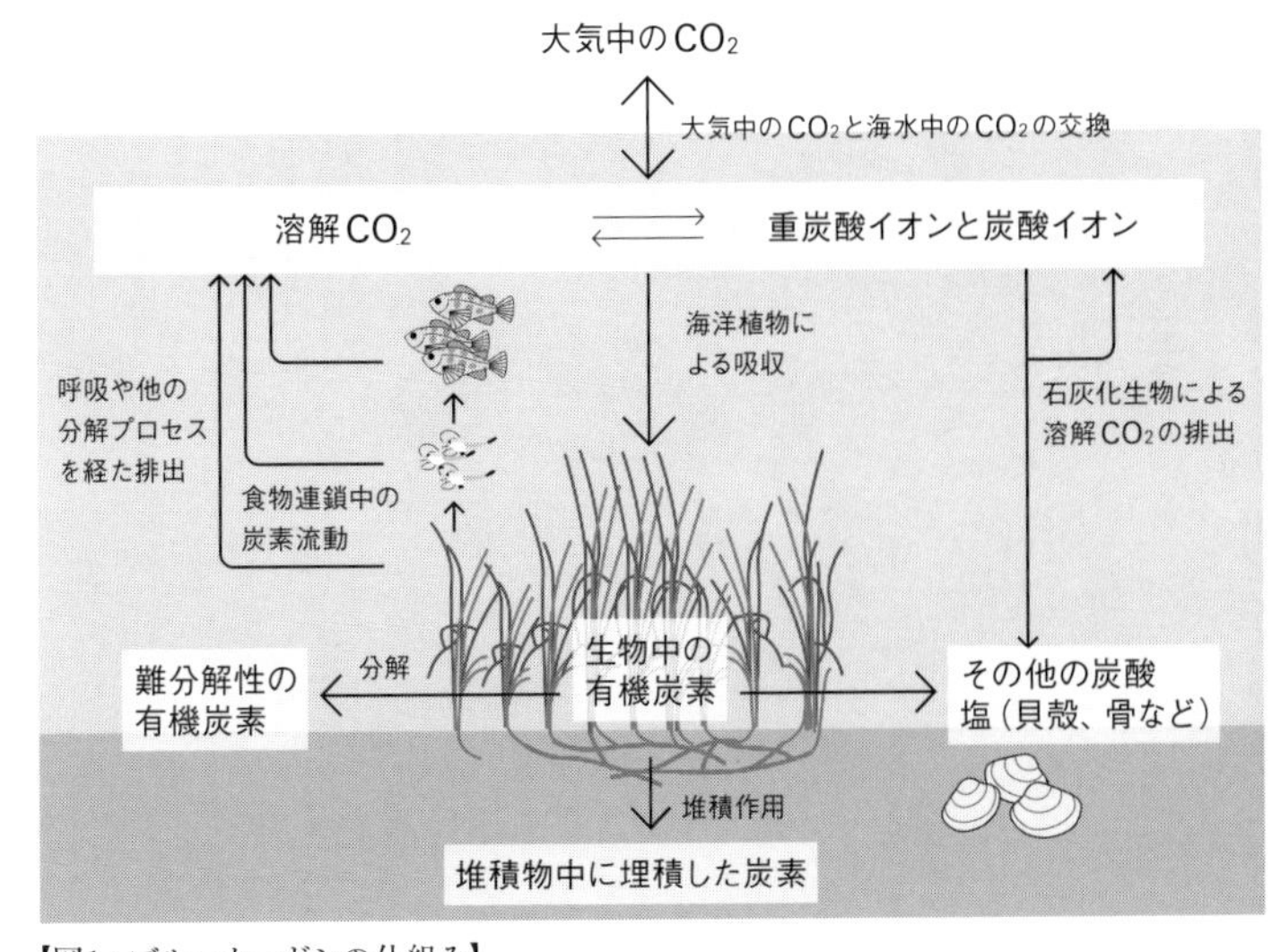

【図1：ブルーカーボンの仕組み】

増やすことで海に魚が戻ってきて、漁業資源も増えてくるため、海の再生にも繋がる取り組みです。また、ブルーカーボン生態系は炭素を吸収するため、横浜や博多でカーボンクレジット化する社会実証実験も実施しています。

そして、漁業組合と一緒に新しい海の業をしていこうと、海業（うみぎょう）というプロジェクトを始めました。レジャーと漁業、観光産業が共生できる仕組みづくりです。漁業組合は、釣り人やレジャーのために魚を獲りに来る人たちを嫌いますが、そこで対立するのではなく、海をベースに観光資源をそのまま漁業にも生かすこともできるはずです。例えば、漁船に観光客を乗せてクルージングしてもいいでしょう。漁業と観光を一緒にやっていくための組織を海業という形にして、モデルケースをつくろうと全国で取り組まれています。うまくいけば、観光客が沢山訪れてその地域に賑わいが出るだけでなく、漁業者の所得が増えたり、雇用も生まれるかもしれません。

最近、東京オリンピックで銅メダルを獲ったサーファーの方が私を訪ねてきて、サーファーがサーフィンをやりながら海の環境保全にどう貢献できるかを相談されました。そこでサーフィン業界と一緒に、マリンスポーツとレジャー、漁業が共生可能な海洋事業として何ができるかを模索しています。是非、瀬戸内デザイン会議でも議論いただきたいテーマですね。

備前市では長年にわたり、漁業者がアマモ場の再生に取り組んでいて、それが観光や教育、カキ養殖といった地域活性に繋がっています。備前市は非常に海流が穏やかな場所のため、牡蠣の養殖が可能です。私の田舎である児島には下津井港がありますが、海流が非常に速くて中々魚を育てるような場所ではありません。だから、「俺が先に海に出て稼いできてやる」といったように、下津井の漁師はとにかく競う（笑）。同じ岡山でも、備前市の漁師は「皆で仲良く一緒に牡蠣を育てましょう」という雰囲気なので、カルチャーが全く違うわけです。その違いが生まれた背景には、瀬戸内の潮の流れの違いがある。そんな様々なカルチャーも受容できるような新しい瀬戸内のコンセプトを、漁業者の方々と一緒に考えていければ、瀬戸内海でも環境や水産、資源・エネルギー、災害・国土管理という面で様々なイノベーションが可能になるでしょう。

先ほどの「海島」のフィードバックのセッションで「海島」実現に向けて漁業組合との交渉が課題に挙がっていましたよね。彼らにとってもプラスになるような仕組みをつくった上で、漁業関係者にも積極的に「海島」構想に関わってもらえば、実現に近づくかもしれません。私たちも全漁連と一緒に仕事をしているため、協力させていただければと思っています。

セッション

海の可視化の先にあるもの

角南 篤＋原 研哉＋石川康晴

プロフィールはpp.436-451参照

漁網がつくるゴーストビーチ

原　宇宙で一気圧を保つことは比較的難しくないけれど、深海で一気圧を保つことは大変らしく、海洋には宇宙よりも更に未知なる世界、宇宙に匹敵する未来があるそうです。生物の多様性という意味でも、海中の生物に関しては人類が知り得ていることはまだ僅かで、そこに大きな可能性がある。僕らも船の上の不動産の話は「海島」を機に考えたことがありましたが、海の下の不動産のことは全く未知な世界だと思います。そんな視点で瀬戸内を考えてもおもしろいかなと思いました。しかし、今、その海が汚染されているという問題に忸怩たる思いがあります。これは僕ら瀬戸内デザイン会議で考えるべきテーマでもあるでしょう。

海洋汚染は今のまま増え続けると、二〇五〇年には海の中にいる魚の全重量をプラスチックの重量が超えてしまうという予測が出ています。僕らはNHKやBBCで世界中の素晴らしい海の映像を見慣れているけれど、実はその中に相当量のプラスチックが混じり込んでいる現状がある。ただ、ペットボトルをはじめとするプラスチックを海や河川に投棄することに関しては、おそらく歯止めが効くのではないかとも思っています。例えば、中国の揚子江では今も大量にごみが投棄されていますが、中国ゆえに法律で禁止されればピタッと止まるように思われます。また、生分解性プラスチックの開発やごみの回収技術といった方向でも急加速で技術が進歩する可能性もあるため、見通しは暗くないように思います。

一方で、どうにもできないごみもあります。日本海は胃袋のような形になっていて、間宮海峡が食道、対馬海峡が十二指腸のようにきゅっと括られています[図1]。その対馬海峡にごみが集中してやってくるのですが、その中でも漁網などの漁業関

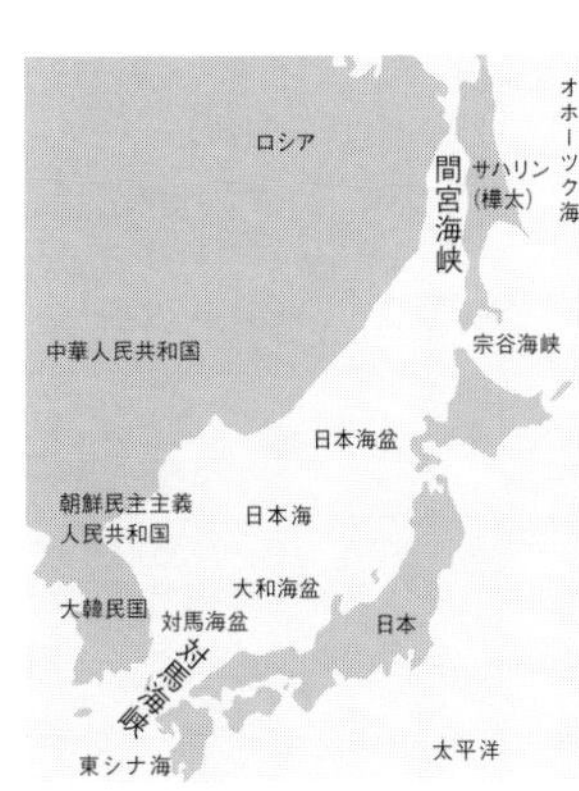

【図1：間宮海峡と対馬海峡】

係のごみが非常に厄介です。漁網は流れ着いた浜の砂地に深く埋まり込みます。発泡スチロールやプラスチックなどは人力で回収できるのですが、漁網はどうしようもできません。クレーンで土壌ごとガバーッと掬って、地中に廃棄物を処理する坑道をつくってそこに送るしかないそうです。

浜に辿り着けば、大変ではありますが、このような方法で処理できます。しかし、漁網が深海に沈んでしまったらどうすればいいのでしょうか。海底の計り知れない深みで漂いながら、あらゆる魚や生物に絡みついてるという事態が僕らの目に見えないところでどんどん起きているのです。つまり、ゴースト・フィッシングが展開されている。深海に落ちてしまった漁網は回収不能で、且つ漁網は中々朽ちない素材でつくられているため、海中に残り続けてしまうそうです。

角南　今、漁網も自然に分解していくように開発された素材でつくる動きが出てきています。韓国が先行してその素材開発に取り組んでいて、日本でも力を入れてほしいと思い、ご実家が漁網メーカーである自民党の小林史明さんにも、漁網素材の問題について提言しました。例えば、閉鎖性海域である瀬戸内海の中なら新しい漁網を普及させることも現実的だと思うのです。

日本全国や世界で一気に変えようとするのではなく、瀬戸内をモデルケースとして、そういった変革を一つひとつやっていく。誰かが声をかけてやっていく中で、徐々に皆が参加していくような形なら無理なく変われると思うのです。漁業の人たちも自然環境のために変わっていくことを非常に望んでいるため、私はチャンスだと思っています。

漁業の未来

角南　今、世界の環境NGOたちが目をつけてるものが海藻です。私たち日本人は海苔を食べる習慣がありますが、海外の肉を食べない菜食主義の若い世代にとっては魚よりも海苔や海藻が非常に魅力的に映るそうです。日本にはその海藻をベースにした資源が沢山ありますよね。しかも、それが二酸化炭素の吸収源にもなり、且つ魚も増やすということで、コベネフィットなものとして海藻はこれからどんどん世界的に注目されていくでしょう。

原　生きている魚をそのまま捕まえにいく漁業には限界が訪れ、再生産していくという意味で、今後は漁業が養殖ベースに変わっていくのかなと思うのですが、そのあたりの見込みはどうなのでしょうか。

角南　世界規模で見ると、これからは圧倒的に養殖が中心になってくると思います。海のない陸域での養殖が結構あり、水を循環させる技術も進化しているので、養殖への期待は非常に高いですね。

一方で日本で養殖をする場合、もう土地がありません。どこで養殖するかとなった時、海の外へ出ていかないと養殖できない状況です。ＥＥＺ（排他的経済水域）まで出ていった沖で養殖して、洋上風車を立ててエネルギーをつくることになる。日本がどのように海の開発をしていくかは、今後大きな課題になっていくと思います。

原　一方で「海島」の話をすると、漁業権がいつも問題になります。神原勝成さんがフロート付きの飛行機の事業をしていましたが、その時も漁業権が問題になったと聞きました。角南さんが仰るように、これから養殖業が中心になっていったとしても、やはり沿岸地域では漁業権が中々外されることはないのでしょうか。

角南　おそらく日本に色々な法律ができる前から、いわゆる浜のやり方というものが既にあり、漁業権はその上に成り立っています。そのため、そんなに簡単には変えられないと思います。

しかし、今チャンスになっているのは、その漁業権を一つに束ねて地域の権利にし、皆でそれを生かそうという動きが出てきていることです。現状では、個々で漁業権を持っていれば補償はもらえるけれど、それ自体が新しいビジネスを生むことはありません。そのため、若い人がどんどん漁業から離れつつあるし、漁業権自体がブラックマーケットに出ていることもある。そんな現状から、漁業に未来がないということは漁業者たちもよくわかっています。だから、漁業権そのものをこれから考えていかなければいけないし、私たちが取り組んでいるブルーカーボンクレジットを導入していくしかないと思います。漁業者は漁業権によって補償をもらって自分たちの生活を守ってきたけれど、養殖中心になって補償がそんなにもらえないとなった時、新しい考え方で漁業をビジネスにしていかないといけません。海業とはそういったチャンスを漁業者に持ってもらうという意味で進めているのです。

瀬戸内で漁業権を束ねるモデルケースをつくってもいいですよね。パテントプールのように特許一つでは全く価値は生まれないけれど、いくつかの特許を集めて全体としてビジネスにしていくようなやり方は、漁業でもあり得ると思います。漁業権を否定してもそこから先に進まないので、漁業権をどのように活用できるか、そして皆にとってのベネフィットになるかというモデルをこの瀬戸内デザイン会議でも考えていただきたいです。

海底の生態系地図

石川　陸の動物に関しては、様々な研究者や学会によってほぼほぼ生態系が理解されていると聞きます。一方で海底の動物に関しては、人類はまだほとんどわかってなく、もしかしたらそこに地球温暖化を解決する鍵があるかもしれません。角南さんたちは海の生態系を把握するために、具体的にどんな取り組みをされているのでしょうか。

角南　今、私たちは「瀬戸内オーシャンズX」という名のプロジェクトで、瀬戸内海の海洋ごみ対策から海底地形図づくりまで取り組んでいますが、今度、イギリスと組んで海洋の生物資源の発見を世界中で取り組むプロジェクトを始めます。

巨大なダイオウイカがたまに出てきて大騒ぎになるように、私たちは本当に海の中の生態系をわかっていません。そこで、釣り人や子どもでもいいのですが、海で珍しい生物を見つけた場合、写真を撮ってもらい、それを専門家が見て新しい品種かどうかを確認するといった事業を始めようとしています。実は天体の分野も、研究者がいつも張り付いて探しているというより、天体観測しているアマチュアの方々が新しい星を発見していることが多いのです。このメカニズムを海の中の生物に対してもやってみたらどうかということでプロジェクトを立ち上げました。

私たちは海の生態系をもっと理解していく必要があります。現在、淡路島でイカが獲れなくなってしまい、市場にほとんど出ていません。なぜイカがいなくなったのかを科学的に判明することは非常に難しく、いつ戻ってくるかもわからない。海には私たちでさえもわからないことが多すぎるため、ほとんどの漁師たちは科学的なことを信用していません。だからこそ、海洋科学を推進していかなければならないのです。そこで、瀬戸内海の海底マッピングが重要になる。たった数十メートル先に行くだけで、瀬戸内海ですら海底がどうなっているのか、私たちは把握していません。瀬戸内海のマッピングができれば、色々なことを解明していく手がかりになると思っています。

原　「食」のセッションで橋本麻里さんから、プレートテクトニクス的に瀬戸内海の海底には沈降部と隆起部が繰り返して刻まれたことで高速海流が生まれ、元気で生きがいい魚が育つという話がありました。角南さんたちの手で海底地図がつくられると、海流の流れについてもより理解が進み、おもしろいことになるでしょうね。

生物多様性についても、海水を解析してそのＤＮＡを集めてみたら、僕ら人間が把握している種類とは桁違いの数の生物が海の中にいることが明らかになったと聞いたのですが、それは本当ですか？

角南　はい。今、科学の世界では環境ＤＮＡというものがあり、空気や海水などを解析することでそこに存在する生物を特定していっています。例えば、海水を汲み上げて、その海水があった一〇〇メートルぐらいの範囲内にどんな生態系が生まれているかをＤＮＡで特定できるのです。

今、私たちが注目してるのは、沖縄科学技術大学院大学（ＯＩＳＴ）が取り組んでいるサンゴ礁の生態を環境ＤＮＡで特定していく研究です。今まではは人間が潜って実際にサンゴを見ないと、そのサンゴがどんな状態かわからなかったのですが、現在はサンゴの上を船で通り、海水を取って解析するだけで、サンゴがどういう状況にあるかを把握できるようになりました。例えば、その技術を用いて瀬戸内海の拠点ごとに測っていくと、どこに何がいるのかという生態系のマッピングも比較的容易にできると思っています。

そのあたりがわかってくると、「海島」のような開発が本当に害になるのかどうかもわかるでしょうし、場合によっては瀬戸内という地域や自然環境にもプラスになると言えるようになる。すると反対している人より、「別にいいじゃん」というファンも増えてくると思うのです。

開発を薬にするシナリオ

原　僕らも「海島」を生きているうちに実現したいと考えているのですが、笹川平和財団では海洋の課題を考える時、いつもどれぐらいの射程でヴィジョンを描いているのでしょうか。

角南　笹川平和財団のミッションとしては、三〇〇年後の未来に海を健全な形で残すために今やるべきことを考えるというものです。具体的には、二〇五〇年までにカーボンニュートラル社会を実現するための取り組みです。そして、これからどんな形で私たちが瀬戸内という価値を生むのかも考えていく必要があるでしょう。瀬戸内では海洋プラスチックごみをゼロにする事業をやっていますが、この瀬戸内デザイン会議に参加してヒントを沢山いただいたので、持ち帰って笹川名誉会長と相談しながら、次の事業に繋げるように考えていきたいと思います。

その一つとして、今までなかったような体験、動く人工島といった「海島」構想はすごくおもしろいと思いました。私も瀬戸内海をずっと見て育ってきたので、海に浮かぶ島が動いていたら楽しいだろうなと思います。私たちは今、キャンピングカー業界と組んで何かできないかと模索しているのですが、キャンピングカーを無人島に持っていって生活してもいいかもしれませんね。無人島の活用法を考えられたら、瀬戸内から新しいライフスタイルが生まれるということにもなりますよね。

私たち民間財団の強みの一つは、数年間で結果を出す必要がなく、ある意味で息長く取り組めることです。そのため、一〇年、二〇年かけて取り組むような事業や試みを財団としては積極的にやっていきたいと思っています。

原　角南さんのお話を聞いていると、「海島」構想が本当に実現しそうな気分になってきますよね。

角南　自然がベースにあって、開発が毒ではなく薬になる可能性もあるということを議論していくことはすごく重要だと思います。ただ単に良いホテルをつくって地域を盛り上げるといったことだけではなく、共益もあれば研究もあり、そして今まで見たことのない動く島のようなワクワクするものができれば、瀬戸内は他の地域とは異なる別次元のモデルになるでしょうね。

原　「海島」にはホテルやコンベンションセンターだけでなく、海洋研究開発の拠点や学校があってもいいでしょうね。様々な機能を寄せ集めていくことで可能性が拡がるし、色々な資本が使えるようにもなる。そのあたりのアイデアをどんどん出して、そのためのプロジェクトを個別に立ち上げていくことも必要かもしれませんね。構想を雪だるま式に大きくしていき、更新していくこと、形にしていくことが新しいプロジェクトに結び付いていくような気がします。笹川平和財団にも瀬戸内の「海島」構想に一口かんでいただけるということで、引き続きよろしくお願いします。

スーパーローカル

ゲストスピーチ
東吉野村発、地域社会を変えるデザイン　坂本大祐

ゲストスピーチ
自然が資本　梅原 真

セッション
地栗の「地」と向き合う　西山浩平＋伊藤東凌＋青木優＋小島レイリ＋須田英太郎

スーパーローカル

ゲストスピーチ

東吉野村発、地域社会を変えるデザイン

坂本 大祐

デザイナー
合同会社オフィスキャンプ
代表社員

クリエイティブヴィレッジ構想

僕は合同会社オフィスキャンプという法人でデザイン業をやりながら、コワーキングスペース「オフィスキャンプ東吉野」の運営もやっています。僕らの会社は少し変わっていて、運営しているコワーキングスペースに来られた人たちと仲良くなり、彼らがそのまま弊社に合流するという形でつくられました。メンバーの皆は元々フリーランスで活動していて、今はオフィスキャンプという大きな傘の下に、グラフィックデザイナーやプロダクトデザイナー、ITエンジニア、写真家、木工家などが集まっています。

僕らの活動拠点は奈良県の奥大和エリアにある東吉野村です［図1］。奈良県は縦に長く、奥大和は奈良県の南と東をまとめた県内の面積の約八〇%を占めるエリアです。しかし、実は奈良県の人口の一〇%しか住んでいません。皆さんが知っている、あるいは観光で訪れたことがある奈良は、おそらく大阪や京都に隣接した北のエリアで、奥大和に来たことがある人はかなり少ないのではないでしょうか。そんな奥大和の東の端っこに僕らの活動拠点である東吉野村があります。東吉野村の人口は約一七〇〇人、高齢化比率は五四%です。岡山県にも似たような街があるかもしれません。

僕は二〇〇六年に大阪から東吉野村に移住しました。「移住」なんて言っていますが、当時は「移住」という言葉もなかった気がします。なぜ移住したかと言えば、まず、働き過ぎて体を壊しました。当時、フリーランスでデザイン業を始めていましたが、中々大変でして……。待っていても仕事は来ないので仕事を獲りにいかないといけないし、仕事をやらないと自分の給料がないわけで暮らしていけません。とにかく昼はデザイン、

【図1：奈良県奥大和エリア】

【図2：東吉野村】

夜はクライアントとの会食、休みもなく仕事し過ぎた結果、過労で体を壊してしまいました。

次に、移住先が東吉野村だった理由は、中学生の頃に山村留学という制度があり、当時、大阪から東吉野村の里親の家に一年間住んでいたのです。そのため、この地には元々縁がありました。更にその縁がきっかけで、実は僕の両親が先に東吉野村に既に移住していたのです。僕が体を壊す二年前ですね。そんな経緯があり、僕も大阪を離れて東吉野村に住み始めました。

東吉野村は山に囲まれ、村の真ん中に川が流れ、その両脇に集落があるような村です〔図2〕。村の基幹産業は林業で、その林業は以前は盛えていて、ピーク時の村の人口は一万人に及んだと言われています。しかし、林業の衰退に伴い、徐々に村から人が離れていきました。そんな場所に、二〇一五年にコワーキングスペース「オフィスキャンプ東吉野」をつくりました〔図3〕。「オフィスキャンプ」という名前は今では弊社の法人名ですが、元々はこのコワーキングスペースの名前だったのです。

このスペースをつくったきっかけが、当時の奈良県庁地域振興部の次長であった福野博昭さんとの出会いでした。福野さんは非常に変わった公務員という印象で、「オマエみたいなやつがこんな山奥でデザインをやっている

【図3：オフィスキャンプ東吉野】

なんて知らなかった。もっと奈良の仕事やれよ」と言ってくれました。当時は奈良県の仕事というより、大阪時代に付き合いがあったクライアントの仕事を続けていたので、僕も「いやいや、やれることあったらやりたいですよ」と返すと、福野さんが「じゃあ俺が仕事をつくってやる」となり、本当に福野さんが自分が奈良の仕事に携われるようにしてくれたのです。この辺の経緯はあまりにもおもしろいので、福野さんの公務員時代の話をまとめた本『ライク・ア・ローリング公務員 まち思う 故に我あり』（木楽舎、二〇二一年）を企画し、つくらせてもらいました。

福野さんとの出会いをきっかけに、奈良県南部東部振興課から、東吉野村への移住促進のための課題整理と手法の提案、そして拠点整備基本計画の策定の依頼をいただきました。簡単に言えば、若者に移住とか二拠点生活を促すアイデアを移住者視点で考えてもらいたいという相談があったのです。その時に僕が打ち返したものが「奥大和クリエイティブヴィレッジ構想」でした。

当時、都会と地方を行き来する二拠点生活をする人たちは既にちらほらいました。そこで誰でもいらっしゃいと呼び込むのではなく、場所を選ばずに仕事ができるデザイナーやアーティスト、職人などをターゲットにして、彼らにふさわしい場所や環境をつくったらどうだろうかと提案したものがクリ

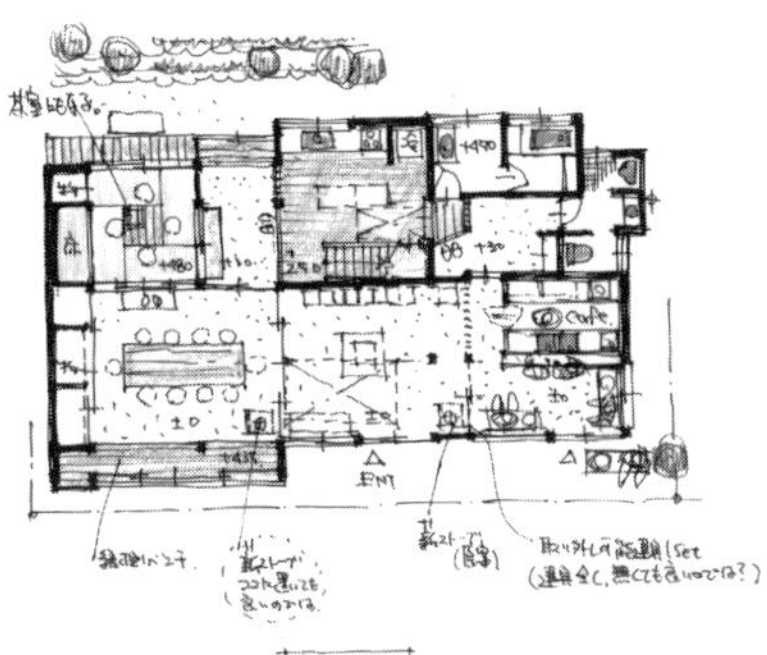
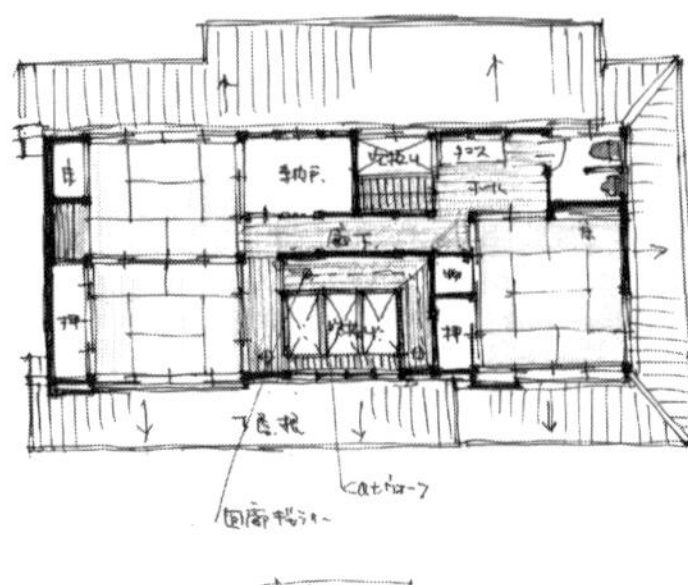

【図4:「オフィスキャンプ東吉野」の計画図】

エイティブヴィレッジ構想です。場所を選ばない彼らが「ここで働いてみたい」と思えるような空間のコワーキングスペースをつくるアイデアも含めて提案しました。

その後、この構想を県の振興課から東吉野村に提案いただき、採択され、東吉野村にコワーキングスペースをつくることになったのです。県庁と村の役場の方々と一緒に拠点の敷地を探し、村から施設のデザイン監修を依頼していただきました[図4]。国、県、村が予算を出し、築七〇年の古民家を改修し、「オフィスキャンプ東吉野」という場所が生まれ、完成後の管理運営も委託していただきました。つまり、この場所は我々の会社がお金を出してつくったわけではなく、奈良県と東吉野村と我々移住者がタッグを組んで生まれた場所なのです。

村のＱＯＬを高める誰かの存在

蓋を開けてみたら、多くの方々がこの場所を訪れてくれています。二〇一五年から二〇二〇年の間に、「オフィスキャンプ東吉野」に訪れてくれた人は約九〇〇〇人、コワーキングスペースとして利用してくれた人が一八〇〇人、そのうちの一四組二七名が移住を決めてくれました。現在、移住希望者が二組待機している状況です。

実はこの移住希望者がいるにもかかわらず待たないといけない状況が、現在の課題の一つです。今まで一四組の移住者がいるということは、一四棟の空き家が埋まったということです。当然ですが、すぐ住めるような状態の空き家から埋まっていきます。村には今も空き家がありますが、状態の悪いものばかりで、移住希望者が五〇万円や一〇〇万円というお金を改修費用として用意しないと住めない状態です。この問題をどうにか解決できないだろうかと現在模索しています。

【図5：青木夫妻のLucha Libro】

東吉野村に移住してきた一四組には様々な経歴や職能の人たちがいます。まず、旦那さんの青木真兵さんが古代地中海史の研究者、奥さんの海青子(みあこ)さんが図書館司書として働いていた青木夫妻です。彼らは空き家を改修して人文系私設図書館「Lucha Libro」を開きました［図5］。図書館開設は青木夫婦の夢だったそうです。都合のいいことに村には図書館がありませんでした。今では村のじいちゃんやばあちゃんは勿論、割と遠方からも人が訪れるようです。彼らが移住した経緯や東吉野村での活動は、彼らの著書『彼岸の図書館ぼくたちの「移住」のかたち』（夕書房、二〇一九年）に綴られています。

木工職人の中峰渉さんは、広告代理店に勤める傍らオーダーで家具製作を請けていたのですが、どうしても家具だけで自分の身を立てたいということで「オフィスキャンプ東吉野」で相談を受けました。移住が決まると、彼は自分の家の改修から始め、自分の工房までつくりました［図6］。その工房は自身の家具の製作場所だけでなく、他の人も利用できるようにシェアファクトリーとして改装されています。

更にその工房の横にはケーキ屋をつくりました。元々パティシエだった中峰さんの奥さんが営んでいます。工房の隣にケーキ屋があるという、なんとも謎の空間が村にできました。でも、うちの村にケーキ屋さんができたこと

【図6：中峰夫妻のシェアファクトリーとケーキ屋】

【図7：高見川の掃除イベント】

で、こんな山奥の村で誕生日ケーキを頼めるようになり、村人のQOL[*1]が高くなりました（笑）。冗談ではなく、誰かの存在によって村全体のQOLが高まるということが、こんなに嬉しいことなんだと、そんな積み重ねによって街が生まれていくのだと、この体験を通して実感しました。

また、兵庫県加古川市にムサシというLED照明や園芸・農園用品のメーカーがあります。その会社のアートディレクターの岡本亮さんが、うちの村にムサシのサテライトオフィスをつくってくれました。彼とは村に流れる高見川を掃除するイベントなども企画しています[図7]。

1――Quality of lifeの略称で、生活の質、生きがい、生活の満足度などを指す。

なんとこのイベントは有料で、一人三〇〇〇円も払って川を掃除します。あり得ないと思いますが、六〇人くらいの定員が毎回すぐに達してしまいます。

このイベントは毎年夏に開催するのですが、夏にやる理由があります。皆さん、ニュースでご存じかもしれないのですが、都会から川にバーベキューしにやってきた人たちが、ゴミをそのまま置いて忽然と去っていくことが河原では頻繁にあります。そのゴミを誰が片付けているのかと言えば、その河原がある村の人たちです。残念なことに、世界中でこれだけゴミ問題が騒がれていようが、心ない人はどうしてもいます。それを憂いて近くの村では河原でのバーベキューを禁止にしました。でも、うちの村はどうにか皆にマナーアップを促して川を使ってもらおうと村長が言い出し、それに僕らが呼応する形で、掃除のイベントを企画したのです。イベントを企画して集まった数十人でバーベキューしている人たちの周りで、これ見よがしにゴミを拾い、川を掃除すると、さすがに彼らも「ゴミは持って帰らないとあかんな」となるのではないかと（笑）。いわゆる国立公園のレンジャーみたいな役割にならないかという発想で、毎年夏に有料でずっとやり続けています。掃除した後は、綺麗になった川で参加者の皆さんにもかっこよくバーベキューして帰ってもらいます。

地域に根差したデザイナー

弊社の活動も幾つか紹介させてください。まず、ローカルデザインの流儀を学ぶと題して、二〇一九年から奈良県と一緒に「OKUYAMATO CREATIVE SCHOOL」を始めました［図8］。日本を代表するクリエイティブな人たちに奥大和に来ていただき、この地に眠る資源や価値について講義してもらいながら、生徒と講師が一緒にプロジェクトを進めていくような学校です。

もう一つ、「山岳新校」という学びのプロジェクトを奈良県立大学と一緒に始めました［図9］。奥大和エリアで複数の学びの拠点をつくり、「学びとは何か」「人生とは何か」など、生き方について考える学校プロジェクトです。

奥大和エリアは非常に山深いのですが、その山を美術館としても見立てられないかということで「MIND TRAIL 奥大和 心のなかの美術館」というアートプロジェクトも開催しました［図10］。コロナ禍では軒並み人混みを避けるようになってしまい、美術館は勿論、アートイベントも中々実施しづらかったと思います。我々のエリアには広大な山があるため、山中にアートを点々と置き、それを歩いて観て回ることで、山が美術館にならないかと考え

【図8：OKUYAMATO CREATIVE SCHOOL】

【図9：山岳新校】

たのです。この企画はライゾマティクスの齋藤精一さんによる発案です。彼がプロデュースし、僕らがクリエイティブを担当しました。山の中を歩くと簡単に言いましたが、最長で五時間ぐらい歩くため、トレイルがガチです。若い女の子が来て途中で帰っていく姿を何度かお見掛けしました（笑）。

他にも、革靴の産地である奈良県中部のシューズメーカーが新しく展開するブランドのプロデュースや、京都にある甘納豆屋さんの新商品のプロデュースにも、クリエイティブを介して携わらせてもらっています。

一方で、実は東京でも仕事をしています。藤本壮介さんが頂部の設計をされているTOKYO TORCHの「トーチタワー」（二〇二七年完成予定）のワンフロアに入る、三〇〇坪ぐらいのお店「アナザー・ジャパン」のクリエイティブを担当しています。クライアントである三菱地所と中川政七商店が侃々諤々（かんかんがくがく）やって決めたものを、奈良の山奥にいる僕たちが形にしています（笑）。このお店は、学生が本気で商売を学んで実践する「私たちがつくる、もうひとつの日本」というコンセプトで、四七都道府県の地域産品を売るセレクトショップです。一八名の大学生が中川政七商店から経営を学び、自分たちで運営しています。

「アナザー・ジャパン」のロゴは一見するとバーコードのようですが、実は

【図10：MIND TRAIL 奥大和 心のなかの美術館】

都道府県の面積比で構成された四七本のバーです［図11］。今も東京の丸の内に小さなお店を展開しているのですが、それが「トーチタワー」完成後に増床され、大きくなる予定です。おそらく学生たちが自分たちで考えた、もう一つの日本という形が空間にも表れてくるのではないかと思っていて、彼らの旗印になり得るようなロゴをデザインしました。

オフィスキャンプはメーカーとしてもプロダクトの企画開発、販売もやっていて、その部門を率いる弊社のプロダクトデザイナー菅野大門がデザインして「tumi-isi」というプロダクトをつくりました［図12］。うちの村には木が山ほどあるので、その木を自分たちで削ってつくっています。すみません、「自分たち」と言いましたが、ほぼ僕はやってなく、うちの奥さんをはじめ、移住者の奥様たちや色々な人に手伝ってもらいながら、製作

【図11：アナザー・ジャパン】

と販売を一〇年以上続けています。僕たちはこのようなプロジェクトを「村内完結型プロダクト」と呼んでいます。村の人たちだけで、村にある素材だけでつくることを守り続けています。このようなものづくりのスタンスに共感いただいたのか、最近ではブルーボトルコーヒーとコラボレーションしたり、グッチのノベルティーをつくらせてもらったりしています。

服部嗣人さんのお茶づくりも同じような村内完結型です。服部さんはうちの村に移住して、お茶なんて有名ではない土地にもかかわらず、村人が家庭で飲むためのお茶をつくり始めました。彼のお茶づくりは、機械では刈らず、自分の手だけで摘み続けることをモットーにしています。手で摘むと何が良いのかと言えば、いわゆる一芯二葉と言われるように、お茶の葉の一番良い部分だけを摘もうと思ったら摘めるわけです。その良い部分

【図12：tumi-isi：ブルーボトルコーヒー（上中）とグッチ（上右）とのコラボレーション】

だけでお茶をつくっているため、年間一〇キログラム程度しかつくれません。

彼のお茶のパッケージをデザインしている時、これは本当に難しい仕事だなと思いました。僕はAdobeのソフトを使って、よくあるオシャレでかっこいいパッケージをつくれるけれど、彼が自分の身体を使って摘んだお茶を、そんなパッケージで包むのには違和感があったのです。そこで、お茶と同じように彼自身の身体を使ってパッケージをつくってもらうべく、服部さん自身に木の板を彫ってもらう木版画のパッケージを提案しました。版画を利用すれば、紙代だけで済み、印刷代はかかりません。ぼんやりとしたラフレイアウトだけ伝え、彼に彫ってもらい、それがそのままパッケージになっています［図13］。これがいわゆるパッケージデザインかどうかはわかりませんが、自分としてはすごく良い仕事したなと思ってます。

そんな自分たちの活動を『おもしろい地域には、おもしろいデザイナーがいる 地域×デザインの実践』（学芸出版社、二〇二二年）にまとめさせていただきました。この本の帯を原研哉さんに書いていただいたことをきっかけに、お話しする機会もいただき、今回の瀬戸内デザイン会議にまで呼んでいただいたわけです。僕らみたいな地域に根差してデザイン・クリエイティブの活動をしてる人たちがそれぞれ筆を執り、自分たちの活動について書

【図13：服部嗣人さんのお茶のパッケージデザイン】

いています。原さんから「本だけではもったいないから、学校にしたらどうですか」とアドバイスいただき、本当に学校を開校することになりました。「LIVE DESIGN School」という、意匠という意味でのデザインではなく、地域の社会で求められるような計画や仕組みづくりといった広義のデザインを扱う学校です。

子どもの尊厳を守るデザイン

最後に僕らが携わっている、奈良県生駒市にある駄菓子屋兼食堂「まほうのだがしや チロル堂」[図14]についてお話しさせてください。この駄菓子屋の何が魔法かと言えば、ガチャガチャです。子どもは店内に置いてあるガチャガチャを一〇〇円で一日一回だけ回せて、出てきたカプセルには店内だけで使えるチロルと呼ばれる通貨が一～三枚入っています。子どもたちはその通貨で駄菓子を買えたり、食堂でカレーを食べたりジュースを飲んだりできます。全て一チロルです。つまり、ガチャガチャを回すことで子どもたちの一〇〇円はそれ以上の価値になります。

大人が五〇〇円で食べるカレーを、子どもたちは一チロルで食べられま

【図14：まほうのだがしや チロル堂】

す。つまり、五〇〇円のカレーを一〇〇円相当で提供するため、食堂は当然赤字になります。しかし、大人が店内で食事や買い物してくれることで、その差額の四〇〇円分を穴埋めしてくれるわけです。もう一つは寄付することを「チロる」と呼んでいます。一〇〇円でも一〇〇〇円でも一万円でもよく、皆さんにチロってもらったお金によって、子どもたちが一〇〇円でカレーを食べられるようになる、店内だけでのエコシステムです。これが「チロル堂」の仕組みです［図15］。

元々、溝口雅代さんがこのエリアで、食事を囲みながら子どもからお年寄りまで交流できる地域食堂「たわわ食堂」に取り組んでいました。しかし、溝口さんは常設の場所を持ってなく、転々としながら食堂を開いていたため、地域食堂の活動が中々定着しないという課題があったのです。それを知った生駒市で放課後等デイサービスの事業

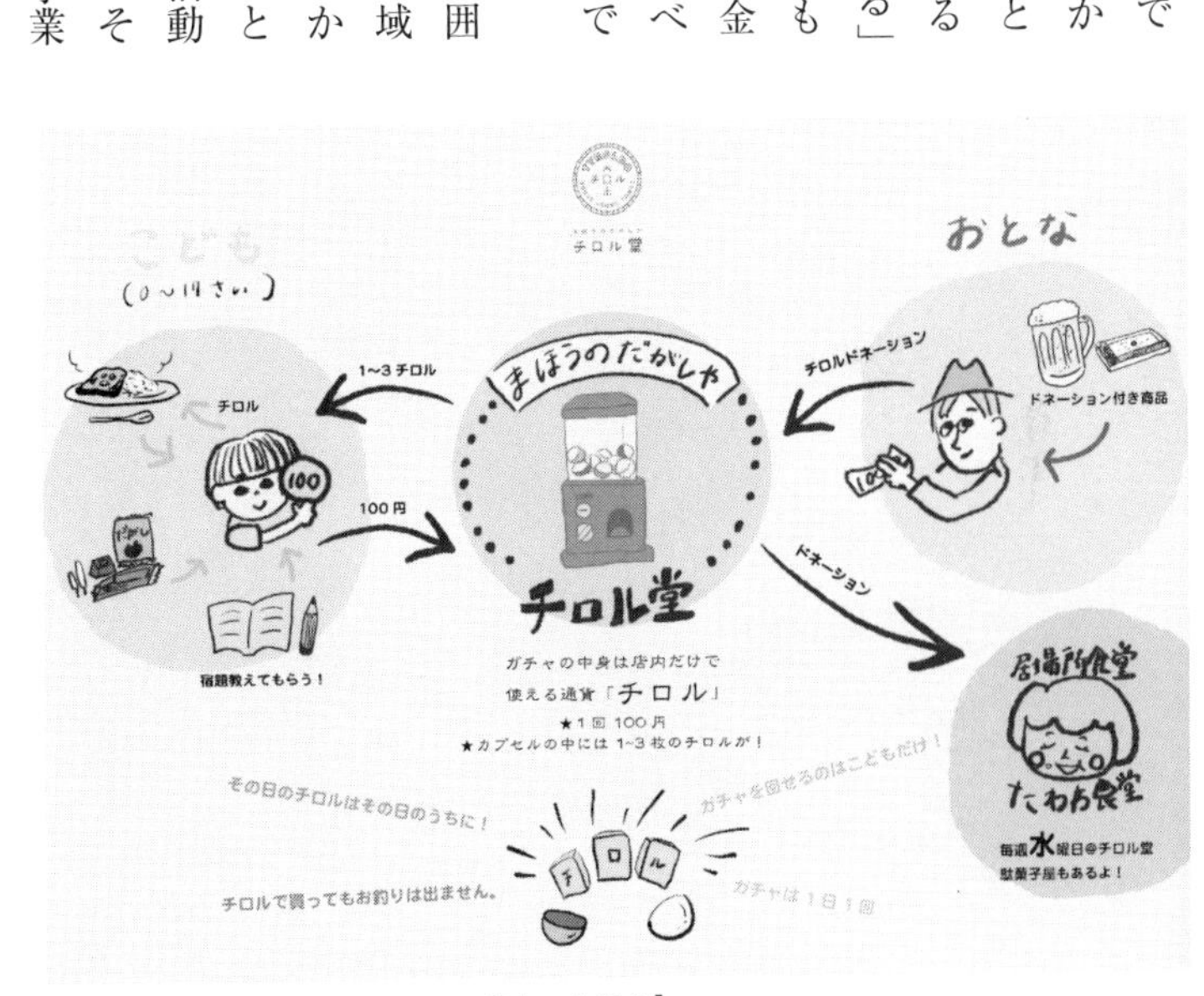

【図15 :「まほうのだがしや チロル堂」の仕組み】

をやられていた石田慶子さんが、アートスクールを運営されてる吉田田タカシさんと僕に相談してくれて、この四人で「チロル堂」のプロジェクトを立ち上げました［図16］。

地域食堂とは、いわゆる子ども食堂と呼ばれるもので、非常に安価でご飯が食べられる場所です。ただ、その活動を持続的にやり続けようと思っても、当然事業としては成立しません。だから溝口さんの地域食堂は週に一回だけで、それ以外の六日間は「チロル堂」として運営しています。

「チロル堂」の仕組みを考えたきっかけは、溝口さんから聞いた「子ども食堂を開いても、食べに来られない子どもたちが沢山いる」という話でした。それは、子ども食堂に行ってしまうと自分たちがご飯さえもまともに食べられない家庭の子どもなんだと周囲に思われてしまうからです。現在の日本では、子どもの七人に一人が経済的ハンディキャップを持っていると言われています。実はすごい数の子どもたちが食べることに困っているかもしれないという現実がある。

「チロル堂」に来てもらうと、一〇〇円でガチャガチャを回せばカレーを食べることができます。これは貧しい家庭の子も、そうではない家庭の子も平等に食べることができ、それも子どもたち自身による「ガチャガチャを回

【図16：「まほうのだがしや チロル堂」での協働関係】

す」というアクションを経て食べることができる。つまり、子どもたちの尊厳を奪わずに、食べたいものを食べられる状態をこの駄菓子屋の中につくっています。

「チロル堂」の取り組みは二〇二二年のグッドデザイン賞の大賞を受賞しました。日立やマイクロソフト、ホンダ、NHKがファイナリストに並ぶ中での大賞受賞です。日本のデザイン観や社会観が少しずつ変わってきているのかもしれないと思った瞬間でした。

自然が資本

梅原 真

デザイナー
梅原デザイン事務所 代表
武蔵野美術大学 客員教授

どんくさいのが田舎、おしゃれなわけないじゃん

現在、パリに滞在しています。今回はzoomを介してお話をさせてもらいます。このセッションのテーマは「スーパーローカル」です。先ほどの坂本大祐さんの活動拠点は奈良県の東吉野村ですよね？ 申し訳ないけれど、四万十川流域は東吉野村より更にスーパーかと思います［図1上］。一九八九年から四年間、このとんでもないスーパーローカルに住んでいました。その間にこの四万十川流域を何とかせなあかんと思ったんです。と言うのも、自治体はこの地域を近代化しようとしていたからです。特に沈下橋を抜水橋に

【図1上：沈下橋、図1下：沈下橋を撤去してつくった抜水橋】

架け替えようとしていた［図1下］。そこで「あの橋を壊したらあかん！」と僕は反対したのですが、「梅原さんは高知から来て、ここの不便さがわからんのやろ」と言われてしまいました。だから、沈下橋の向こう側に住むことにしたのです。実際に住むことが、反対と叫ぶよりも効果的だと思いました。

四万十川流域は元々、栗の産地でした。ピーク時には八〇〇トンほど収穫されていたのですが、農業の自由化に伴い中国産の栗がとんでもない安さで日本に入ってきて、二〇一三年には収穫量は一八トンにまで激減しました。中国産は国産と比べると四分の一程度で、栗は競争しても勝てない品目になってしまい、農協が取り扱い品目から栗を排除してしまったのです。自ずと栗の産業は衰退していき、二〇〇〇ヘクタールあった栗農園も五〇ヘクタールまで減ってしまいました。

数年前、僕が山奥に入ると、荒れ果てた栗林に遭遇しました［図2］。お金を生まない栗林は一五年間も放置されていたのです。この状況を見た時に、もうダメやなんて思わず、なんとかしないといけないし、なんとかできるんとちゃうかと考えました。見方を変えれば、一五年間も化学肥料や農薬を使っていないのだからこの栗はケミカルフリーの完全なオーガニックやと、農協が気づかない価値を見出したのです。そこで、この地域で活動している

【図2：荒れ果てた栗林】

1――「四万十川に負担をかけないものづくり」をコンセプトに、四万十川流域の栗や芋、茶など、農林漁業に基づく技術や知恵を活かした商品開発、製造、販売に取り組んでいる地域商社。第三セクターとして、四万十川流域町村（旧大正町、十和村、西土佐村）の出資によって設立された。梅原氏は設立時からコンセプトづくりや商品開発に携わっている。

四万十ドラマ［＊1］や地元の栗農家などと協力してその栗林を再生して、新たにオーガニックな栗を生産し始めました。その際、農協が売っている「四万十栗」とは全く別物なので、名前を「しまんと地栗」にしました。

パッケージデザインでは、そんな高知の山でとれたオーガニックな素材をどうやってきちんとした価値に換えられるかが課題でした。「とらや」のように真っ黒けの背景に金文字でデザインすると高級に見えるから、最初はそんなデザインを考えていたけれど、途中であほちゃうかと気付きました。自分がデザインすべきものは、山でとれた作物をその表情のままデザインに落とし込むことだろうと思い直したのです。

その結果、原研哉さんが見たら怒りそうなデザインになりました（笑）［図3］。使っている書体もこだわらず、字間も行間も調節していない無骨な感じ。中央には丸で囲んだ「地」の文字だけ。しかし、そこに「特選」とつけました。この「特選」が重要なデザインなんです。日本人はなぜか「特選」に弱いんです。そして、「しまんと地栗」。疲弊した栗を、「しまんと栗」と

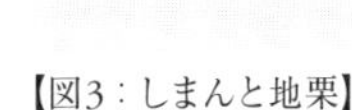

【図3：しまんと地栗】

せず「しまんと地栗」にすることで、サウンドが「スタジオジブリ」みたいな音になるし、その栗がとれた「地」がイメージとして加わる。このどんくさい感じをそのままデザインにしました。どんくさいのが田舎、おしゃれなわけないじゃんという居直りです。これが基本ですね。

自分で決める農業

「しまんと地栗」の他にも「しまんと緑茶」や「しまんと地いも」など一つひとつをブランディングしてきたけれど、それら物産品や産業、四万十川流域に生きている人の生き方まで含めて、「しまんと流域農業」というブランドとして展開することにしました［図4］。「しまんと流域農業 organic」では、「その土地の個性にあった農業」「化学肥料・農薬を使わない農業」「耕作放棄地を活用する農業」「デジタルを積極的に使う農業」「移住・定住を歓迎する農業」など、幾つかの考え方がありますが、その中でも特に大事なことが「自分で決める農業」というものです。

何故こんなことを言い始めたかと言えば、流域の農家に招かれた時、農協に出荷する作物と自分たちが食べる作物を分けて栽培していたからです。そ

しまんと
流域農業
organic

【図4：しまんと流域農業 organic】

のシシトウはいわゆる換金作物［＊2］と呼ばれる、お金にするための作物です。彼らが自分の意思で換金作物をつくっているならまだいいですけれど、それらは農協から「これをつくれ」という指示を受けて、化学肥料を与えられてつくっているものでした。そこで、「自分で決める農業」を「しまんと流域農業 organic」の考え方にして、農業という産業の仕組みを根本から再考しようと思ったのです。

例えば、農薬や化学肥料を使わない。安心や安全の基準を外部機関に合わせるのではなく、自分たちで決める。水辺に近い土地だから水菜やクレソン、セリといったように、自分たちが住む土地に合った作物を考え、自分たちで決める。生産者たちが「自分で決める」だけで、おそらくその地域の産業の様子は変わってくるのではないでしょうか。

荒れた土地に種を植えている農家の風景も、「しまんと流域農業 organic」として自分たちで決めて無農薬・無化学肥料で作物を栽培しているなら素晴らしい風景に見えますが、化学肥料を与えられて他人にやらされているとなると、この風景は悲しげに見える。だから「自分たちはコレにしたんだ」という考え方を持つだけでいいのです。それを「しまんと流域農業 organic」のコンセプトの一つにして、ブランディングしていこうと考えました。

2——外貨を稼ぐために栽培される国外輸出用の作物。換金作物の栽培を優先することでその国の人々の食糧が不足し、輸出で得た収入で輸入せざるを得ないという矛盾が起きる。更に輸入作物が高騰すれば低所得層は買えないため、その結果、飢餓や貧困に繋がるという見方もある。

このエリアには荒れ地が結構多いのですが、そんな土地ではイモの栽培が一番捗ります。オーガニック野菜の栽培は結構難しいけれど、イモだけは割と簡単です。六月に植え、一〇月に収穫するわけですが、その期間にでんぷんを蓄えてくれる。つまり、わざわざ有機栽培が難しいトマトやキュウリではなく、荒れ地でもできるサツマイモでいいのではないかと。そこで、「しまんと流域農業organic」のスタートは栗とイモが中心になりました。「しまんと流域農業HOSHIIMO」を商品化した際は、「しまんと流域農業」をメインに押し出し、流域でつくられたものだと一目でわかるパッケージにしました［図5］。

また、この流域でとれる檜の間伐材や端材を捨てずに再利用して、浴室用のフレグランス「四万十のひのき風呂」をつくりました［図6］。間伐材や端材を九センチメートル角の板材にして、檜の天然成分であるヒノキチオールの溶液に漬けた商品です。浴室に置くとまるで風呂場が檜風呂になったかのような香りになります。これが二年間で一億円も売れました。「しまんと地栗」は一年間で四億円も売っています。「しまんと緑茶」も五〇〇〇万円くらいでしょうか。

次の展開として、無印良品とも連携できないかとも考えています。元々、無印良品は産地直送ECサービス「諸国良品」で四万十町の地産品を全国に

【図5：しまんと流域農業 HOSHIIMO】

【図6：四万十のひのき風呂】

流通してくれていました。地域に根差した活動を実践し、透明なコンセプトを持つ無印良品のような企業なら、「しまんと流域農業 organic」とも上手に連携できると思っています[図7]。

本校には実技が足りん

沈下橋から川に飛び込む子。それを傍観する子。川を泳ぐ子。橋で鮎釣りするおっさん。そんな風景を見ていると、これくらいが生き方としてちょうど良いのではないかと思う時があります。いや、こうじゃないと駄目なんじゃないのかとずっと思っている気もします。

前回の瀬戸内デザイン会議でも少し話しましたが、「しまんと分校」という学校を企画していきます[図8]。コンセプトは「本校より分校」です。本校はうまくいっていない印象があります。本校と

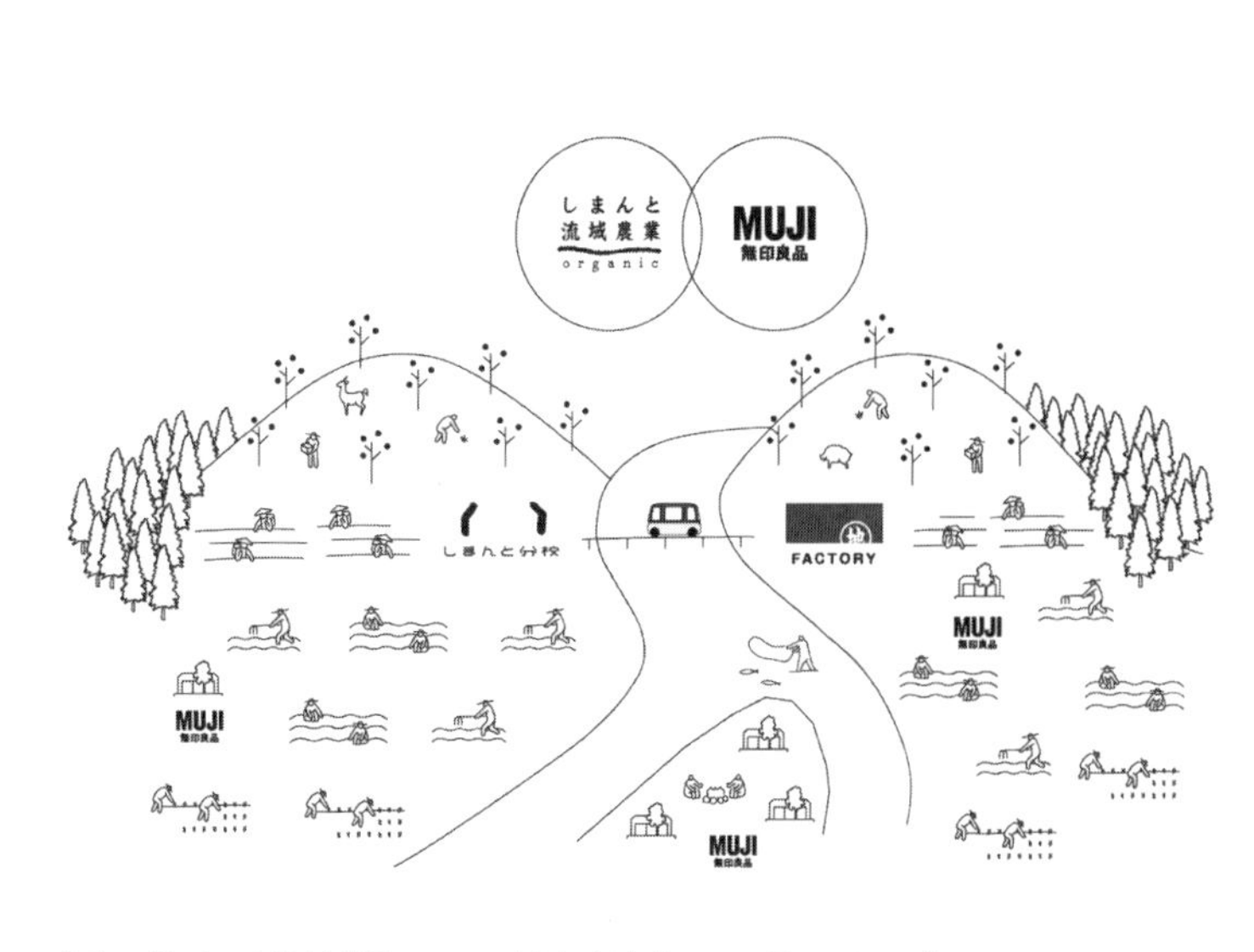

【図7：「しまんと流域農業 organic」と無印良品のコラボレーション】

は何かといえばセンターのことで、日本なら東京、あるいは霞が関で働く政治家のことでもあるし、大手広告代理店、東京大学であったりもする。それらがしっかりしていない要因としては、大人になるにつれて実技をやっていないから、こんな社会になってしまったのではないかという問題提起が根っこにあります。だから、もっと実技をしろよということで、この学校では実技と座学のセットを一単位にしてプログラムをつくりました［図9］。

どんな授業があるのかと言えば、例えば茶ゼミです。実技では、「しまんと緑茶」をつくっているじいさんやばあさんに茶の摘み方を学びます。そして、この地域になぜお茶があるのかという土地の文脈や、世界と日本の茶の歴史などを座学で勉強します。次にあゆゼミ。実技では、投げ網で鮎を捕まえて、その鮎を自分で調理して食べます。先生は勿論、地元の鮎とりが得意なおっちゃん。座学では、なぜ鮎は美味しいかを生態学から紐解く授業を考えています。他にも、地栗ゼミ、いもゼミ、沈下橋ゼミ、林業ゼミ、カヌーゼミ、幡多弁ゼミなど様々で、全部で二四講座、二四単位分あります［図10］。ゲスト講座として、瀬

【図8：しまんと分校】

【図9：「しまんと分校」の基本方針】

【図10：「しまんと分校」で予定されているプログラム】

戸内デザイン会議に参加されている皆さんにも、「橋を渡ってくる先生」として是非講義しに来てくれると嬉しいです［図11］。

そんな「しまんと分校」を修了すると、なんとMBAが取得できます［図12］。大企業の優秀なご子息がアメリカに留学してMBAを取ってきたとかなんとか、よく話を聞きますよね。あれはMaster of Business Administrationです。こちらはMaster of Bunkou Administrationです。この「しまんとMBA」がどんなところで役に立つのかと言えば、例えば無印良品の就職面接で「ええ！君、〈しまんとMBA〉を持っているの？採用！」と……たぶんなります（笑）。僕はそんな社会にしていきたい。とにかく実技が大事なんです。

僕の活動を振り返ってよくよく考えてみると、自然が資本ということなのでしょう。そして、そのきっかけでもあり象徴でもあるものが沈下橋でした。このコンセプトは今後も変えることはありません。変わらないことを続けていくためにはどうしたらいいのか。その命題をこの四万十川流域でこれからも考えていきたいと思っています。

【図11：特別プログラム「橋を渡ってくる先生」】

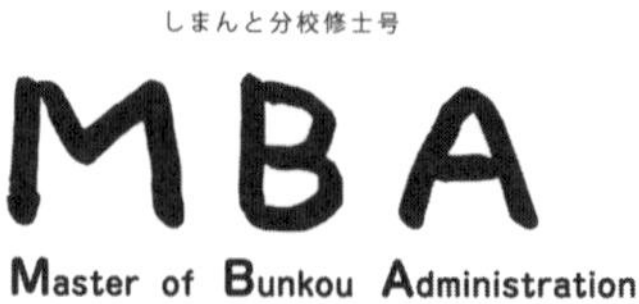

しまんと分校修士号

MBA

Master of Bunkou Administration

【図12：MBA】

セッション

地栗の「地」と向き合う

西山浩平＋伊藤東凌＋青木 優＋小島レイリ＋須田英太郎

プロフィールはpp.436-451参照

どこか懐かしいあの場所

西山　このセッションのテーマは「スーパーローカル（super local）」です。「super」という言葉は「uper」が語源と言われ、「下から上に」や「向こう側に」という言葉に由来があります。「local」という言葉は、「特定の場所の」という意味の「locus」に語源があります。今回、「スーパーローカル」と繋げたということは、「特定の場所の向こう側にあるものについて考えてくれ」と少し伸び代を持たせて解釈しました。

もう一つ掛け合わせなければいけないテーマが、今回の舞台となる倉敷美観地区です。倉敷美観地区という特定の場所の向こう側とは何だろうとなるわけです。そもそも倉敷はどこまでが倉敷で、美観地区はどこから先、あるいはどこまでが美観地区なのか。その境界線はどこにあるのか。地図に描かれた通りなのか、それとも皆の記憶や認識の中に線引きがあるのか、もしくは歴史上の話だろうか。様々な軸でその境界線を定義できると思います。

今回のゲストスピーカーの一人である坂本大祐さんは、一万人いた人口が林業の衰退と共に一七〇〇人に減って且つ高齢化してしまった村に、若いクリエイターたちが仕事ができる場所をつくり、新しい息吹を吹き込みました。その結果、村でバースデイケーキまで買えるようになった。外から移住してきた坂本さんだからこそ成し得た村興しなのだろうと思いました。

一方、もう一人のスピーカーである瀬戸内デザイン会議メンバーの梅原真さんは、ずっと四万十川流域で活動しています。梅原さんの話で印象的だったのは「自分で決める農業」です。自分で決め、自分で守り、自分の目の前にあるものが本当に美しいと思えるようにする。そんな目線を他の人にも伝えていく姿勢に梅原さんの矜持を感じます。梅原さんの活動やデザインは、残すことで見えてくる風景を伝えることなのだろうと思いました。

登壇者は、旅行という海外から日本に一定期間だけ越境される方を案内される船頭役の青木優さん。この世とあの世のコミュニケーションを私たちに上手に橋渡ししてくれる伊藤東凌さん。様々な政治的案件において国の外交及び広報という形で、敵も味方もいるかもしれない諸外国とやりとりする専門家の小島レイリさん。地図とその上で動き回るモビリティのデータを扱い、境界線を行ったり来たりしているものを解析するスペシャリストの須田英太郎さん。こういった様々な境界線を渡れる専門性を持った四人の登壇者の方々とゲストスピーカーのお二人を交えて、境界線について議論していく中で倉敷美観地区の向こう側や今まで見えてこなかった側面を何らかの形で炙り出し、倉敷が抱える問題の一端を掴めればと思います。

まず、伊藤さんにお聞きしたいことは、この世とあの世についてです。言ってしまえば、この世という特定の場所しか知らない私たちが、行ったことのないあの世にいる亡き人を想う時、お坊さんにすがるしかありません。お坊さんを介した精神的な行き来によって、私たちは満たされた気持ちになります。そんな交流を日々担っている伊藤さんは、向こう側や境界についてどのような考えを持たれていますか?

伊藤　坂本さんのスピーチで、東吉野村に「彼岸の図書館」ができたという話がありました。仏教ではこちらの世界を此岸、向こう側を彼岸と分けることもあり、興味深い名前の図書館だなと思いました（笑）。

「この世」と「あの世」という言い方がありますよね。私たちが生活している今見えている世界を「この世」と呼んでいると思うのですが、一方で「あの世」とは全く知らない場所に対して使う言葉ではないように思っています。「あの世」という言葉には、自分たちがどこかで微かにその気配を知っていたあの場所というニュアンスが含まれているのではないでしょうか。

死語の世界については誰も把握していませんが、それを「あの世」と呼ぶことでどこか懐かしさを込めている。人はそんな「あの世」を思い浮かべる時、海や山奥、森であったりといった今まで憧れを抱いていた景色もあれば、もっと普遍的に言えば、お母さんのお腹の中であったり、何とも言えない情景のことでしょう。そんな「あの世」を如何に一人ひとりの経験の中にある懐かしい光景として、ストーリー仕立てによって結び付けてあげるかが私たち宗教家の仕事だと思っています。

西山　「あの世」とは、いつか行くことになるという不安が付きまとう向こう側ではないと導いてくれるわけですね。

伊藤　明確にどこかはわからないけれど、自分がぼんやりと知っているような場所というニュアンスです。今まで全く知らない場所へ連れていかれ、ものすごい裁きが待っているという宗教観もありますが、日本で育まれてきた仏教はどちらかと言えば、人々に安心を与えるために懐かしいあの場所へどうやって戻っていくのかを、様々なストーリーで紡いでいく役割があると考えています。

脱・スタンプラリー観光

西山　先ほどの坂本さんのスピーチで、「オフィスキャンプ東吉野」を訪れた人が九〇〇〇人いて、そのうちの一八〇〇人がワークプレイスとして利用し、二七人が移住を決めたと聞きました。逆に言えば、八九七三人は移住しなかったとも言えます。この八九七三という数字はすごく重要だと思っています。村人が一七〇〇人しかいない村に、訪れた九〇〇〇人が村を気に入って移住してきても困ってしまうでしょう。訪れた人たちがいつかは帰る一時的滞在だからこそ、村人も温かく彼らを迎え入れてくれるわけです。これが観光です。

つまり、村の人たちには潜在的に「九〇〇〇人という訪問数はこれからも増えていい。いつかいなくなるのだから」の、「いつかいなくなるのだから」という想いが少なからずあると思います。倉敷美観地区も同様で、観光地であるとはいえ、とんでもない数の観光客が訪れたらオーバーツーリズムの問題が簡単に起こる。そんな不安を地元の人たちは抱いていると思います。

特定の地域にずっと住み続けて、そこに骨を埋めざるを得ない宿命を持つ人たちが抱いてしまう不安を解消し、一時的に訪問する観光客への眼差しを変えていくためには、どうしたらいいのでしょうか。

青木　西山さんの問題提起にストレートに回答できるかどうか難しいのですが……、おそらく九〇〇〇人のうちの二七人は、東吉野村で暮らしている人たちとしっかり対話をしたと思うのです。
僕はこの一〇年で、倉敷に一〇回は来ています。何がきっかけだったかと言えば、倉敷で二〇二〇年まで営業していた「ゲストハウス 有鄰庵」です。この宿泊施設は一八時三〇分になると、スタッフと宿泊客の皆が集まり、車座になって自己紹介します。そんな出会いや対話がおもしろくて、また行こうかなど思いながら二回目、三回目と、気付いたら倉敷で仕事までしていました。

最近、観光が「何かをする、する、する」、あるいは「ここに行って、そこに行って、あそこに行って」とスタンプラリー化していると思います。それよりも、地元の人たちと一緒に「いる」ことや、そこに「ある」ものを覗くことの方が、僕は観光において大事だと考えています。地元の人々の暮らしを眺める時間の中で、その人との関係性が変わってきたり、好き嫌いが生まれたり、時に仲間や友達になることもある。

観光客を受け入れる体制が整っている地域は沢山来てもらえばいいと思います。しかし、ある程度一人ひとりにその土地に深く関わってもらったり知ってもらうことを考えると、「する」前提よりも「いる」「ある」ことを前提にした受け入れ方が、観光地において重要になってくるでしょう。

地域課題の明確化と共有

西山　「美観地区」と言った瞬間、中にいる人たちは美観で、外にいる人は非美観になってしまいます。例えば、小島さんが美観の国の大使館員だとしたら、非美観地区に対してどうやって外交すべきだと考えますか。「非美観の国の皆さま方、私たちは美観の国からやってきました」といっても、反感を買うだけでしょう。境界線の先にいる相手とコミュニケーションするコツを教えてください。

小島　難しい質問ですね（笑）。コミュニケーションするコツと言えるかわかりませんが、美観地区と非美観地区だけでなく、東吉野村とその外、四万十川流域とその外といった、境界線の内と外のどこでも同じようなことが言えるとは思っていて、鍵はやはり課題の明確化と共有、そしてその課題共有をベースとした関係性の構築にあると考えます。

坂本さんや梅原さん、瀬戸内デザイン会議の参加者の方々は割と自然にやっていることなのかもしれませんが、皆さんは活動のアイデンティティーが明確です。なぜそれだけ明確なのかを考えると、東吉野村でも四万十川流域でも、そこに課題があり、それを解決したい、解決しなければいけないと考え、的確に実践しているからです。その課題を地域というコミュニティに共有し、皆で一緒になって解決しようという状態にすることが、ローカルを超えたコミュニケーションに繋がるのではないでしょうか。

私たちはそのローカルを超えようとするグッドプラクティスの成果物しか

見ていないと思うのです。坂本さんや梅原さんの実践の、過程でなく成果物を見て、「これは良いよね」とそれらを自分たちの地域にも引っ張ってこようとしがちです。でも、それはどうなのでしょうか。

大原家の人々が西洋に人を送り込み、あらゆるものを学んで持って帰ってきたのは、当時、倉敷にグッドプラクティスがなかったからでしょう。外にわざわざ行き、学び、それを自分たちの土地に取り入れた。西洋に迎合するのではなく、学んでくる。時には同じことをしてみるし、あるいは応用して適応させる。その当時は素晴らしい試みだったと思います。しかし、その考え方のままでは、流れは変わらないし、スーパーローカルにならないでしょう。

地域の課題を解決したい時、外にある似たような事例から学ぶことも大切ですが、既に成果物となっている外のものをただ取り入れているのではなく、その地域が抱えている課題を明確にすることが重要だと思うのです。それはある意味で、「社会をデザインすること」とも言えるでしょう。坂本さんや梅原さんの取り組みを見ていると、地域にはそんなデザインが効果的だと思いました。坂本さんと梅原さんの実践のように、課題を明確にした後に解決したからこそ、昔の風景や文化が今も残っているし、それらが価値あるものだと皆が気づくわけです。地域の人たちも自分たちに何が必要だったのかを理解できる。

そして課題を見つけた時、新しいものをつくりましょうと提案する人たちと、新しいものをつくりつつも、風景は昔のまま、自然のままにしましょうという人たちがいます。安易に新しいものをつくって青木さんが指摘したような「する、する、する」を重視するのではなく、その地域に昔から「いる、ある」ものに目を向けて、その地域と外とのコミュニケーションが生むことができれば、グローバルでも戦っていける地域になると思います。

美意識の種まき

須田　小島さんの「成果物だけを持ってきても意味がない」「課題を明確にして皆で認識する」という指摘はその通りだなと思いました。そもそも課題が何で、自分たちは何に注力していかないといけないかを認識していない状態だった地域に、地のモノの良さをきちんと伝えられてないことが課題ではないかと問題提起し、それをデザインを介して解決したものが「しまんと地栗」です。ローカルで活躍されてるデザイナーやビジネスを軌道に乗せている人たちは、そんな課題がわかりきっていないコミュニティや地域に、補助線を引いてあげているのだなと思いました。

その意味で、私は学びの環境が鍵になるのではないかと思いました。梅原さんが企画している「しまんと分校」は実技と座学の学校です。坂本さんがクリエイティブを担っている「アナザー・ジャパン」でも、企業が大学生にビジネスを教え、実際に運営を任せています。セッション「起業家」のゲストスピーカーだった田中仁さんが企画している「群馬イノベーションアワード」も、若い人のイノベーションを育むためのイベントです。そんなアントレプレナーシップ[＊1]や美的センスを育てる学びのエコシステムができると、その地域は変わってくるし、一〇〇年後、二〇〇年後、良い街になっていくのではないかなと思います。

美的センスを育てるという意味では、大原孫三郎さんたちが虎次郎さんや若い研究者を欧州に送り込んだことも、倉敷に美意識の種をまいたと言えるのではないでしょうか。その時に買い取った美術品がその後の大原美術館になり、新たなアントレプレナーが生まれ、今も若い事業主の方々がそれぞれの美的センスで倉敷におもしろい場所をつくっていることに繋がっているように思えます。

一方で、私が携わっている街づくりや都市開発を見ていると、ビジネス的感性を育てるには幾つか課題があると感じています。まず新たに仕事を始めた

1——起業家精神、起業家的姿勢。起業する者の資質ではなく、リスクを抱えて新しい事業をつくり挑戦する姿勢のこと。

い、お店を開きたいという若い方はいるのですが、試行錯誤すらできていません。実際に試して失敗することでサービスを改善できると思うのですが、施設や店舗を借りられないため、そこに至る前に試すことすらできないのです。手探りで繰り返す小規模な失敗は非常に大事です。致命傷になったらもう立ち直れなくなってしまうため、それを回避するためにも小規模な失敗を繰り返し、試行錯誤する必要があるでしょう。

まさに先ほど挙げた「しまんと分校」「アナザー・ジャパン」「群馬イノベーションアワード」は、美意識と事業化という側面のどちらにも跨っていると思いました。美的センスとビジネスをやっていくための感性の両面を育てられるような、学びのエコシステムが地域にあることが、倉敷だけに限らず、日本の各地域で重要になるのではないでしょうか。

西山　学びの場という意味では「まほうのだがしや　チロル堂」もそんな役割を果たしていると思いました。「〈チロル堂〉に行けば友達もいて、お腹も満たせるし、遊ぶこともできるし、勉強も教えてもらえるから行ってみよう」。受け入れてくれる人の包容力によって、子どもたちをそんな気持ちにさせてあげられる上手な仕掛けだと感心しました。学校とも通ずるものがあると思います。「チロル食堂」はすごく良いプロジェクトだと思いますので、坂本さんたちには是非とも続けていってもらいたいです。

伊藤さんから、「あの世」とは「どこか懐かしいあの場所」という考え方を教えてもらいました。たしかに「あの世」はまだ行ったことがないにもかかわらず、なぜか懐かしい雰囲気がすることを知っています。なぜだろうと考えた時、梅原さんがつくった「しまんと地栗」の「地」だと思いました。あの「地」は「自分たちの栗です」という表明です。つまり、自分たちの土地に向き合っている。小島さんの言うような、課題を明確にすることです。私たちは結局、何だかんだ言って自分に戻ってこないといけません。中にいる人にしか見えない世界や、外から越境してきたからこそ見えた光景はあるにせよ、どちらにしてもその場所に実在するものをどう活用するかです。

「あの世」が「どこか懐かしいあの場所」というのは、きっと私たちが見たい風景だからでしょう。死んだらこうなりたいという期待です。裏を返せば、その「こうだったらいいのに」は終わりではなく未来とも言えるでしょう。スーパーローカルという私たちが地方に残すべき未来は、できれば懐かしい風景であってほしいと、私たち自身が無意識に思ってしまっているのかもしれませんね。

いろは

報告

「蔵宿いろは」改修計画：破

松田哲也＋原 研哉

「蔵宿いろは」改修計画：破

松田哲也＋原 研哉

プロフィールはpp.436-451参照

「厳島いろは」へ

松田哲　私は瀬戸内デザイン会議のオリジナルメンバーに選んでいただいたのですが、この第三回瀬戸内デザイン会議ではセッションに一回も登壇する機会がなかったため、もしかして報告要員になっているのではないかと、現状の自分の地位を危ぶんでいます（笑）。

　第一回瀬戸内デザイン会議で私たちが運営している「蔵宿いろは」を題材にしていただきました。そして書籍化された際には、「この旅館をどう立て直すか」というショッキングなサブタイトルをつけていただいたのですが……前提として今一度言いますね。私がこの旅館を駄目にしたわけではなく、私は駄目になった旅館を買ったんです（笑）。買って再生に取り組んでいるホワイトナイトなんです。この前提だけは皆さんに再認識していただきたいですね。

私はいつの間にか原爆ドームの隣に「おりづるタワー」（二〇一六年改修）、厳島（宮島）に「蔵宿いろは」と、日本の世界遺産がある場所で二つも事業をさせていただけるチャンスを得ました。そのため、来るG7広島サミットにも何かしらの形で貢献したいと考えています。

厳島には人を呼ぶ力があります。第一回瀬戸内デザイン会議での議論を経て、「旅人が厳島に求めるものは、不安定な世情から離れて心を浄化し、精神を禊する場所である」と定義し、それを「蔵宿いろは」のコンセプトにしました。その上で、前回も発表しましたが、再生に向けて設定した私たちのやるべきことを七つ挙げました。

（一）　全てのチームの意見を真摯に受け止める。

（二）　「蔵宿いろは」の改修設計をしてくれた建築家の竹原義二さんにヒアリングし、具体的な再生計画を進める。

（三）宮島全体のツーリズムを考え、昼ではなく夜中や夜明けの静寂に因んだ、厳島の非日常を体験するアクティビティを取り込む。
（四）一方で楽しい世界も必要であるため、島民と観光客が交流できる夜の場所をつくる。
（五）旅館内の部屋と食事、風呂の改修。そこにシャドウワークを含めたおもてなしも取り込む。
（六）土地に求められないものをつくっても仕方がないため、地域に溶け込むことに努める。
（七）同業者との競合を起こすような価格帯やサービスを避け、全く異なる客層をターゲットに定め、そこで存在意義を見出す。

第二回瀬戸内デザイン会議で途中経過を発表させていただいた段階では、（一）と（二）を進めていました。その報告後に緊急フィードバックのセッションを急遽開いていただき、皆さんから様々な意見をいただきましたね。そこで「あなたには意見がないのか？」といったようなことを指摘されましたが、ここではっきり言わせてもらいますけれど、私には意見なんてありません。経営者としては結構珍しいタイプかと思います（笑）。私も今まで色々な事業を展開し、多くの会社を経営し、お金も投資してきましたが、愛着は持てど自分の意見は出していません。「蔵宿いろは」の改修においても、建築家の竹原義二さんの意見をそのまま取り入れているし、皆さんの意見もできる限り反映しています。

二〇二二年八月の盆明けに「蔵宿いろは」を休館し、一二月に再オープンしました。ただし、この再オープンの背景には、事業再構築補助金を申請した関係上、どうしても年内にオープンする必要がありました。そのため、まだ中途半端なリニューアルです。

まず大きな変更点として挙げたいのが、前回のフィードバックのセッションで賛否があった、「蔵宿いろは」というネーミングについてです。「いろは」は皆さんご承知だと思いますが、例えば今の世の中で言うと、「いろはを教える」といった初歩中の初歩というニュアンスが込められています。また、いろは歌では「あさきゆめみし（浅き夢見じ）ゑひもせす（酔いもせず）」といった悟りの世界に入る言葉で、この世は無常であるといったことを表す言葉です。その意味でも「いろは」は良い名前だと思いますし、イロハモミジは宮島の名物でもあるため、「いろは」は名前に残しておくことにしました。

一方で、皆さんから指摘されたように、蔵がない宿ですし、そもそも蔵をイメージしていない宿だったため、「蔵宿」は取ってしまうことにしました。そこで新しいネーミングとして「宮島いろは」と「厳島いろは」で迷っていたのですが、インターネットでよくある姓名判断で比較したところ、「厳島」の方が語感が良さそうだなと……（笑）。そんなわけで、宿の名前は「蔵宿いろは」から「厳島いろは」に変更となりました［図1］。

あの旅館がどう立て直されたか

松田哲　慶応三年（一八六七年）に創業した一〇〇年を超える老舗旅館「ひがしや」を改修し、二〇〇九年に「蔵宿いろは」が完成しました。そこから一三年の歳月を経て再び改修し、「厳島いろは」が誕生します。平清盛のつくった厳島神社と広がる海、そびえたつ弥山が織りなす景色

【図1：「厳島いろは」エントランス】

は、時間という価値を高めるものです。その海と山をコンセプトにして、それぞれを体現したスイートルームをつくりました。

海側のスイートルームからは大鳥居が見えます。そして四面をガラスで覆ったお風呂があります［図2］。皆さんが来たら絶対に「エロい」「いやらしい」とまた指摘するかと思いますが、これは竹原さんのアイデアで、私ではありません（笑）。山側のスイートルームからは、弥山を眺めることができます。こちらのお風呂は洞窟をイメージしていて、天窓から星空が見られるようになっています［図3］。「厳島いろは」は湯が温泉ではないことと、大浴場が他のライバル宿よりも若干見劣りしているため、このようなお風呂を中心とした部屋の組み立てることにしました。

これらのスイートルームに関する竹原さんのこだわりは宿泊人数です。一〇〇平方メートル以上ある部屋なので、家族連れのような大人数も泊まれるのですが、ベッドは二つだけ、泊まれる人数も二人だけにしました。もし大人数で泊まりたい場合はスイートルームの隣の部屋も予約いただき、コネクティブにした合計一四〇平方メートルほどの客室を利用してもらいます。そのため、スイートルームにはソファーベッドなどは置かず、一人ずつ使う家具しか置いていません。デンマークのデザイナーズ家具を配しています

【図2:スイートルーム海側】

【図3：スイートルーム山側】

が、原研哉さんがデザインした「SUWARI」も用意しています。また、洗濯機やキッチン、冷蔵庫などの設備も室内にあり、長期的な滞在が可能です。

スイートルームでは部屋食も可能です。厳島はフェリーが朝六時台から夜一〇時台までしか運行していないため、仲居さんの確保が難しく、お部屋の夕食を希望されるお客様の対応が難しい問題があります。そこで、希望されるお客様に向けて、あらかじめ用意された料理を自分で調理する手間を楽しんでもらうギャザリングサービス［＊1］も始めました。このサービスはスイートルーム限定です。

一方、一階のレストランも大改装しました。第一回瀬戸内デザイン会議でチームCからの提案「ふろとすし ひがしや」ではありませんが、レストランの名前は「宮島與平」、私が経営しているハワイのお寿司屋「与平寿司」の兄弟店として運営しています。「宮島與平」には大きなカウンター席をつくりました。部屋食ではなく、このカウンターに座って夕食を食べたいと思ってもらうような空間にするべく、奥は壁面には香川県で採れた何万年もかけてできた庵治石（あじいし）をふんだんに取り入れ、カウンターの木は樹齢五〇〇年以上の鉄刀木（たがやさん）の一枚板を使っています［図4］。椅子はジャスパー・オーバーガードとクリスチャン・ディルマンの二人によってデザインされたワイヤーラウン

1――あらかじめ下準備をしたコース料理を客室の冷蔵庫に用意しておき、宿泊客が好きなタイミングでＩＨ調理器で料理を仕上げるサービス。

ジチェアで、一脚一〇〇万円以上します。値段を言うと座りに来てくれる人もいるので、力技でこのカウンターはつくりました（笑）。

レストランもデンマークの家具を中心としたスタイルにしました。デンマークのデザイナーが日本の影響を多大に受けているため、シンプルで繊細なディテールの家具が多く、この宿との空気感とも合っていると思ったからです。

スイートルーム以外の客室の改装は、障子や畳の張り替えなど、細かいことは色々とやっていますが、大きな改修はほとんどできていません。以前の「蔵宿いろは」の大規模改修からまだ一三年しか経っていないため、無理して改修を急がなくても大丈夫なレベルだと判断しました。しかし、改修したスイートルームを見た後だと、すごく古臭く感じてしまったので、できるだけ早く他の客室も改修に取り掛かりたいと思っています。

【図4：レストラン「宮島輿平」】

あと、前回のフィードバックで猛烈に批判された、一階エントランスのフロントを無くして自動チェックイン機を置くことについてです。これだけは皆さんの意見に反して、置かせてもらいました。しかし、置いてみると意外と好評でした（笑）。宮島はフェリーに乗って上陸しなければいけなく、その時点で非日常への心構えができています。そのため、フロントでコミュニケーションを取りたくないというお客様も少なからずいるようです。そのまま客室に上がれるのもなかなか良いじゃないかと評判でした。ただし、フロントを完全に無くしたわけではありません。やはり機械は三時チェックイン、一二時チェックアウトといった予め決まった対応しかできないため、もう少しお客様に寄り添ったサービスにはやはり人の手が必要になります。そこで、フロントは一階から二階に移して、きちんと設けています。

【図5：朱色の壁の脇から入るアプローチ】

エントランスからのアプローチは厳島神社の鳥居の朱色を用いた壁で、奥に誘う小道のようなデザインになりました［図5］。中庭は今まで喫煙所のように利用されていましたが、ここにはオープンデッキを設けたり、テントを張って雨でもバーベキューができるようなスペースにしています。

第一回瀬戸内デザイン会議の成果

松田哲　途中段階ではありますが、費用は四億円近くかかっています。ただし、事業再構築補助金が一億五〇〇〇万円あるため、実際に私たちが負担したのは二億五〇〇〇万円になります。お得なのかお得ではないのか、よくわからなくなってしまいました（笑）。

宿泊料金は、スイートルームが二名利用で一泊三五〜四〇万円程度で、コネクティブルームにすると一泊五〇万円ぐらいになります。「ガンツウ」との連携を夢見て、宿泊料金を参考にさせていただきました。しかし、今のところ、スイートルームの稼働率は七〜八％です。全然入っていません。言い訳なんですけれども、ウェブサイトでの告知が遅れてしまい、一二月二三日のリニューアルオープン日に開設したものだから、それは誰も来るわけないよなという……（笑）。でも、ここからだと思っています。

ちなみに、「厳島いろは」のロゴやサイン計画は、原研哉さん率いる日本デザインセンターによるデザインです。もし何かありましたら、私のバックには日本デザインセンターがついてます（笑）。

原　一二月二三日にリニューアルオープンが決まっていたそうなのですが、一〇月末に松田哲也さんから、「〈厳島いろは〉という名前にするので、ロゴのデザインとサイン計画をお願いできませんか」と急に電話がかかってきました（笑）。オープンに間に合わせるためにも、一一月の頭にプレゼンテーションして関係者に了解を得ないといけなかったので、実質、デザインする時間は一週間しかありませんでした。本来であれば、この仕事は僕が引き受けてはいけないと思っていました。ファウンダーがこの会議を介して個人的に仕事をもらっていると誤解されるのも嫌なので、このプロジェクトはあくまで瀬戸内デザイン会議の一環と考え、引き受けさせていただきました。

ロゴについては、書家の鎌村和貴さんに「厳島いろは」という文字を楷書でわかりやすく読みやすく書いてもらいました。日本の文字の基本になっていると言われている欧陽詢の『九成宮醴泉銘』という楷書に準じて、「厳島」

【図6:「厳島いろは」ロゴ】

という字を書いてもらっています[図6]。そして、「蔵宿」も残したいという希望がありましたので、それは印で残しました。元々の印の配列がおかしかったこともあり、僕がいつもお願いしている蘇州の篆刻家の宋咏さんに至急依頼し、新たに印を彫ってもらいました。右に四角い印で「蔵宿」、左に丸い印で「厳島いろは」を配したロゴデザインにしています[図7]。名刺や封筒など、アプリケーションへの展開時には、アクセントとして厳島神社の朱色を取り入れました[図8]。

建物内部にある施設案内図や部屋番号などのサイン計画は、できるだけ壁の色やパターンをそのまま活か

厳島

蔵宿

元印

【図7:左から、新しく彫った印「厳島」、「蔵宿」、元々の印】

しました。あまり目立たないけれど味があり、どこにいるか、どこに行けばいいのかをわかりやすく認識できるようなデザインにしています［図9］。

ただ、実は僕はまだリニューアル後の「厳島いろは」に行けていないのです。スタッフには何度か行ってもらい、ロゴやサインについて写真で確認していたのですが、実物はまだ見られていません。来週にでも伺って、細かい部分についてきちんと確認する予定です。引き続き、今後もできる限りは協力していきたいと考えています。

中間報告とはいえ、第一回瀬戸内デザイン会議の議論が形になって実現したという意味で、有意義なご報告でした。松田さん、ありがとうございました。

松田哲　第一回瀬戸内デザイン会議で皆さんに議論いただき、そこでつくり上げたコンセプトをス

【図8：「厳島いろは」ロゴのアプリケーションへの展開】

イートルームで体現できました。私の想いは入っていません（笑）。前回の報告時にはまだ手つかずであった課題（三）～（五）までは取り組み始められたと思っていますので、今後は（六）、（七）といった、厳島という地域との関わりについても取り組んでいきたいと考えています。

皆さんと出会えて生まれ変わった「蔵宿いろは」改め、「厳島いろは」です。そんな「厳島いろは」を今後もどんどん育てていきたいと思いますので、引き続き見守っていてください。

注：この改修計画の内容は二〇二三年一月時点のものです。

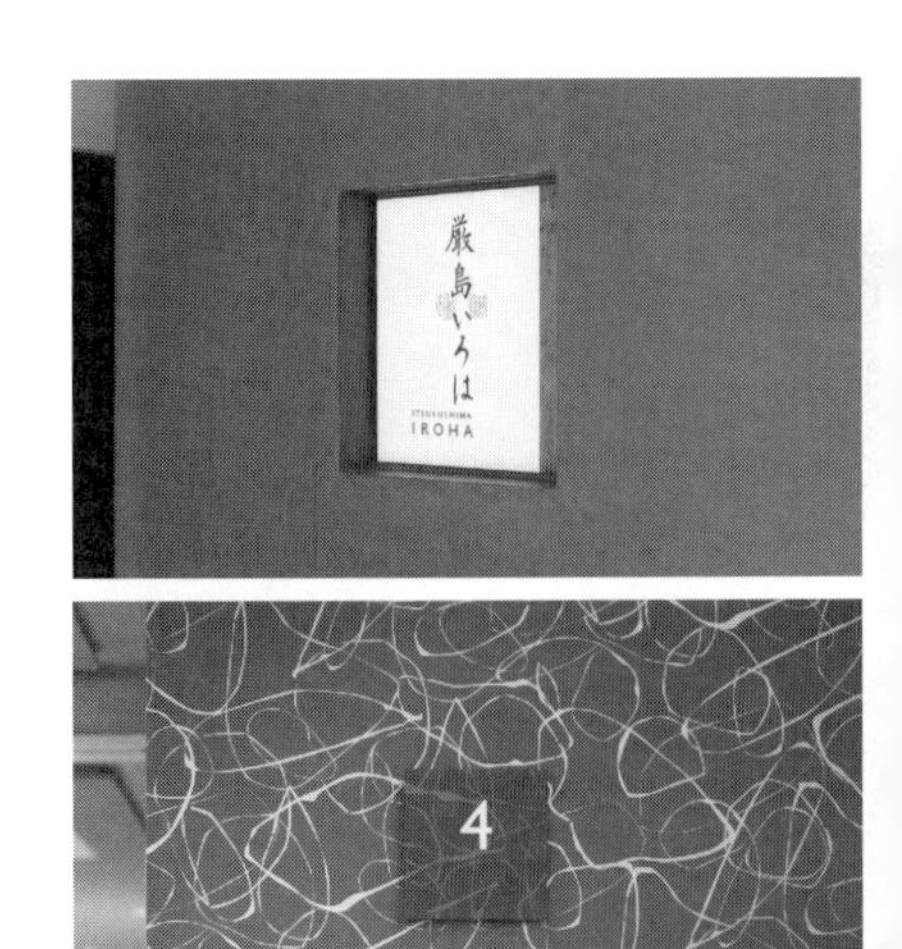

【図9：「厳島いろは」サインデザイン】

プレゼンテーション

チームA
人、ミュージアム、分断、生活、倉、引きの日　黒川周子＋橋本麻里＋伊藤東凌＋神 義一＋西山浩平＋原 研哉

チームB
大原孫三郎ならどうするか　青井 茂＋御立尚資＋高橋俊宏＋小島レイリ＋須田英太郎＋神原勝成

チームC
脱・美観地区への三つの提案　青木 優＋桑村祐子＋藤本壮介＋長坂 常＋松田敏之＋松田哲也＋石川康晴

オーディエンス
奈良の野武士と倉敷五人衆　坂本大祐＋小野新太郎＋秋葉優一＋中村律子

発表｜チームA

人、ミュージアム、分断、生活、倉、引きの目

黒川周子＋橋本麻里＋伊藤東凌＋神 義一＋西山浩平＋原 研哉

プロフィールはpp.436-451参照

人

黒川　第三回瀬戸内デザイン会議は「地域開発の毒と薬」というお題でした。瀬戸内デザイン会議では文化人、エンジニア、実業家、コンサルタント、デザイナーなど、様々な方が参加しています。この人たちが薬なのか毒なのかという振りも、原研哉さんのイントロダクションでありましたよね。私たちチームAは相談した結果、それぞれの考えを述べればいいのではないかとなり、あえて個々に発表させていただきます。

まず私は、倉敷美観地区を訪れて、美しく歴史もある街だと感心し、どこに問題があるのだろうかと疑問になりました。そこで、私はあえて「人」ということにフォーカスします。社会で活動する以上、地域のみならず、家族、友人、会社、取引相手、お店とお客様など、様々な場面で人との付き合いは必要不可欠です。一人が二人になり、二人が三人になって地域を形成していく中で、その「人」が時に薬となれば毒になることもある。

今回、倉敷での瀬戸内デザイン会議では視察や懇親会も含めて、素晴らしい方々にお目にかからせていただきました。しかし、たった三日間だけしか滞在していない人の表層的な意見と承知の上であえて言わせていただくと、倉敷の皆さんの共同体は美しいながらも、もしかしたらこれが毒なのかもしれないと思いました。

なぜならば、皆さんの「どうぞどうぞ」の美しい譲り合い精神が、互いの本音を引き出せていない要因になっているのかもしれないと感じたからです。「人」という課題については、またお話をできればいいかなと思って今回挙げさせていただきました。

漢方薬としてのミュージアム

橋本　私からは毒と薬というよりも弱めの漢方薬のような話をしようかと思います。世界遺産の考え方でコアゾーンとバッファゾーンいう区分があります。コアゾーンは資産の普遍的価値や真正性が保たれる区域で、その周辺を囲む緩衝帯として補完的な利用・開発規制を敷いた区域がバッファゾーンになります。倉敷の美観地区とその周辺も、もしかするとその考え方を適用できるかもしれないと思いました。

厳しい建築規制が敷かれたコアゾーンだからこそ、訪れた人々に伝えられるものがあるはずです。「スーパーローカル」のセッションで青木優さんから、スタンプラリー観光とは異なる方向性に私たちがこれから目指すべき観光が存在するのではないかという話がありました。また、須田英太郎さんから、学びの環境によってつくられるマインドセットが重要になるという話もありました。コアゾーンを残すことで、そうしたスタンプラリー観光にはならない、街や歴史について何かを考える場となり得るポテンシャルが生まれると思います。

そのための処方箋として、倉敷あるいは美観地区の問題点が何なのかという詳細なリサーチが必要になります。そのリサーチを経て、問題点と思われていたものが実は宝であったり、宝だと思って大事にしていたものが毒になっていた、などということもわかってくるでしょう。その時の漢方薬として役に立つものが大原美術館だと考えています。

アジアの中の、日本の中の、瀬戸内の中の、岡山の中の、倉敷の中の美観地区——と、Google Earthで引いたところから近いところへ視点を移していくような形で、このエリアを築き上げてきた長い時間の中から、毒と薬を高解像度で見出していく際に役立てるものが「ミュージアム」だと考えています。

美術館というと、どうしても「展示された作品を鑑賞する場所」というイメージになりがちですが、ミュージアムとは本来、社会教育施設で、図書館などと同様です。この考え方は教育思想家であり、ユネスコの成人教育長だったポール・ラングランによる、「社会の変動に対応するための生涯教育を担うものがミュージアムである」という提言に由来しています。このような社会教育施設としてのミュージアムが、地域の文化や歴史、自然資源の素晴らしいアーカイブになっています。岡山県内で言えば、岡山県古代吉備文化財センターや岡山市半田山植物園、備前長船刀剣博物館など、多くの優れたミュージアムがあります。

その一方で、いずれのミュージアムでも所蔵品を守り、展示を通じて紹介するところまでで手いっぱいで、それを地域の資産としてどのように活かすことができるかを検討する余裕はありません。例えば彼らを手助けできるアーキビスト［＊1］やコーディネーターを配置し、文化資源の整理や調査を進め、領域横断的な活用の方途を探ることで、地域の資産をいたずらに毀損することなく、活かしていくことができるでしょう。即効性はなくとも、毒性や副作用も少ない、地域にとっての漢方薬的な処方になるのではないかと考えています。

毒＝ひとつの倉敷　薬＝心地いい分断

伊藤　私は普段、座禅を勧めて「全ての繋がりを感じて、分断の考え方から離れましょう」と言っている側ですが、今日はあえて「分断」を薬とさせてもらいます。

人間は、ストレスや抑圧を感じながらその中で自分が何をすべきかを模索している時間の方が、本来以上の力を発揮するのではないでしょうか。例えば、美観地区と美観地区外があった

1——公文書館、博物館、美術館、資料館など、組織において日々作成される膨大な記録や収集された資料から、永久保存価値のある情報を査定、収集、整理、保存、管理し、閲覧できるよう整える専門職のこと。アーキビストが存在しない組織では、不十分な管理体制によって、本来は残されるべき記録が廃棄されるなど、後世に残すべき情報が失われるリスクがある。欧米諸国ではアーキビストが確立しているが、日本ではまだまだ定着されてなく、司書やキュレーターがその業務を担っている点が問題視されている。

時、地区内にいる人たちは「私たちは美観地区内なんだ」と誇りとプライドを持って、地区外に寄り添わなくてもいいかもしれません。つまり、美観地区と地区外を合わせて「ひとつの倉敷」と括らず、あえて分断して考えてみるのです。

私は子どもの頃から京都市内に住んでいます。友達に「どこに住んでるの？」と質問され、「○○通りのこっち側」と答えると、「あ、それ京都ちゃうな」なんて言われたことがあります（笑）。大宮通までが京都、それ以外は違うという言い方をする人もいますし、洛中洛外図［*2］から「洛外に住んでいるのね」と言う人もいます。

そんなことを言われると昔は少し「いけず」だなと思っていたのですが、今となっては、自分が少し変わった活動に取り組む時に、良い意味で言い訳にできます。私が住んでいる場所は鴨川という市内の東側で、昔は鴨川を越えたらこの世ではないという扱いをされていた場所です（笑）。お偉い先生方や先輩方に私の活動について問われた時もそれを言い訳にして、「私は川の端っこの方に住んでいるので、今はこんなことをしています」と言えるわけです。

つまり、区画があるならば、それを受け止め、土地の記憶や場所の特性として生かしていく。美観地区の人は美観地区に誇りを持ってどんどん昔の風景を取り戻すような街づくりを進めていくべきだと思います。同様に、地区外の人もそれぞれが暮らすエリアや通りごとに誇りを持って街づくりをしていけばいいのではないでしょうか。無理に「ひとつの倉敷」に統合する必要はないと思います。そんな「分断」が地域の活力に繋がる薬になると思っています。

美しい生活は薬になる

神　米田肇さんのスピーチの中で、旅とは本来、人間がそ

2——京都の市街（洛中）と郊外（洛外）の景観や風俗を描いた屏風絵。一六世紀初頭から江戸時代にかけて制作された。

こで生活してみたいと思える場所を探すことだと話されていました。「起業家」のセッションでは原研哉さんや田中仁さんから、倉敷美観地区は映画のセットのようになってはいけないという話もありました。大原あかねさんのオリエンテーションでは、倉敷の文化の一つに民藝があると聞きました。民藝とは芸術運動の呼称だけでなく、言い換えれば、誰しもができる美しい生活と捉えることもできます。

それらを踏まえて、私は「生活」を薬と捉えてみました。その場所に住む人たちがその地の文化を育みながら暮らしてきたわけですが、その美しい生活そのものが薬になる。逆に言えば、商業的開発のような、その土地の文化やそこで暮らす人々の商いが奪われるようなものは毒になるでしょう。

では、その美しい生活をどのように旅行者に体験してもらえばいいのか。視察で街を歩いていると、美観地区には二階が空いている店舗が幾つもありました。勿論、そこを商業的に使ってもいいけれど、例えば、ホテルや旅館というより、住居のような形で滞在できる宿泊施設として活用されてもいいかもしれません。そこに滞在して倉敷の生活をゆっくり体験できれば、旅行者もこの地域の文化や歴史にも触れる機会になるのではないでしょうか。

美観地区は健康体

西山　第一回瀬戸内デザイン会議で、「蔵宿いろは（現：厳島いろは）」の再生について議論していた時、大原あかねさんから「土地の言うことを聞け」といった話がありました。そのお話が松田哲也さんが設定した七つの課題の一つ「（四）一方で楽しい世界も必要であるため、島民と観光客が交流できる夜の場所をつくる」に繋がっていったと思います。

今回の舞台である倉敷を見てみると、この地にずっと残っているものは倉敷の倉だと思い、「倉の言うことを聞け」というコンセプトを考えました。このエリアには、美観地区という名前で括られてからやってきた観光ショップもあると思います。それはこの土地のものではないため、極端なことを言えば、毒だから出ていってもらいます。つまり、元々あったものが薬で、後から来たものは毒ということです。

何でそんな極論を言うかといえば、瀬戸内デザイン会議を開いてテーマにしなければいけなくなってしまった原因は、結局のところ、倉敷美観地区は毒にも侵されなければ、薬も効かないような、健康体だからではないでしょうか。

おそらく私のような外部の人間が何を言っても響かないし、この場所で何かやろうとしても関われないでしょう。美観地区を長期に維持できる力は、時に新たに変われない要因にもなってしまいます。大原美術館の学芸統括である柳沢秀行さん曰く、「和して同ぜず」という言葉のように、倉敷には安易に他者に依存することもなければ、おかしなブームや同調圧力とも無縁な距離感を持つ商人たちがいて、彼らはコモンズに対して共通の美意識を持っているとのことでした。それがあるから変わらなかったし、今後も変わらないでしょうし、変わる必要もない。結局、この地にいる地権者同士で進めていく街づくりが現実的かと思うのです。

そうであるなら、地元の商人たちで話し合い、減ってしまった倉をもっと増やしてみてはどうでしょうか。今を生きる美術館になるためには、新しい作家の作品を買っていく必要があり、作品を買えばどこかに所蔵しておかないといけなくなります。そこで倉をアート作品の保管場所兼展示室として活用するわけです。作家別やテーマ別の倉を並べて、倉通りにしてみてもいいでしょう。今すぐやるというわけでもなく、三〇〇年ぐらいの時間をかけて、新規参入してきた店舗には立ち退いてもらい、ゆっくりコンバージョンを進めていくくらいがちょうどいいかもしれません。こんなことを構想している自分も毒なんだろうなとも思ってもいます（笑）。

引きの目と寄りの目

原　このようにチーム内でも様々な視点があったため、あえて統合しなかったわけですが、どれもおもしろい観点だと思いました。

物事を捉える時、寄りの目と引きの目があります。僕はデザイナーとして、常に引きの目を持つように意識していたのですが、「食」のセッションで米田肇さんのゲストスピーチを聞き、目から鱗が落ちました。料理人の米田さんが人類史的且つ産業構造的な視点から食の世界を捉え直していることが非常に新鮮でした。そんな引きの目を持つ米田さんの実践は、食の産業の本質を捉えたブレイクスルーの一つだと思います。

一方で、あえて言わせてもらいますが、倉敷の人々は近視眼的に街を捉えているから、美観というフレーミングに対して異常な執着のようなものを持ってしまっているのではないでしょうか。そして、その執着が倉敷の息苦しさに繋がっているように思えました。

このエリアを開発する際には、タウンアーキテクトのようなチェック機関を通さなくてはいけません。これは街並みの景観を維持するためには必要なことだと思います。一方で、そこで本来チェックすべきことは、新しくつくる建物の外観が既存の街並みと調和しているかどうかより、同じ意識で倉敷という街を盛り上げようとしているかだと思うのです。つまり、アピアランスの問題ではなく共通意識があるかどうか、同じ方向を見ているかどうかです。その意味でも、寄るのではなく引いて倉敷を見てみる、世界の中で倉敷という街をどのように捉えていくかが鍵になると思います。

これから観光とは、従来の概念から全く逸脱した世界に飛躍していくことになる、あるいは否応なくその世界に引きずり込まれていくでしょう。インバウンドが増えていくと倉敷も賑わっていくと思うのですが、その表層的な賑わいに囚われずに、二〇〇〇年を見通して倉敷をどうつくっていくかという共通意識が重要になってくると思います。刻々と変化する世界の中で、倉敷がどのように位置付けられていくのかということですが、まずは瀬戸内という広域の中における倉敷の位置をしっかりと考えていくことがこの街の未来に繋がっていくでしょう。

「建築家」のセッションでも話題になった、裏口があるワインバー「倉敷酒商 いときち」に皆で訪れた時、醸造家の大岡弘武さんがつくられたナチュラルワインを飲ませてもらいました。

大岡さんは岡山という地でワインをつくられています。一見、寄りの目によって岡山を選んだようにも思えるけれど、グローバルの中で捉えるローカルの意味をきちんと見据えた上で岡山に着眼したわけです。つまり、引きの目で自分のワインづくりを捉えている。

倉敷や岡山の食を考えるにしても、ままかりや鰆の味噌漬けという郷土料理の話ではなく、この地域でとれる葡萄から生まれるナチュラルワインがこんな味なら、それに合う魚は何なのかと考えていくことから、食という文化も生まれてくるでしょう。近視眼的な視点から生まれたものではなく、グローバルな視点から見えたものが価値になっていく。外観の維持ではなく美意識の共有と醸成、つまり倉敷というソフトウェアをどう新しくつくるかです。そうすると、美観地区という概念が徐々に薄れていくのではないでしょうか。

冒頭のオリエンテーションで御立尚資さんから、地域システムとは物産の売れ行きや評判ではなく、地域の人たちが誇りを持ち、幸せになっていく仕組みに進化していかないと次の発展は望めないという話がありました。その視点は重要で、倉敷というソフトウェアを充実させていくことは、倉敷の人たちの幸せに繋がります。美しくて映える場所ではなく、訪れた人々がこの街に住みたくなるような場所に変えていくことが重要だと思います。

発表―チームB

大原孫三郎ならどうするか

青井 茂＋御立尚資＋高橋俊宏＋小島レイリ＋須田英太郎＋神原勝成

プロフィールはpp.436-451参照

美意識の再定義

青井　第三回瀬戸内デザイン会議は前々回、前回と違い、具体的に何を提案すればいいかが決まっていなく、倉敷における課題を見つけるというお題です。
　大原あかねさんのオリエンテーションや、視察や懇親会の際に倉敷の方々から話を伺うと、倉敷は一朝一夕ではない街づくりによってつくられていることがわかりました。私も商売をやっている中で、これから後世にどのように引き継いでいけばいいのかを考える時があります。私は三代目になりますが、四代目、五代目と事業を続いていってほしいと考えています。その際に、紡ぎ方が重要になるでしょう。

大原孫三郎さんは創業者ではないものの、未来のために倉敷の礎をつくった、まさに未来に紡いだ人だと思います。そこで私たちは、孫三郎さんが一〇〇年前に倉敷に何を持ってきて今の時代に何を残したのか、あるいは孫三郎さんが生きていたら一〇〇年後や三〇〇年後に向けて倉敷の街をどうするかを考えました。

御立　ここで私が話したいことは大きく三つあります。一つ目は、「食」のセッションで米田肇さんも言及されていた美意識と経済性、共助の連関についてです。「観光とは、そもそも美しい街並みがあって、そこに住みたいと思う人がその場所に訪れるものだから、住んでいる人々がその街を愛していなければ誰も行きたいと思わない。美しい街並みさえあれば、そこに料理人も店を構えたくなるので、美味しいレストランも自ずとできる。そんな順番で初めて観光が成り立つ。有名レストランがあればそのエリアが活性化するといった話ではない」と、米田さんは批評されました。

つまり、美意識は合理的なものではありません。インバウンドの富裕層に依存するような品格のないやり方はしたくない。それが美意識です。同時に、飲食業を営む以上、経済合理性をある程度満たさないといけません。だから、その美意識は社会的美意識と言えるでしょう。米田さんはそんな美意識を前提に、料理人だけでなく生産者と繋がり、仲間として共助する仕組みを考えていました。

ここが今回のテーマとも最もリンクする部分だと思います。大原孫三郎、總一郎、そしてその仲間たちがやったことを考えてみましょう。大原家は孫三郎さんが生まれた頃には既に成功していました。家に雪舟の作品があったり、故宮博物館に収蔵されるレベルの中国絵画もあった。あかねさんの父である謙一郎さんが幼少期に寝ていた子ども部屋の襖や屏風は、全て棟方志功が描いたものだったそうです。大原家とは代々、そんな環境で育っている人たちです。つまり、孫三郎さんも日本あるいはアジアの美的センスを叩き込まれたからこそ、その目で西洋を見て、最新の文化を倉敷に持ち込み、美意識を再定義したのでしょう。

そんな孫三郎さんが現在生きていたら、どんな再定義をして美意識ある暮らしをつくるのでしょうか。倉敷の人々を含め、現在を生きる私たち自身がどんな暮らしをしたくて、どんなヴィジョンを持つべきかを考えないと、今回の答えは出てこないと思います。そこで「起業家」のセッションに登壇していただいた田中仁さんの実践です。どんな街をつくってどんな生き方をしたいかというアーバンデザインを行政に丸投げせず、田中さんは自分たちでつくり始めました。行政に首縄を付けてヨーロッパやアメリカに連れていき、一緒に学んでいった。自分たち主導で行政を巻き込んだわけです。

それくらいの気概がなければ、倉敷のような規模の街をアップデートすることはできないし、このままいくと何も変わらずに朽ちていくでしょう。倉敷をローマのような、綺麗な街だけ

【図1：倉敷SOLA】

ど徐々に朽ちていくような街にしたくないと思うのです。

美しい暮らしを目指す美意識が倉敷美観地区をつくりました。この美観地区は、ある限定した時代の建物だけが集まっているわけではなく、江戸と明治、大正、昭和の建物が交ざり合って構成されています。建物を改修する時も、昔の建物をただそのまま保存するのではなく、統一感を保ちながら現代的にアップデートしています。「倉敷ＳＯＬＡ」［図1］もその一つと言えるでしょう。

その次のステップとして、美観地区の外側をどうするかがある。それをやろうとしても、良い実業家も沢山いるし、アップサイド［＊1］もあるけれど、おそらくバラバラで終わってしまうでしょう。そこをコモンズとしてどうまとめ上げればいいのかが課題になると思います。

孫三郎さんの時代は一言でいうと、工業化です。日本が工業化していった時、先にあった紡績業（倉敷紡績）から倉敷絹織（現：クラレ）もつくり、お金がなければ中国銀行をつくって民間のお金を集めて投資するという仕組みをつくった。その仕組みを生かして、皆でお金を集めて倉敷の街をつくっていったわけです。デジタルの時代である現在も、どんな流れに乗ってどうやってお金をつくるのかを真面目に考えないと生きていけません。大きな金をパトロンがお金を出してくれるような時代ではありませんからね。

そこで、孫三郎さんならこの時代でどんなお金の流れをつくっていくのかを考えてみましょう。彼は共助の仕組みを用いてコモンズを一つにしていきました。倉敷の人たちを欧州に留学に出し、仲間をつくっていった。その結果、元々自治していた豪商たちも大原家に賛同し、彼らが参加することでその下の若者たちも巻き込んでいったのです。このような一連の流れをデジタルの時代にできるのか。つまり、美観地区の外側にいる人たちをどう巻き込むかという、コモンズのつくり方を再定義する必要があるでしょう。

しかも、昔は起業家的人材が沢山いました。新しい時代の商

1――企業や事業の伸び代のこと。

売として紡績会社をつくろうという若者がいて、彼らが大原家を口説いて出資してもらい、倉敷紡績もできたわけです。田中仁さんも、そんな人材をつくるために「群馬イノベーションアワード」を企画して取り組んでいます。倉敷でも、そういった人材面の発掘や育成もセットでやらないと、街ごと変えることはできないでしょう。

何でも・イン・レジデンス

御立　この時代を再定義する時のキーワードは色々あると思います。例えば、美術品をホワイトキューブの中に閉じこめておく時代ではなくなりました。大原美術館には各時代の美意識を持った芸術家による作品が集まっています。それらはとても素晴らしいものではあるのですが、今見ると、もはや教科書で知っている作品も多いため、鑑賞しても美術史を勉強しに来たようなものです。身内だから敢えてはっきり言いますが、一〇回来たい美術館にはならないでしょう。

その意味でも、藤本壮介さんが「建築家」のセッションで提案していましたが、アートを街の中に点在させていってもいいでしょうし、そんな取り組みができるような街にしていく。工業化とは一つの場所に全てを集中させて経済合理性をつくることでもあるのですが、今の大原美術館も実は同じで、一つの場所にアートや鑑賞体験を集中させ過ぎています。今まではそれでも良かったのですが、分散の時代である現在、美術館の在り方も再定義してもいいかもしれません。

藤本さんの提案のように、街に家具スケールで小さな美術館を仕掛けていき、徐々に増殖させていくと、その隙間や余白となる街の空間も自ずと変わっていくでしょう。そんなやり方で分散型の美術館をつくってみてはどうでしょうか。

二つ目は、五人衆の仲間たちをどうつくるか。つまり、人です。仲間と共助の仕組みをつくる時、やはり人に徹底的にこだわる必要があります。その時にキーワードになるものがクリエイターです。彼らが起業家と何が違うかと言えば、彼らは既存のものを活かしながら、違うものをつくることに長けている。

リスクを恐れないし、変なルールに縛られない。おとなしくルール通りにやっている人は十分に外側にいるので、倉敷五人衆の皆さんが本気で街を変えていきたいのであれば、そういったクリエイターを仲間にすることが鍵になると思います。

セッション「スーパーローカル」での坂本大祐さんの話では、この数年間で奈良県の山奥にある東吉野村に二〇人以上のクリエイターが移住してきています。この美観地区がある倉敷にも、本来なら五〇人や一〇〇人のクリエイターが移住していてもおかしくないはずですが、それが起きていないということは、何かが狂っているとしか思えません。

その移住について神原勝成さんはクラレをなぜ使わないのかが疑問だったようです。街の美意識と歴史の重層性の中で新しい街を考える時、クラレがもっと介入して、世界から若者を呼んでここに住んでもらうような活動をなぜしないのだろうかと話していました。私はとても良い指摘だと思いました。

最後の三番目は、共助と人の話にも繋がるのですが、美観地区についてです。何人もの方々から「〈美観地区〉という括り方がそもそも上から目線になっているのでは」と指摘を受けています。しかし、それは既にあるものとしても利用する手もあります。

例えば、現在のアーティスト・イン・レジデンスは歴史的文脈を踏まえて児島虎次郎の旧アトリエを利用していますが、美観地区を使えたなら、アーティスト・イン・レジデンス、職人・イン・レジデンス、料理人・イン・レジデンス、町歩きガイド・イン・レジデンスなどがあってもいいと思うのです。美観地区という生活するには魅力的な場所があるのだから、何でも・イン・レジデンスを沢山つくり、倉敷の人たちが仲間になってほしい人たちに短期滞在してもらうのです。時には、そのまま移住してもらってもいいでしょう。仲間づくりとしても美観地区は利用できると思います。

梅原真さんが「スーパーローカル」のセッションで、「しまんと分校」で「しまんとＭＢＡ」を取得するためには実技と座学を必須にしていました。美意識は合理性を超えているため、座学などで言語化できないものです。だから、実技をセットにして学ぶわけです。あるいは、「食」のセッションで桑村祐子さんから、プロフェッショナル以上に美味しいものをつくれる人が実は隠れているという話がありました。つまり、隠れたリソースがある。そういった人材を引っ張り出して仲間にしていき、共助の仕組みをつくっていけないでしょうか。

私自身は大原美術館の理事という立場ゆえに、倉敷と外側に半分ずつ足を突っ込みながら、今後もコミットしていきたいと思います。大変僭越ながら、大原あかねさん、それから倉敷五人衆の方々が中心になってヴィジョンを描き、仲間をつくり、倉敷という街を新しく再定義しないと、このままでは「ここは昔、いい町だったよね」という風景になってしまうでしょう。

見える化する

高橋　私は岡山出身ということもあり、倉敷には何回も来たことがあります。ただ、今までは街中をブラブラ歩いて観光して終わっていたのですが、今回の視察できちんとガイドいただいたおかげで、大原美術館や児島虎次郎のことは勿論、街の景観、お店など、魅力的なものが沢山ある街だと再認識できました。また、倉敷五人衆というプレイヤーがいることも大きな発見でした。その土地にいくら良い観光資源があったとしても、良いプレイヤーがいないとその街は残っていきませんから。

御立さんも提言していましたが、ヴィジョンやコンセプトをつくることが最も重要だと思います。それは地元の人からの言葉から生まれてくるものでもあるので、倉敷の皆さんが自分たちの良いところを自覚しないといけません。そのためにも、倉敷の魅力を見える化した方がいいと思いました。

大原孫三郎さんは民藝運動のパトロンでした。東京の駒場にある日本民藝館の設立にも出資されています。民藝とは簡単に言えば、民衆の用いる日常品の美に着目した柳宗悦さんが、濱田庄司さんや河井寛次郎さんらとともに、名もない人たちのモノづくりを再発見し、その価値を見出していった芸術運動です。時にはつくり手の方々に、「今は、西洋の食事の様式が広まりつつあるから、ハンドルをつけたピッチャーはどうだろうか」などと指導していきながら、その時代に合ったモノづくりにカスタマイズしていきました。つまり、昔から培われてきた民衆のモノづくりを柳さんたちによって再編集したとも言えるでしょう。

その時に彼らは月刊誌『民藝』をつくります。素晴らしいモノづくりが日本にもあることを見える化し、発信していきました。同じようなことを、民藝の流れを汲んでいる倉敷だからこそ、やるべきだと思うのです。

行政は市史や県史を必ずつくっていますよね。だいたい埃をかぶって棚の上に載っかったままだったり、図書館で誰にも見られないような棚に収まっていたりするけれど、読んでみると実は意外とおもしろい。そういった市史や県史を現代的に解釈し、倉敷の魅力を丁寧に伝えるメディアをつくってみてもいいでしょう。実際に僕らも京都府や山口県の観光業のお手伝いとして、このようなメディアをつくるお手伝いをしています。今の時代なら本だけでなく、ウェブサイトでもいいかもしれません。

再発見したものをしっかり見える化して形にする。対外向けの発信ではありますが、これの一番のメリットは、その土地の人々が喜び、自分たちの街を好きになってくれます。自分たちはこんな魅力的な地域に住んでいるのか、こんな立派な場所だったのかと誇りに思ってくれる。そのメディアを一緒につくっている人たちも、散らばっている自分たちの地域の魅力を集めて再編集していくうちに、自分たちの今後の方向性を見出せるようになっていきます。いわゆる自分たちの教科書をつくるようなものですよね。倉敷でもそんなメディアをつくれるといいと思いました。

このようなメディアは倉敷だけを取り扱うのではなく、高梁川流域の文化や穴海だった時代の島なども拾えるし、瀬戸内全体に広げていってもいいでしょう。

人を育てる街へ

小島　大原孫三郎さんは倉敷に場をつくり、人をつくり、そしてその人と人を繋げていきました。倉敷で暮らす人々の生活の質を上げるために、お金を惜しまず若者をベンチマークである西洋に留学させ、戻ってきた人たちが自ら、自身が美しいと思う物差しを再定義していきました。今から一〇〇年前の話です。

今も海外に出て経験を積むことはすごく大切ですが、一方で海外の方々と話していると、「なぜ日本は外国の真似をしようとするのですか」「日本には良いものがいっぱいあるのだから、そこに世界の視線を引き込めばいいじゃないか」といつも言われます。私たちが外に出ることも大事だけれど、外から来てもらい、引っ張り込んだ上で人を育成することも考えてもいいのではないでしょうか。

つまり、孫三郎さんのように人を繋げることを日本国内だけでなく、グローバルな規模で展開してみる。御立さんのアイデアのように、世界中から人を呼び、何でも・イン・レジデンスにしてもいいでしょう。まずは世界からこの倉敷に人を呼んでくる。特に若い人たちに倉敷で学んでもらい、そこでネットワークをつくってもらって、また外に出ていってもらうという循環を考えてみてもいいでしょう。

孫三郎さんはもしかしたら、スーパーローカルで活躍できる人をつくろうとしたのではないかと思うのです。そうであれば、今度はローカルとグローバルを同時に考えられる人を倉敷で育て上げる。倉敷という土地にはそんな人材育成を可能にするポテンシャルが沢山あると思います。そんな環境を整備した上で初めて、御立さんが提案するような共助の仕組みができ上がるのではないでしょうか。

須田　昨晩、チームBでの懇親会から倉敷国際ホテルに戻った際、ロビーに飾ってある棟方志功の版画「大世界の柵〈坤（こん）〉」を眺めていました。棟方志功の晩年の言葉に「愛シテモ、アイシキレナイ。驚イテモ、オドロキキレナイ。歓ンデモ、ヨロコビキレナイ。悲シンデモ、カナシミキレナイ。ソレガ板画デス。」という言葉があります。「驚イテモ、オドロキキレナイ。」など、倉敷が抱えている課題に少し通じるように思えました。

私たちが倉敷の街をおもしろいと思っても、おそらく結局そのまま帰るしかない雰囲気と言いますか、今後も外の人間が倉敷の街づくりと関わり続けることができなそうだと思われた方も多いのではないでしょうか。

ご案内いただくと、倉敷にはおもしろい場所が沢山あります。それもこの土地に美意識や経営力を持ったプレイヤーがいるからこそでしょう。そういった方を増やすことは大事ですが、一筋縄ではいかないと思います。そんなローカルなエリアでクリエイターや二一世紀のクラボウやクラレをつくっていくような人、つまり、美意識と経営力を持ったアントレプレナーを育てるエコシステムが必要になると思います。それは小島さんが提言したように、留学という古典的なやり方以外の学びの環境を倉敷に設けてもいいのではないでしょうか。

そんな環境をつくるためには、倉敷の人々が、今までと違うことをしたり新しい活動をする若者たちを歓迎しなくてはいけません。あるいは、彼らの失敗に対しても歓迎しなくてはいけません。若者が試行錯誤できるような街になると、倉敷は変わっていくと思います。

街全体がキャンパス

神原　私は普段、島に住んでいて蟄居中なんです。簡単に言えば明るい引きこもりなものですから、こうやって街に出てくるとついついハジけてしまい、昨夜はこのチームBのメンバーたちと飲み過ぎてしまいました（笑）。大原あかねさんも交えて皆と食事しながら、倉敷や瀬戸内のことなど、色々な話をしていて思ったのですが、回を重ねて、瀬戸内デザイン会議の質が良くなってきたと思います。これだけ回を重ねて二泊三日の合宿をやっていると、皆が言いたいことを言えるようになったと思います。遠慮なく毒が吐けるようになった。これは良い関係性ができたことを意味していると思います。

今回のテーマ「地域開発の毒と薬」は、すごく難しい課題です。毒と薬をどのように比較するか、もしくは対立的な見方で考えるか、考え方は様々にあると思います。

私はセッション「スーパーローカル」で坂本さんが紹介して

くれた、奈良県の街中で取り組まれている「まほうのだがしやチロル堂」の仕組みには非常に共感しました。大きなお金を投入して街を開発し、急いで観光地としての街をつくり込むことも、観光客が街にお金が落としてくれて地域経済が活性化するから良いと思います。しかし、街づくりとはそういったことではないと思うのです。御立さんも仰っていましたが、坂本さんが活動している東吉野村というとても人口が少ない村にも、あれだけの人数の移住者がいる。なぜかと考えた時、街の人たちの共感によるものだと思ったのです。良い街を自分たちでつくって、そこに共感が生まれ、それに賛同する人たちが外から来て住みついた。このような時間をかけた街づくりこそが、本来の街づくりだと思うのです。

最近、青井茂さんに富山県に何回か連れていってもらう機会がありました。富山県には手付かずの場所が沢山あり、私の中でしっくりくるんですよね。隣の石川県にある金沢はかなり開発されてしまい、一〇年前の姿はもうなく、少し残念だなというか、あまり行きたいと思わなくなってしまいました。一方の富山はどこか安心するというか、ほっこりする。ずっとこのままでもいいんじゃないかと思ったりもします。

そもそも瀬戸内デザイン会議が始まったのは、岡山市にある加計学園が運営している倉敷芸術科学大学の加計孝太郎先生と食事をしているときに、「倉敷芸大をどうにかできないかな」と相談されたことがきっかけでした。倉敷芸大は一九九五年に設立された学校で、学校経営は厳しいと聞かされました。芸大や美大は東京でも人気がありますよね。でも、実際に倉敷芸大に行ってみると、校舎もボロボロなんですよ、芸大なのに（笑）。

加計先生から何とかしてくれと頼まれても、私も部外者だし、どうしたものかと考えていました。でも、瀬戸内には瀬戸内国際芸術祭や岡山芸術交流などがあります。それらとうまく連携がとれれば、倉敷芸大は結構おもしろい学校になるだろうし、この学校が活性化すれば街にも何か寄与できるかもしれないと思いました。そこでまずは岡山芸術交流を運営している石川康晴さんに相談しました。その後、二人で原研哉さんを尋ねて、「一緒に倉敷芸大を何とかしませんか」と相談したところから、紆余曲折があり、この瀬戸内デザイン会議が発足されることになったのです。

当時、倉敷芸大を綺麗でかっこいい校舎に建て替えるよりも、倉敷の街には空き家が沢山あるので、そこに教室や研究室を移して、街全体がキャンパスという学校にしてみたらどうかと話していました。空き家が埋まって若者が住めば街に活力が出てくるし、そこからおもしろい芸術家が育って巣立っていくかもしれません。あるいは海外の学生に倉敷芸大に来てもらってもいいでしょう。

もう時代も違うので、孫三郎さんや總一郎さんのように大きなお金を街のためにどんと投入することはできません。しかし、空き家の改装なら、企業スポンサーを募って一建物ずつ改装費を協賛してもらえばできるでしょう。そんなことができるとおもしろいですねと当時話していたんですよね。今回の瀬戸内デザイン会議で、街を視察し、倉敷の方々の話やセッションでの皆さんの議論を聞いて、改めて倉敷芸大をうまく活用できないだろうかと思いました。

学校という点で少し関係ある話としては、私たちも地元の福山で街興しを続けていますが、今、教育という切り口でも取り組み始めています。私の姉が「神石インターナショナルスクール（JINIS）」というインターナショナルスクールを開校しています。当時、私たちも卒業し、常石グループの発祥の地であり、祖父が土地を寄付してつくった常石小学校が福山市の学校再編計画でなくなるという方針が出てしまったのです。そこで市に掛け合い、私たちがお金を出してその小学校を改修し、公立初のイエナプラン教育［＊2］の学校をつくりました。常石小学校の子どもたちにも引き続き通ってもらっています。

当時、常石小学校を閉める時、学生は五〇〜六〇人いたので

2——ドイツで始まりオランダで広がったオープンモデル型の学校教育。特徴として、一つの学級は三学年にわたる子どもたちで構成されたり、学校を子どもと教員と保護者からなる共同体とみなすなど、子ども一人ひとりを尊重しながら自律のための主体性と共生に必要な協調性を学ぶことを重視している。ドイツのイエナ大学の教育学教授だったペーター・ペーターゼンが同大学の実験校で創始した。

すが、イエナプラン教育の「常石ともに学園」をつくった途端、定員以上の申し込みが全国から来ました。常石周辺に県外のお母さんが住み始めたくらい反響が大きいのです。自分の子どもを少しでも良い学校に入れたり、良い教育を受けさせてあげたいという親心はよくわかりますし、それを機に家族が移住してきて人が集まってきています。寮ができたり、私どもの社宅を改装してアパートとして使うという話も出てきているくらいです。教育という切り口は改めて街づくりに欠かせないと思いました。

そんな意味でも、倉敷でも教育をもう少し街の中に入れてみると、人が集まり、街が活性してくるのではないでしょうか。二日酔いで手が震えていながら、少し真面目な話をさせてもらいました（笑）。

御立　神原さんは体調が悪いと良い話をしますね（笑）。

青井　私たちの発表や瀬戸内デザイン会議での議論が少しで

も大原あかねさんをはじめ、倉敷五人衆の皆さんの役に立ち、今後の活動における起点になれば嬉しいです。

発表―チームC

脱・美観地区への三つの提案

青木 優＋桑村祐子＋藤本壮介＋長坂 常＋松田敏之＋松田哲也＋石川康晴

プロフィールはpp.436-451参照

来館者数を二〇万人から三〇万人へ

青木　僕は「起業家」のセッションで田中仁さんが指摘された「夜歩くと、この街には人が住んでいない感じがする」というコメントが印象的でした。同時に大原あかねさんのオリエンテーションで、大原孫三郎さんが倉敷の未来を考えた上で美術館や街づくりに尽力されていたことも記憶に残っています。そんなことを考えながら倉敷の静かな夜の街を歩いていると、妙に内省的な気分になりました。無理にこの美観地区に人を住まわせる必要もないのではないかと率直に思ったのです。

一方で、美観地区として何か変えたい、変わらなければいけないという問題意識を当事者である倉敷の方々が持たれているから、第三回瀬戸内デザイン会議の議題になったとも認識しています。そこで僕らチームCは「脱・美観地区」をテーマに提案を考えました。また、チームCにはセッション「建築家」のゲストスピーカーである長坂常さんにも急遽参加いただいています。

桑村　私もあかねさんと同様に、女性で家業を引き継いでいる立場である上に、まだ変化を好まない方々に阻まれることが時々あります。あかねさんのお話を聞いていると、大原家の思想やレガシーを引き継ぐ中で違和感を感じておられるのは、倉敷の良さを守りながらも小さな変化の連続ばかりが続き、全体が硬直的な状態になっていること。それがあかねさん自身の危機感になっているのではないかと思いました。

以前、大原美術館のサポーターをされている地元経営者の方々とお話しする機会があったのですが、やはり地元への愛とプライドは岡山のどの地域よりも倉敷が一番であり、格を維持することが最優先になるという傾向を感じました。それは大原美術館や取り巻く次世代に対しても少なからず影響していたと思います。現代に比べて大原孫三郎や児島虎次郎たちは、自由度が高くバイタリティの塊のような人たちだったことは大きな学びでしたし、それこそ、あかねさんをはじめ地元の皆さんが引き継ぎたい思想だと思います。時代の変化と共にありながら、孫三郎さんはご自身の言葉でもある「余の使命は教育にあり」の精神を残されています。思想は教育と現実に行動することで引き継がれていくということでしょうか。

また、オリエンテーションでもお話しされていましたが、あかねさんは大原家の「二・三の精神」を引き継いでいく意思を持たれています。つまり一番よりも自由度があり、守りに入らないという姿勢です。その意味でも、倉敷を変えるならまず大原美術館が、確かな流動性を生む美術館に変わるべきだろうと考えました。

来館者数を二〇万人から三〇万人にする。そのために格と多様性のどちらも共存させて、圧倒的な魅力を発信し続けること、美術館としての業績を内外に示すことで倉敷全体の変化を起こしていくことができると思います。

藤本　「大原美術館がどうもすごいことになっているぞ」という実績をつくり上げていくことで、あかねさんがよりやりたいことをやれるという環境になると思います。そこも含めて、倉敷の街と大原美術館がこれからどうすればいいのかをチームCは考え、三つのアイデアを考えました。

街が美術館であり、美術館が街でもある

藤本　一つ目は、「建築家」のセッションでも少し提案しましたが、大原美術館を街全体に拡張することです。大原美術館は今、倉敷の街の中で一番良い立地に建っています。街の中にある一つの建物ではあるけれど、本館を含め、工芸館や東洋館など、それぞれが個別の建物という感じですよね。それを街に拡張していく。最終的には、倉敷の街が大原美術館であり、大原美術館が倉敷の街であるというレベルにまで到達できると、世界的に見ても例がないものになるでしょう。

実はそんな理想的な状況は、世界中の街や美術館が夢見ている形でもあります。でも、倉敷にはそれを実現できるユニークな特徴があります。まず、大原美術館は非常に質の高い美術館であり、その美術館と倉敷の街は歴史的にも深く共存してきました。しかも倉敷の美観地区や奥倉敷と呼ばれるこのエリアは、ウォーカブルに楽しめるコンパクトなスケールです。このスケールであれば、美術館という建物に収まらずに街にはみ出すこともできるでしょう。

例えば、街中にある倉や古民家を展示室に改修したり、あるいは少し空いている土地があれば、企画展示にも利用できる現代的な空調設備をもった展示棟をつくってもいいかもしれません。そんな大原美術館のAnnexが五つくらい街中にあり、連携し始めると、美術館としての街になり、街が美術館にもなる。

世界中を見てもこのような事例はありません。そんな美術館があったらおもしろいよねと、実はアートの人も建築の人も思っている美術館が実現できる可能性が倉敷にはあると思います。そして、新しい時代に向けた美術館のあり方の一つとも言えるのではないでしょうか。一般の人もただ古い街を歩くよりも、アートを一つひとつ探索しながら歩いた方が、街への見方に深みが増してくると思います。美術館として生きている街そのものがオーバーラップしてくるからです。

あと、僕が個人的に思っている倉敷の良さに、街の格調の高さがあります。賑わいをつくろうとすると格調が低くなってくる場合があります。しかし、倉敷の街そのものを美術館とすれば、格調をしっかり担保したまま、街を縦横に歩き回るきっかけや動機づけにもなり、街に賑わいを生むこともできるでしょう。その意味でも、「街が美術館であり、美術館が街でもある」というあり方は、倉敷と大原美術館の関係を考えると、必然的に世界のトップに躍り出ると思っています。

ゆくゆくは美術館が美観地区の外側のエリアに点在し始めてもいいでしょう。この会議中に度々話題に挙がっている商店街

【図1：準備万端の長坂常（左）と藤本壮介（右）】

の裏口からアプローチするワインバー「倉敷酒商 いときち」のような、不思議な街の構造もすごく魅力的で、それらも活用できると思います。

大原美術館を視察させていただいた時、展示スペース不足という課題があると聞きました。そのため、展示スペースを美術館の外に出していくことによって、施設として拡張していくだけではなく、倉敷の思想や大原の思想をどんどん展開していくこともできる。そして、孫三郎さんと虎次郎さんも含めた美術館のストーリーや街のストーリーとしても続けることができるでしょう。

また、チームBの神原勝成さんが提示していた教育も重要だと思います。いわゆる芸術だけの美術館ではなく、ワークショップや体験教室など、コミュニケーションを通した教育の場を、街に拡張された大原美術館が担ってくれると思います。

この計画に関しては、僕と長坂さんの建築家チームは準備万端です（笑）［図1］。また、街の一部を美術館とした時、今まで街のサインとして機能していた標識が美術館のサインになるわけです。未だかつて、街の標識であり美術館のサインでもあるようなサイネージ計画はなかったと思います。これに関してもおそらく原研哉さんが準備万端ではないでしょうか（笑）。
　そんな全てを新しく再定義していくことで、倉敷は街と美術館が混じり合い、街を歩く体験と美術館での体験が連動する場所になると思います。

長坂　ますます僕がなぜここにいるのかがよくわからなくなってきました（笑）。神原さんの個展にお邪魔して、「長坂でもいいか」という話で倉敷に呼ばれたのではないかと思っています。瀬戸内デザイン会議がどんなものなのかよくわからないまま、ゲストとしてスピーチさせていただき、昨晩の懇親会でようやく概要を理解し始めたところだったのですが、気づいたらチームの発表にも参加していて、なんだか大分話が違ってきたような……。この発表も僕が喋るはずだったパートを藤本さんが喋ってしまうし（笑）。
　とにかく、僕は何でもやります。美観地区の内側だろうが外側だろうが、何でも協力させていただきますので、よろしくお願いします。

人の未来をつくる街

松田敏　二つ目のアイデアを発表します。私たち両備グループも地元岡山の企業ですから、大原家に憧れ、そして多大な影響を受けてきました。地域があって企業があり、企業があって地域がある。社会活動や経済活動、文化の浸透など、全てにシンクロした大原家の思想は倉敷だけでなく岡山という地域にまで伝播していると思います。もっと言えば、影響どころではなく、クラレ、クラボウ、中国銀行、中国電力など、人々が生活できる環境づくりまでしてくれたわけで、大原家は岡山にとっては不可欠な存在と言えるでしょう。

また、孫三郎さんや總一郎さんが、人との繋がりをつくり、学びの場をつくってくれたおかげで、私たちが生きている現在があります。ゆくゆくは私たちも地域の未来をつくる立場にな

【図2：準備万端の松田敏之（左）と石川康晴（右）】

らないといけません。そのためには、多くの人々や企業を巻き込んでいく新しい仕組みが必要になるでしょう。そこで、倉敷の未来をつくるためにも、この街に起業家を集めてみてはどうかと考えました。

田中仁さんから、群馬県は元々、都道府県の魅力度ランキングで四〇位だったと聞きました。調べてみたら、岡山県は三五位で古墳の数まで近いという話もありましたね。とはいえ、どちらの地域も間違いなく一〇位以内に入れるポテンシャルがあると思います。田中さんは「群馬イノベーションアワード」を企画され、岡山では石川康晴さんが「オカヤマアワード」を企画されました。そんな人との繋がりをつくる場や学びの場は、私たち経営者にとってありがたい機会になります。

そんな企業活動や教育、実際の事業に関わる動きをサポートする仕組みとして、「瀬戸内イノベーションアワード」を考えました。既に岡山県には「オカヤマアワード」がありますが、瀬戸内デザイン会議にはこんなにも優れたメンバーが集まっているため、文化の中心である倉敷に起業家を集め、皆で瀬戸内をどう盛り上げられるかを考えてみてはどうでしょうか。世界中から起業家が集まり、新しいイノベーションがこの街を起点に展開されることで、倉敷の街も活性してくると思います。

この「瀬戸内イノベーションアワード」に関しては、藤本さんと長坂さんと同様、石川さんと私が全面サポートすることをお約束します（笑）［図2］。

青木　チームCの特徴は寄り添いで、提案するだけではなく、一緒にやりましょうというところまで話を進めています。

三つ目のアイデアはソフト面です。僕らも今回の会議で初めて知ったようなことが多々あったように、倉敷の魅力や大原家の思想がまだまだ周知されていないという課題があると思います。倉敷も美しい街ではあるのですが、そういった街並みは他にもある。そこで美しい景観を推すのではなく、美しい思想を広めていくべきではないかと考えました。

人の未来をつくる街という思想が倉敷の根本にあり、あかねさんの願いだと感じました。そんな想いで街づくりをしていけ

【図3：準備万端の中村律子（左）と青木優（中）、佐藤栄一（右）】

ば、必ず人を惹きつけられると思います。先ほど松田敏之さんから提案があった起業家を集めるような取り組みにおいても、あるいはチームBが提案する何でも・イン・レジデンスの取り組みでも、倉敷は人の未来をつくる街なんだと明快に発信していくことが重要だと思います。その発信は日本人だけではなく、世界に対しても広げていくべきでしょう。

そこで、グローバル・プロモーションの実施を提案します。最近、日本に来る旅行者の動向を見ていると、どこでも仕事ができるようになってきたため、滞在期間が延びてきています。一カ月近く日本に滞在する人も増えてきているため、そういった方々が訪日中の一～二週間を倉敷に滞在してもらえるように、この街の魅力を伝えていきたいと考えていきます。こちらに関しては、僕と、倉敷五人衆の一人である旅館くらしきの女将の中村律子さんと、今回の会議の事務局を担当しているモトヤユナイテッド株式会社の佐藤栄一さんが準備万端です［図3］。

大原あかねが変わらなければ、倉敷は変わらない

石川　実は昨日、桑村祐子さんに和久傳を継承する時、どんな苦難があって、どうやって乗り越えていったのかを聞きました。なぜそんなことを尋ねたかと言えば、もしかしたら、あかねさんも組織内での重圧や、継承していく際の苦しみがあるのではないかと想像したからです。すると桑村さんは、「それはもう商売の実績を出すしかないです。実績さえ出せば、色々な人が認めてくれますから」と答えてくれました。

そんな経緯があり、僕らチームCは大原美術館の来館者数を二〇万人から三〇万人、いわゆる美術館の収益を三億円から四億五〇〇〇万円にする方向性にしていこうではないかとアイデアを練りました。

そのためには閉じていることが毒なのか、または薬なのかといったことから考え始めました。今までは閉じていることが倉敷の街の価値だったかもしれないけれど、これからは少し開い

ていった方がいいのではないかということで、一つ目のアイデアとして大原美術館のAnnexを街の中につくることを提案したのです。ただし、これを実際にやるとなると、組織内の改革はかなり大変だと思います。

また二つ目のアイデアは、倉敷から大原孫三郎のような起業家を出すことです。孫三郎さんがつくった価値や思想を、ベネッセの福武總一郎さんも憧れているし、先ほど松田敏之さんが言っていた通り両備グループの経営者たちも憧れている。僕も憧れています。そんな孫三郎さんのような逸材が、一周回ってこの倉敷からまた出てきてほしいという想いがあり、アワードを企画してみたらどうかと考えました。

三つ目のアイデアは、海外の富裕層が関西国際空港から直島に行き、その後に京都に行って帰ってしまっているのではないかという危惧から生まれました。もう少しグローバルに向けて、特に富裕層やクリエイターに向けて倉敷の魅力を発信していくべきだろうと考えたのです。

以上が、僕たちチームCの提案でした。そして大締めは松田哲也さんにバトンタッチしたいと思います。

松田哲 あれ、順番がおかしくないですか。私も長坂さんと同じく喋るのをずっと待っていたのに、石川さんが先に喋ってしまうから……（笑）。

最後に私からはあかねさんにエールを送りたいと思います。「あるものを生かし、ないものをつくる時代」という福武總一郎さんの言葉があります。福武總一郎さんや大原孫三郎さん、ここにいる石川さんも含め、岡山県はアートの県として大成功している地域ではないかと思います。まさにあるものを生かしてないものをつくり、世の中の幸せを増やしていきました。では、倉敷に今あるものは何なのか、そして今はないけれど次につくるべきものとは何なのでしょうか。

「先人を超えない限り、倉敷の未来はない」という言葉があります。これは誰の言葉かと言えば、岡山が生んだ巨匠、松田敏之さんの言葉です。松田さんは「先人を超えなければ、会社の未来はない」「両備も待つだけでは駄目で、様々な事業を展開しなければならない」とも語られていました。私の広島マツダも車だけでは駄目で、未来のために、先人や地域を超えて旅館業やお好み焼き屋などもやっていく必要があるのだろうと強く思った次第です。

この「先人を超えない限り、倉敷の未来はない」を倉敷に置き換えると、「大原あかねが変わらなければ、倉敷は変わらない」ということだと思います。私はそう思います……と、私の言葉にしているのですが、実は青木さんと桑村さんに言わされているだけですから（笑）。

広島人の私から見ると、岡山県は広島県と張り合おうとしていると思いますし、更にその岡山県の中でも岡山と倉敷がライバル視して張り合っているようにも見えます。何なら岡山市と岡山県の仲が悪いとかもよく聞きます。大原美術館が運営費の八割を入館料に頼って、ベースを支える外部資金が二割しかないという現状も、倉敷だけで頑張っていることが要因ではないかと思いました。岡山が団結するためには核となるものが必要で、その核となり得るものが大原美術館であり、岡山のリーダーとなる人があかねさんだと思います。この倉敷を本陣にして、今後、もっとリーダーシップを発揮していただかなければならないでしょう。

つまり、美観地区から倉敷、倉敷から岡山市を巻き込んで、岡山県を飛び越えて瀬戸内というような考え方に発展しなければならないと思います。これはその中心になる大原あかねさんの使命や運命だと思いますので、もっと強烈な個性を発揮しなければなりません。そして、大原あかねのために動いてくれる岡山人を増やしていくことで、街づくりではなく、倉敷づくり、岡山づくりが達成されるのではないでしょうか。

……もう一回言いますけれど、これも僕は言わされているだけですからね（笑）。

石川　哲也さん、ありがとうございました。でもその通りだと思います。あかねさんにはリーダーとしての戦いが待っている。僕はあかねさんと長年お付き合いさせてもらっていて、組織内の苦しみについても何度かお話を聞いています。これだけのものを背負っていますから、様々なプレッシャーがあります。あかねさんには、アントレプレナーではなく組織内改革者としての戦いが待っています。それがこの先もずっと続くでしょう。

一方で、倉敷五人衆のモトヤユナイテッドの小野新太郎社長がアントレプレナーとしてあかねさんを支えてくれています。そしてあかねさんや小野さんの側には、街づくり会社ＫＯＭＡの秋葉優一さんというクリエイターもいます。ある意味で、児島虎次郎のような存在です。イントレプレナーとアントレプレナー、クリエイターが重なり合えば、もしかしたら大原孫三郎を超えられるのではないかと期待しています。

あかねさんは強い人ですから、おそらく五人衆の前で弱音なんか吐かないでしょう。でも、弱いところもあるので、小野さんには番頭としてあかねさんに寄り添っていただき、皆で一緒に新しい倉敷をつくっていただきたいと思います。

発表一　オーディエンス

奈良の野武士と倉敷五人衆

坂本大祐＋小野新太郎＋秋葉優一＋中村律子

プロフィールはpp.436-451参照

まれびとをもてなす

坂本　せっかくの機会なので、僕からもこの瀬戸内デザイン会議に参加して考えたことを発表させてください。

一つは今回のテーマである「地域開発の毒と薬」についてです。まず、毒と薬というタイトルが秀逸で、そもそも毒と薬は同じものですよね。地域開発においては薬を処方する際のバランスが大事だ思います。薬だと思っていたものも、過ぎれば毒になるわけです。だから、誰がどのように薬を処方していくのか、用法用量を決めるのか。そこが大事なのではないかと考えました。おそらくそれは、その地域に暮らす人たちと、今回のように地域の外にいながらその地域に思いを寄せる人、その両方の中にいるべきだと思いました。

二つ目は観光についてです。先日、古代の民俗学者の折口信夫（おりくちしのぶ）さんに関する本『折口信夫「まれびと」の発見 おもてなしの日本文化はどこから来たのか?』（幻冬舎、二〇二二年）をたまたま読んでいました。この本は國學院大學の上野誠さんの著書で、折口が提唱する民俗学について独自の視点で解説しています。その本に書かれていることなのですが、折口は「まれびと（客人）をもてなすことから、日本の芸能や文化は始まったのではないか」と考えていたそうです。

神様はそもそも現世に存在しないものですが、祭りの時だけそういった存在を御神輿やだんじりといった乗り物を介して客人として招き、その客人に入ってもらうための社を神社としてつくっていたというわけです。それは、さながらモビリティやホテルのようです。つまり、神様が常に神社にいるわけではなく、人間が神様に来ていただきたい時に呼ぶわけです。神様はその地域に対して豊穣を与えてくれる存在だから、そんな客人をいかにもてなすのか、いかに来ていただくのか、喜んでいただくのかを人々は考えます。その結果、芸術や芸能の文化が醸成されていったのではないかと折口は考えていたそうです。

この考え方を倉敷に置き換えてみましょう。倉敷は客人をどうもてなすのか。海の外からやってくる人たちや地域の外から来る人たちを客人とした時、彼らをどうもてなすのかがおそらく観光の根源的なものかと思います。

今回の瀬戸内デザイン会議でも、全国から集まってこられたメンバーの皆さんを、倉敷の方々がすごくもてなしてくれましたよね。おそらく会議当日まで、どんなルートで街を歩いてもらうか、美術館では何を見せるか、会議の会場はどんな空間にした方がいいのか、夜はどんなものを食べてもらうか、宿泊先はどこが快適だろうか……あるいは、どこのカラオケスナックに連れていき、歌ったり踊ったりすべきだろうか（笑）。かなり思慮していただいたと思います。このように、いかに客人をもてなすかという考え方の延長に、芸術や芸能といった文化が生まれてくる可能性があります。そんなもてなしという観点から、倉敷の街や文化、未来を考えていってもおもしろいと思いました。

世界が惚れる街

小野　倉敷五人衆を紹介させていただきます。KOMAで一緒に街づくりをしている秋葉優一さん、旅館くらしきの中村律子さん、大原美術館の藤田文香さん、KURASiXの稲垣年彦さん、そして私、モトヤユナイテッドの小野新太郎です。この五人を倉敷五人衆として大原あかねさんに選んでいただき、今回の瀬戸内デザイン会議に参加させていただきました。

私自身も企業経営者で商売人なものですから、街づくりになるとどうしても商業的な考え方になってしまいます。しかし、各方面で活躍されている皆さんの議論を聞き、今後の倉敷を考えていく上で大きな気付きを得られました。

今日は五人衆のうち、秋葉さん、中村さん、私の三人で、皆さんの議論を聞いて感じたことや考えたことを発表させていただきます。

秋葉　倉敷という街には様々なプレイヤーが沢山いる中で、自分に何ができるのだろうかと考えることがあります。皆さんの議論を聞いたり街の人々の話に耳を傾けると、倉敷には街に対して愛がある人、何かアクションをして街に貢献したいと考えている人がとても多いと実感します。ただ、その中で一つ課題だと感じたことはゴールが定まっていないことです。皆がここに向かっていけばいいといった共通のヴィジョンの不在が、この街の大きな課題ではないのかと思いました。

そのヴィジョンとは、一年後にどうなりたいのかといった近い未来ではなく、一〇〇年後や三〇〇年後にこの街がどうあるべきかといった長い射程のものです。皆さんからいただいたアイデアも含め、倉敷が向かうゴールを、五人衆としても考えていきたいと思っています。

私はKOMAという街づくり会社を小野さんと共に経営し

ています。KOMAには、「この街を世界が惚れる倉敷に」したいというミッションがあり、そこに向かって少しずつ進んでいます。では、世界が惚れるとは何なのか。大きな美術館だけあっても世界が惚れる街になるとは思えません。何があれば世界が倉敷に惚れてくれるのかを考えていくと、その一つは社会課題への向き合い方だと思いました。

倉敷だけでなく、様々な課題があります。現在の社会には貧困や障がい者の福祉問題など、様々な課題があります。倉敷がそういった課題を市民全体でうまく向き合って行動していくような街になったら、世界が惚れるすごくかっこいい街になるのではないでしょうか。皆さんから提案があった美術館や教育機関との連携は、そんな局面においてもとても有効だと思います。

今回改めて、大原家が今までやってきた社会との向き合い方、つまり経済や労働者、福祉、教育の問題へ取り組んできた姿とその歴史こそが、倉敷の一番の財産ではないかと感じました。だからこそ、この街全体が今一度、大原家がやってきた実践をもっと理解して、シビックプライドを高めていった上で、街を活かすプロジェクトを企画したり、アクションを起こしていけるといいのではないかと思っています。

毒から薬になった人

中村　皆さまのお話を聞かせていただきながら、グツグツと脳内発酵するような三日間でした。

私は倉敷に来て一六年になり、倉敷の方がよく表現する土の人と風の人という言い方では、風の人にあたります。私がここに来た時には、倉敷中のおそらく一〇〇％の方が私を毒だと思い、受け入れたくもないものが来たという想いがあったのではないでしょうか。当時は、先日のサッカーワールドカップに出場した他所の国の代表チームのようなアウェイな気持ちで、旅館業を始めさせていただきました。

ただその前から、私は個人的に倉敷が大好きで、四国出身なのですが、瀬戸大橋を渡ってよく遊びに来ていました。倉敷に来ると、花火がつくるような何層にも重なる文化のレイヤーに囲まれることができますし、とても個性的な旦那衆が営む沢山の魅力的なお店や施設が並んでいるため、迷い込むような感覚で異文化を体験することが楽しかったのです。

「旅館くらしき」の隣に「倉敷珈琲館」という一九七一年に創業したコーヒー屋があります。実はそのお店も一緒に引き継がせていただきました。「倉敷珈琲館」も以前からよく訪れていた場所の一つです。

行くと必ず、先代の女将さんが穏やかに座っていて、なんとも言えない上質な雰囲気がお店の中を漂い、コーヒーを飲むだけでなくその空気を吸うことも楽しみでした。そのため、当時、弊社[*1]がM&Aで「旅館くらしき」ならびに「倉敷珈琲館」を引き継ぐと聞いた時は青天の霹靂で、誰にそんなことができるのだろうかと本当に心配したことを覚えています。その

1――穴吹エンタープライズのこと。「旅館くらしき」と「倉敷珈琲館」は、後継者問題などから穴吹エンタープライズに営業譲渡された。

後、まさか自分が倉敷に行くことになるとは夢にも思っていませんでした。

倉敷で旅館を営むことになり、毒として入ってきた私たちにできることは何なんだろうと突き詰める日々を、この一五年かけて過ごしてきたように思います。小野さんや秋葉さんのような自ら血となり肉となりという想いで倉敷の未来をつくっていく方々をサポートしたいなんて言うと烏滸（おこ）がましいのですが、私たちが私たちなりにできることを全うしていきたいと考えています。

セッション「スーパーローカル」での坂本大祐さんのスピーチで、ケーキ屋さんができたことで東吉野村全体のQOLが上がったという話がありました。頼まれたからでもなく、誰のためにやったでもなく、その人がやってみたいと思って自発的にやったことが、地域のQOLを上げたわけです。私も一つの事業を任されている以上、やりたいこととは別にやらなければいけないことが現実としてあります。しかし、坂本さんの話を聞いて、私どもの事業が地域にとっても毒にならず、誰かの何かしらの支えになっているかもしれないと噛み締めながら、今後も邁進していきたいと考えられるようになれました。

そもそも「旅館くらしき」は、世界中から倉敷にやってくる旅人が安心してが泊まれるような宿をつくろうと大原総一郎さんのお声がけによってつくられました。妖怪・小豆とぎが出ると言われてしまうくらいボロボロだった、倉敷川のほとりにある江戸時代末期に建てられた砂糖問屋の母屋と蔵を、一九五七年に料理旅館へと改装したのです。創業時のポリシーでもある「安心して泊まっていただける場所」を守りながら、自分たちの役割を時に見つめ直し、時に修正しながらも、きちんと果たしていきたいと思います。私も次の方にバトンを渡す準備を真剣に始めつつ、倉敷の皆さまと一緒に街づくりに携わらせていただきたいと考えています。

見返りを求めない投資

小野　私はKOMAで秋葉さんと倉敷の街づくりに携わり

ながらも、本業はモトヤユナイテッドという会社の三代目です。戦後一九四八年に祖父の小野長八郎が、倉敷の水島で一軒の「元屋」という八百屋を始めたことが商売の始まりになっています。戦後の豊かではない時代に、街に暮らす人々に美味しい食材やお惣菜を届けたいという想いから八百屋を始め、その後、食だけでなく生活そのものを豊かにするということで建材屋やホームセンター、自動車教習所、広告会社など事業を展開してきました。大原家に比べれば、その事業規模は一〇〇万分の一ぐらいのサイズですが、時代の変化に合わせてその時々に必要なサービスを提供し、事業を通じて地域の課題を解決するなどを祖父の時代から三代続けています。

私たちの会社はまさに中小企業で、売上で言えば三十数億円、純利益は三億円程度です。そんな自分の会社が見返りを求めない投資を街に向けてどれだけできるかとなると、やはり数百万円、多くて一〇〇〇万円程度になります。事業を通じた社会貢献は勿論するのですが、街への金銭的な投資となるとその程度になってしまいます。

そうなれば、自分自身でできることは自分の会社を大きく成長させるしかありません。例えば、会社の規模が今の一〇倍になれば、見返りを求めない投資も一〇倍の一億円になります。会社の規模が一〇〇倍になれば、その投資は一〇億円です。街に毎年一〇億円の投資ができれば、地域にとって大きなインパクトになると思います。私は事業家なので、素直に自身の事業を拡大させることで倉敷に貢献していきたいと考えています。

今回、私たちが倉敷五人衆として大原あかねさんにお声がけいただき、瀬戸内デザイン会議に参加させていただきました。秋葉さんとは昔からとても仲良い友達なのですが、中村さんとも今回の会議で絆が強まりました。これをきっかけに倉敷五人衆を十人衆、二十人衆、三十人衆と一人ずつ仲間を増やしていきたいと思っています。地元の人間である私でも美観地区については聖域化されていて簡単には触れないくらい、街への想いがある先輩が沢山います。そんな方々を一人ずつ仲間にしていきたいです。そして、倉敷のリーダーであるあかねさんをしっかり下支えし、この街を今日から変えていきたいと思っています。

総括

毒薬変じて薬となるか

原 研哉＋神原勝成＋石川康晴＋大原あかね＋御立尚資＋角南 篤

総括

毒薬変じて薬となるか

原 研哉＋神原勝成＋石川康晴＋
大原あかね＋御立尚資＋角南 篤

プロフィールはpp.436-451参照

大原あかね、変わります

大原　この度は、第三回瀬戸内デザイン会議で倉敷美観地区について議論いただき、ありがとうございました。今回の舞台が倉敷になった経緯としては、実はかなり前から倉敷で瀬戸内デザイン会議をやってほしいと世話人の三人にお願いしていたのです。なぜなら、この美観地区の三〇年、五〇年後を想像した時、私にはどう考えても今より寂しい状況しか思い浮かばなかったからです。

ただ私自身、実は倉敷で育ったこともなく、七年前に大原美術館の理事長を務めることになった時に移住してきました。そのため、土地の人たちとの繋がりもない中、大原家として倉敷のために何をしたらいいのかという焦燥感ばかりあり、自分のできることをずっと考えていたのです。

コロナ禍が来て美術館の経済状況も厳しくなり、経営の立て直しや組織改革を二年間やってきました。やっと組織が自走するかなという段階になり、コロナ禍も少し落ち着いて美術館に活気が戻る兆しが見え始めた今、この場所で美観地区について皆さんと議論でき、本当に良いタイミングだったと思っています。

今回、この倉敷で瀬戸内デザイン会議をやることが決まった際、倉敷五人衆をつくってみてはどうかとアドバイスいただきました。先ほどお話しした通り、私自身がここに土地勘もなければ人との繋がりもない中で、KOMAで倉敷の街づくりに取り組む小野新太郎さんや秋葉優一さん、旅館を営む中村律子さん、岡山と倉敷を拠点に設計活動をしている稲垣年彦さん、大原美術館の藤田文香という、美観地区の未来を考えるプラットフォームもつくれて、とても良かったと思っています。また、視察を介して楠戸家住宅の楠戸さんや美観地区のタウンマネージャーの楢村徹さんといった、今までこの街をつくってきた諸先輩たちと関わらせてもらい、新しいプラットフォームがやろうとしていることを理解いただける機会も得られました。

先ほど中村さんが、倉敷には土の人と風の人という呼び方があると話されていましたが、私は水の人もいると思っています。水の人とは、この地を流れていくけれど、やったことが地に染みこんで実を結んでいくような人たちです。風の人、土の人、そして水の人が行き交う中で、倉敷の未来をつくっていきたいと考えています。

そして、プレゼンテーションでは、様々な意見や視点、アイデアを皆さんからいただけました。各チームの発表の中には私がいつかできたらいいなと思ってるようなこともあり、背中を押していただいたような気持ちでした。

チームAではメンバーの皆さんが各々コメントしてくれました。黒川周子さんの譲り合いの精神についての指摘はその通りだと思います。譲り合いではなく自分がやるということ。これはとても重要だと思いました。

橋本麻里さんが提言してくれたミュージアムの効用もきちんと考えていく必要があると思います。ミュージアムがこの美観地区の中でどのように機能しているかを改めて見直し、チームCの街全体がミュージアムになる構想と共に考えていきたいと思いました。

伊藤東凌さんの「ひとつの倉敷という考え方が、毒になっているのではないか」という考え方もおもしろかったです。美観地区の内と外を分ける線があるからこそ、その外が自由に動けるという指摘は目から鱗でした。

神義一さんからは「生活が薬であり、その生活を守ることが大事」といったお話がありました。私は神さんのお話を、生活を守ることと住むことは別なのではないかという提言だと理解しています。民藝という切り口で、今一度、この地での暮らしについて考えていけたらと思っています。

西山浩平さんからは「土地の言うことを聞け」改め、「倉の言うことを聞け」ということで、倉の再活用について提案がありました。過去のものを再活用する時、どのように現代語に翻訳するかが重要になります。その意味で、かつての倉という機能をどんな形で現代に生かすかは、倉敷の街にとっても課題として考えています。

原研哉さんからは、見た目でなく意識の醸成、そしてグローバルな視点で、世界の中の倉敷を考えていくことが鍵になると提言いただきました。この視点は今回の倉敷五人衆含め、皆の心に刻み、これからの倉敷を考えていこうと思っています。

チームBでは御立尚資さんから、美意識と経済性、共助の連関について提言いただきました。工業化時代の集中から現代の分散へ移行する社会の中で、美意識をどのように地域に伝播していけばいいのか。そもそも美意識というものが言語化できないわけですが、大原家としてはそこを諦めてはいけないと思っています。街の人々に美意識をわかりやすく伝え、それが浸透した地域をつくっていけたらと考えています。

高橋俊宏さんが提案してくれた倉敷を丁寧に伝えていくことも、私たちの課題です。これからどんなメディアを使って、倉敷の魅力を伝えていけばいいのかを検討していきたいと思います。

小島レイリさんの、海外に行くのではなくこの倉敷を学びの場にするという提案はその通りだと思いました。現在も「語らい座 大原本邸」を中心に、研修や勉強会など学びの場をつくっています。これからは、わざわざこの倉敷に来て学ぶ意味や価値をもっと深く突き詰め、外へ伝えていきたいと思っています。

神原勝成さんが提案してくれた倉敷芸術科学大学との連携については、是非とも実現したいと思いました。私としては、岡山にある各大学の共同サテライトカレッジをつくれるといいなと考えています。例えば、倉敷芸術科学大学の芸術とくらしき作陽大学の音楽、そこに別の大学の何かが加わることで、新しいイノベーションを生む可能性があるからです。美観地区内やその近くにアカデミアがあれば、地域としての強みにもなると思います。まずは倉敷芸術科学大学としっかり組み、芸科大の人たちと一緒にこの街を盛り上げながら、新しいアカデミアもつくっていきたいと考えています。

チームCからは三つの提案をいただきました。その提案の前提にある、桑村祐子さんからの「大原家のレガシーが本熟しているのではないか」という指摘もまさにその通りです。何か変革をもたらそうとすれば、「孫三郎さんはそんなことしないよ」と周りから怒られると思うのですが、「大原孫三郎がやろうとしていたことは私が一番よくわかっていますから」と言えるように、実績をつくっていかなければいけないと思っています。

藤本壮介さんと長坂常さんからは「街そのものが美術館であり、美術館が街でもある」というアイデアを提案いただきました。そんな今までに例のない世界で初めての街になることはとても意味があることでしょう。ただ、もう少しイメージを固めたいので、計画の前段階のディスカッションから引き続き力を貸していただけたらと思っています。

松田敏之さんと石川康晴さんが提案してくれたイノベーションコンテストも是非実施したいと思っています。実は岡山イノベーションスクールに倉敷に来てくださいとずっと言い続けていて、瀬戸内ファンドからも「倉敷でやることに意味がある」と提案していただいているそうなのですが、中々動いてくれないため、自分たちでやるしかないと思っています。その際は力を貸していただけたら嬉しいです。

青木優さんからはグローバル・プロモーションの提案がありました。インバウンドが戻ってくる近い未来も視野に入れて、こちらも検討していきたいと考えています。

そして松田哲也さん、私、大原あかねも変わります（笑）。見ていてください。

最後に石川さんから温かいコメントをいただきました。ただ、倉敷五人衆や大原美術館のスタッフたちは、「いやいや、あかねさんは自分の想いを私たちに無茶振りしているから、心配なんてしなくても大丈夫でしょう」と思っているのではないでしょうか（笑）。でも本当にその通りで、倉敷の皆さん、美術館のスタッフたちに支えられて今ここにいると思っています。第三回瀬戸内デザイン会議を機に、一人でやるのではなく倉敷五人衆でやっていけることになり、すぐにできることも沢山ありますし、第四回瀬戸内デザイン会議には皆さんに進捗を伝えることもできるでしょう……と、こんな感じで仲間たちにプレッシャーをかけるくらいだから心配いりません（笑）。

皆さん、改めてありがとうございました。

綺麗すぎる街に毒を

御立　私は大原美術館のお手伝いしている立場であり、かつ瀬戸内デザイン会議のメンバーという立場にあります。そしてここには、大原あかねさん、倉敷五人衆、更に倉敷の地で暮らす人々、そして外から来て倉敷にコミットする人、あるいは厳島にコミットする人、海島にコミットする人など、その立場は様々です。今、私たちの社会において大事なことは、大原孫三郎や總一郎とは違う、この時代に合ったリーダーとして何をするかでしょう。

大学院で教えていることの中にリーダーシップがあります。最新の研究では、長持ちするリーダーには共通点がありました。それは自分のキャラに嘘をつかないことです。言われた通りの役割を演じている人は長持ちしません。だいたいコケるか、オーバーストレッチして疲れてしまう。

しかし、自分のキャラに嘘をつかないことは実は意外と難しい。自分としても自分の良いところだけを外に向かって見せたいし、嫌な部分は見たくもない。私も人生の失敗は蓋をして生きているくらいですから（笑）。でも、時々それを見直しながら、自分らしさが何かを考えてみる必要はある。その時に一番役立つものが、本音でそんな話をできる仲間の存在でしょう。ありがたいことに世話人御三方のおかげもあり、この瀬戸内デザイン会議も仲良しコミュニティだけではなく、本音を話せる仲間に段々なってきたのではないでしょうか。今回の会議を機に、あかねさんと倉敷五人衆もそんな仲間になれたと思います。アントレプレナーには事業をフォローアップするために常にKPI[*1]を振り返り続けるという面があると思いますが、そんな時も仲間と振り返りながらやっていくといいかと思います。

先ほど工業化時代の話をしました。孫三郎さんのすごいところは、彼がつくった大原奨農会農業研究所、大原社会問題研究所、倉敷労働科学研究所、倉紡中央病院、若竹の園などは全て、工業化で集中して規模を求める時代の毒を消すためにつくったものです。人は過重に働けば体を壊す。労働に見合ったお金ももらえない。働き手には女性もいたので、お母さんが働いたら子どもの世話を誰も見られなくなる。農業も働き手が減ってきている。そんな工業化で生じた毒の数々を消しながら、地域の暮らしがプラスになるように様々に取り組まれていたわけです。デジタル化や分散化の時代である現在、世の中は毒だらけです。SNSもAIも毒になり得るものは山ほどある。そ

1——重要業績評価指標の略称。組織の目標を達成するプロセスにおける、達成度合いを計測するために置く定量的な指標。達成状況を定点観測することで、目標達成に向けた組織のパフォーマンスを把握できる。

んな自分たちが今生きている時代の毒を消すようなことを考えながら、この街で何をやっていくかを私たちは考えなければいけないと思いました。

また、セッション「海洋」の角南篤さんのスピーチで、一九七三年に瀬戸内海環境保全特別措置法ができて海が綺麗になったけれど、綺麗になり過ぎて魚が住まなくなったから、二〇二二年に法改正したという話がありました。綺麗な海から豊かな海へということで、人間の手で綺麗にしたものをあるべき自然に少し戻そうとする法改正です。この会議の冒頭で原さんから、テーマである「毒と薬」についてイントロダクションがありましたが、正直に言うと、わかるようでよくわからなかったのです。でも、会議が進むにつれて皆さんの議論を聞いていると、やはり適切な毒を処方しないと、美観地区は綺麗なまま生き物が住みつけない瀬戸内海のようになってしまうとひしひしと感じました。瀬戸内デザイン会議のメンバーはそんな適切な毒になると思います。私も毒として、あかねさんと倉敷五人衆と一緒になって、美観地区や倉敷の街づくりのお手伝いをしていきたいと考えています。

原　僕も瀬戸内デザイン会議は徐々に成熟してきていると思います。会議のための会議にしたくないということが最初の考え方で、毎回具体的なテーマを立てて、しっかり向き合っていくことを考えてきました。今回も松田哲也さんからの報告の通り、第一回でテーマとなった旅館「厳島いろは」は何とか形になりました。勿論、これからではあるけれども、皆さんに見守られながらも新たな意見をいただく中で、何がしか生まれてくるものもあるだろうと思います。

それから、第二回のテーマになった海に浮かぶ拠点をつくる計画「海島」も、構想としてははっきりしてきたけれど、まだまだフォーカスが定まっていません。両備の松田敏之さんの報告の通り、経営的なヴィジョンをしっかり持っていかないと実現しないことは明らかです。一方で、皆でやり切ろうじゃないかと思う持続的な意思、それを鼓舞するようなときめきがないと、うまくいかないのではないかとも思いました。そんなモチベーションを維持していくことを考えていかないといけません。

僕は行政はあまり好きではありませんが、国という規模で考えると、日本の国の将来は明らかに国土や風土を活性化することに尽きるわけですから、瀬戸内海という資源を活かせる「海島」に各所を巻き込んでいくことも、構想を具体化していく一つの方向だと思います。ホテルやコンベンションセンターといった営利事業だけでなく、公共の研究機関、あるいは教育機関を呼び込んでくることで、公的なお金をうまく活用する仕組みをつくっていくことも視野に入れた方がいいかもしれません。「海島」も諦めずにやっていきたいと思います。

そして、第三回となる今回の倉敷美観地区についてです。まず、チームCの発表で藤本壮介さんと長坂常さんが手を挙げてくれたため、この二人には今後も瀬戸内デザイン会議の恒久メンバーとして関わり続けないといけないという宿命を背負っていただけたと認識しています（笑）。逆に言えば、二人の建築家という毒を倉敷は背負い込んだわけです。御立さんの言うように、この毒を適切な毒として、実際にプロジェクトとしてどう処方していくかは楽しみですね。神原勝成さんの自邸の一部を長坂さんが勝手にどんどんつくり始めたように、建築家とはどうしてもつくり始めてしまう人たちなので、大原さんと五人衆によってそのパワーをどのように消化するかも含めて、継続して見守っていきたいと考えています。

次回予告

原　皆さんからも提言があった通り、エデュケーショナルなこと、日本の育成に関しては、大学や高校教育ではなく、既に社会に出ている僕ら自身がどうやってリ・エデュケートされていくかが重要になります。今回の瀬戸内デザイン会議で、「ガンツウ」でのプレ会議も含めて四回ほど開催してきましたが、皆さんもかなり教育されたのではないでしょうか。そんな場所や機会を今後もしっかりつくり続けていきたいと考えています。

せっかくなので、ゲストスピーカーの角南篤さんにも感想を聞きたいと思います。例えば、「海島」構想について今後どうしたらいいか、あるいは瀬戸内デザイン会議でこんなことをテーマにしたらいいのではないかといったアドバイスがあれば教えてください。

角南　この三日間、私自身がこんなに勉強できるとは思ってもいませんでした。大学にいる頃は割とこのような学会や研究会に出る機会があり、人の意見を聞くことも多かったのですが、理事長になって以降は、会の冒頭に挨拶してそのまま去ることが多くなってしまい、今回のような三日間ずっと同じ場所に来て様々な話を聞く機会は久々で、非常に勉強になりました。デザイン思考と言いますか、街の未来や人間社会に対して、私たちが普段考えないような角度からの知見を伺えて、とても新鮮でした。ただ、来てみてよくわかったことは、一番大事なセッションは皆さんが本音で意見をぶつけ合う夜の懇親会だったのではないかとも思っています（笑）。

私たち笹川平和財団には、海洋政策研究所という研究機関があります。日本でも唯一ですし世界でもあまりない、海の環境や政策部分に関わるシンクタンクで、現在約三〇名近い研究員が在籍しています。その私たちのシンクタンクも是非、瀬戸内デザイン会議に協力させていただきたいと考えています。

それから、私自身が岡山県の児島の生まれですから、今回の倉敷の未来について世界の第一線で活躍されている皆さんがこんなにも熱く議論してくれて大変嬉しく思っています。私は実は加計学園グループの理事もしているため、神原さんからの倉敷芸術科学大学との連携の提案を聞き、幾つもの宿題をいただいたような気分です（笑）。そちらの方でも皆さんからアドバイスをいただきながら、協力させていただければと考えています。

石川　私たちも、角南さんには今後も瀬戸内デザイン会議にコミットしていただきたいと考えています。ゲストであれ、マイクを持たされると何かコミットしなければいけないというような雰囲気もありますが、この会はそんなふうに前に進んでいく会なのでご容赦ください（笑）。瀬戸内デザイン会議は、近視眼的になりがちな当事者や地域の人たちに引く目を持ってもらったり、遠視眼的な位置に立ってもらうことで、何かを発見してもらう場所でもあります。

御立　本当のことを言えば、外から来てワーワー言えるのは、全てを見えていないからとも言えます（笑）。今回も橋本さんには「オリエンテーションでは、倉敷の歴史のこのあたりまでは触れていただきたい」と予めお願いしていました。歴史という先人たちが積み重ねてきたものの上で新しいことをつくらないといけません。「あるものを生かして、ないものをつくる」がまさにその意味ですよね。

そして最後にもう一度、お金や人といった現場に戻さないと何も起こりません。実業家やアーティストでもすごいなと思ってしまう人の話は、度の合った眼鏡をかけた感じがします。近くも見えるし、遠くも見える。中途半端にコンセプチャルな話は現場という近くが全く見えていないし、逆に足元ばかり見ている人の話は遠くが見えていない。私たちは度の合った遠近両用の眼鏡をかけて、美観地区や「海島」についても議論し続けていく必要があるでしょうね。

石川　僕らには「海島」構想という目標があります。現在、松田敏之さんがお父さんの夢である豪華客船をつくり、区分所有で売れるという実績を社内に浸透させた後、「海島」をつくろうとしている。もしかしたら形が変わって、「ガンツウ」パート2のような全長八〇メートル規模の船かもしれません。また御立さんから、フロート船によって快適な生活環境と人の手が入っていない自然をブリッジさせる仕組みをつくった方が資産価値になるのではないかという現実的なアイデアも出ました。

どちらにせよ、それらの構想を具体化していくためにも、次回の瀬戸内デザイン会議は、例えば常石造船のドックを皆で見学し、技術者から話を聞いてみたり、実際に船で無人島に行って視察してみませんか。「海島」構想についても、実現化に向けてそのあたりまでそろそろ入り込んでみてもいいのではないでしょうか。

神原　造船所で実際のモノを見たり、現場から話を聞くというのは、新しい切り口でおもしろいかもしれませんね。「常石15号」の現物や、造船所で鉄を曲げて溶接して船をつくっていく工程を見てもらうなど、「海島」に繋げるという切り口で次のデザイン会議を企画してもいいかもいいしれません。

原　「海島」構想を引き続きやるのであれば、やはり海洋政策研究所の方々にもスピーカーになっていただき、海のことを教えていただけるといいですね。可能であれば、海洋政策研究所を「海島」に誘致するといったこともあり得るのではないかと思っていますし、角南さん自身も頭の中で薄々お考えになられているのではないかと期待しています（笑）。民間で考えるとホテルやコンベンションセンターといった営利活動のための機能を考えがちですが、公共の研究所のような機能が入ると官民を巻き込んだ事業になり、「海島」がより現実味を帯びてくるでしょう。

神原　「海島」については続編をセッションに入れて、次回の会議の構成を考えましょう。また、半年後の開催ということで、松田敏之さんから現在進めている豪華客船、大原あかねさんから倉敷の街づくり、そして松田哲也さんの「厳島いろは」も、アップデートした経過報告をお願いできればと思います。

石川　それでは、第三回瀬戸内デザイン会議を閉幕します。大原家の一〇代目は大原あかね、一一代目は大原碩人です。あかねさんの息子さんで現在、一橋大学で工芸や民藝について研究されている優秀な若者です。その一一代目にあかねさんと小野さん、秋葉さんたちがどんな形で倉敷を引き継いでいくのでしょうか。瀬戸内デザイン会議は見守っていきたいと思います。皆さん、ありがとうございました。

原 研哉 | Kenya Hara

デザイナー
株式会社日本デザインセンター 代表

一九五八年生まれ。グラフィックデザイナー。日本デザインセンター代表取締役社長。武蔵野美術大学教授。世界各地を巡回し、広く影響を与えた「RE-DESIGN：日常の21世紀」展をはじめ、「JAPAN CAR」「HOUSE VISION」「Ex-formation」など既存の価値観を更新するキーワードを擁する展覧会や教育活動を展開。また、長野オリンピックの開・閉会式プログラムや、愛知万博のプロモーションでは、深く日本文化に根ざしたデザインを実践した。二〇〇二年より無印良品のアートディレクター。活動領域は極めて広いが、透明度を志向する仕事で、松屋銀座、森ビル、蔦屋書店、GINZA SIX、MIKIMOTO、ヤマト運輸などのVIを手がける。外務省「JAPAN HOUSE」では総合プロデューサーを務める。二〇一九年七月にウェブサイト「低空飛行」を立ち上げ、個人の視点から、高解像度な日本紹介を始め、観光分野に新たなアプローチを試みている。

神原勝成 | Katsushige Kambara

一般財団法人 神原・ツネイシ文化財団 理事長

一九六八年広島県福山市生まれ。一九九一年常石造船株式会社 取締役。一九九八年常石造船株式会社 代表取締役社長就任。二〇〇七年ツネイシホールディングス株式会社 代表取締役社長を経て、二〇一五年せとうちホールディングス株式会社設立。町おこしを中心とした事業展開をしつつ、祖父が開いた宗教法人神勝寺の伽藍の再整備、臨済宗中興の祖である白隠禅師の禅画のコレクションをはじめ、禅と庭のミュージアムなど建築分野まで色々と幅広く手がけすぎて蟄居をしていたが今年に入って蟄居は解除。神原・ツネイシ文化財団を設立。理事長を務める。

石川康晴｜Yasuharu Ishikawa

イシカワホールディングス株式会社 代表取締役社長
公益財団法人石川文化振興財団 理事長

一九七〇年岡山県生まれ。岡山大学経済学部卒。京都大学大学院経営学修士（MBA）。二三歳でアパレル製造・販売会社、クロスカンパニー（現・株式会社ストライプインターナショナル）を創業。二〇一一年からコンセプチュアルアートを中心に現代アートのコレクションを開始し、二〇一四年には公益財団法人石川文化振興財団を設立。二〇二二年秋に開催された国際現代美術展「岡山芸術交流」では第一回、第二回に引き続き総合プロデューサーを務め、地元岡山の文化や経済振興にも取り組んでいる。

メンバー

※倉敷篇開催時点（二〇二三年一月）

青井 茂｜Shigeru Aoi

株式会社アトム 代表取締役社長

一九七七年東京都生まれ。慶應義塾大学経済学部卒業。卒業後カリフォルニア州O'neill社にて創業者ジャック・オニールが組成したSea Odyssey Programに従事。帰国後、デロイト・トーマツ・コンサルティングにて会計業務を基礎とした大企業の分社化や特殊法人の民営化プロジェクト等を担当。その後、産業再生機構にて企業の再生案件に従事、企業の経営陣と共にＰＤＣＡを実施。二〇一一年株式会社アトム代表取締役、二〇一九年代表取締役社長に就任。不動産ビジネス、投資ビジネスを足掛かりに、丸井の創業者で祖父の出身地である富山で地方覚醒を所望する事業を展開、ひとりひとりの想いや情熱を受け止めながら、百年後も残る文化とは何かを想像し、世界を舞台に様々な分野で足跡を残すために挑戦中。

青木 優｜Yu Aoki

株式会社MATCHA 代表取締役社長

一九八九年東京都生まれ。明治大学国際日本学部卒。株式会社MATCHA 代表取締役社長。内閣府クールジャパン・地域プロデューサー。学生時代に世界一周の旅をし、二〇一二年ドーハ国際ブックフェアーのプロデュース業務に従事する。デジタルエージェンシーaugment5 inc.に勤めた後、独立。二〇一四年二月より訪日外国人観光客向けＷＥＢメディア「MATCHA」の運営を開始。「MATCHA」は現在一〇言語、世界一八〇ヶ国以上からアクセスがあり、様々な企業や県、自治体と連携し海外への情報発信を行っている。

伊藤東凌｜Toryo Ito

臨済宗建仁寺派両足院 副住職
株式会社InTrip 代表取締役僧侶

一九八〇年生まれ。建仁寺僧堂にて三年間の修行後、両足院に入寺。二〇〇八年副住職に就任後、ヨガ、アート、伝統文化を組み合わせ新しい仏教の表現を提案し続けている。二〇二〇年七月には瞑想アプリ「InTrip」を立ち上げ、同名の株式会社の代表取締役僧侶に就任する。二〇二〇年よりサンフランシスコ化粧品会社と香港ウェルネステック会社の「Well being Mentor」を務める。国内企業のエグゼクティブコーチングも複数担当する。ホテルの空間デザイン、アパレルブランド、モビリティなどの監修実績多数。最新の著書に『忘我思考 一生ものの「問う技術」』(日経BP、二〇二三年)がある。

梅原 真｜Makoto Umebara

デザイナー
梅原デザイン事務所 代表
武蔵野美術大学 客員教授

高知市生まれ。高知というローカルに拠点を置き「一次産業×デザイン=風景」という方程式で活動する。かつおを藁で焼く「一本釣り・藁焼きたたき」。柚子しかない村の「ぽん酢しょうゆ・ゆずの村」。荒れ果てた栗の山から「しまんと地栗」。「地域」のデザインでは、砂浜しかない町の巨大ミュージアム「砂浜美術館」。秋田県の「あきたびじょん」。島根県の離島・海士町の生き方「ないものはない」のプロデュースなど。現在、しまんと川流域の農業をブランディングする新しいプロジェクト「しまんと流域農業organic」進行中。「土地の力を引き出すデザイン」で2016毎日デザイン賞・特別賞。武蔵野美術大学客員教授。

大原あかね｜Akane Ohara

公益財団法人大原美術館 代表理事
株式会社三楽 取締役副会長

一九六七年九月生まれ。一橋大学経済学部卒業。青山学院大学大学院国際政治経済学研究科修了。二〇〇〇年大原美術館理事、一一年同専務理事として館の運営に携わる。一六年七月、五代目の理事長に就任。現在、財団代表として法人の経営にあたる傍ら、社会福祉法人若竹の園理事長、公益財団法人有隣会理事、公益財団法人倉敷民藝館理事、公益財団法人倉敷考古館代表理事、公益財団法人大原記念倉敷中央医療機構評議員、などを兼務。倉敷市在住。

大本公康｜Kimiyasu Omoto

株式会社Big Book Entertainment
代表取締役

一九六八年広島県福山市生まれ。一九九〇年ノリタケカンパニーリミテド入社。一九九七年ツネイシグループ入社。二〇〇〇年株式会社ジンダイニング専務取締役、二〇一五年株式会社ツネイシLR取締役、同年株式会社せとうちクルーズ副社長、二〇一八年株式会社TLB代表取締役を経て現在に至る。二〇二一年尾道観光大使となり地域に根ざした事業を展開している。

加計 悟 | Satoru Kake

倉敷芸術科学大学　副学長

一九七七年岡山県岡山市生まれ。鹿児島大学獣医学科卒業。千葉県の動物医療センター勤務後、倉敷芸術科学大学教員として勤務。動物系学科で教鞭を執り研究の他、大学の管理運営担当副学長、法人本部の事務局次長、学校法人広島加計学園・副理事長、学校法人英数学館・副理事長として学園グループの運営に携わる。教育と地域との連携を常に念頭に置いて事業に取り組む。専門は獣医薬理学。

神原秀明 | Hideaki Kambara

株式会社せとうちクルーズ 取締役会長

一九七〇年広島県福山市生まれ。一九九五年大浜リゾート開発株式会社 取締役。同年境ガ浜マリンアンドクルーズ株式会社 代表取締役に就任。二〇〇〇年以降、株式会社ジン・ダイニング 代表取締役社長を歴任するなど、常石グループのサービス事業セグメントを一手に手がけ成長させる。現在は、ツネイシリゾート株式会社 取締役会長。リゾートホテル ベラビスタスパ＆マリーナ尾道、Onomichi U2、ガンツウ、LOGなど地元地域に根ざした事業を展開中。

黒川周子｜Chikako Kurokawa

株式会社esa 代表取締役社長

一九九四～二〇〇四年英国に留学。Social Anthropology学士。二〇〇四～二〇〇六年米国にも住まう。二〇〇八年くろかわちかこ事務所を設立し、飲食コンサルティング、ケータリング等、食に関わる仕事に従事。東日本大震災を契機に、二〇一二年チームカーネーションズを設立。環境保全や教育に注力したチャリティー活動を行う。二〇二二年株式会社esaを設立、環境マネジメントに携わる。同年より、江戸東京きらりプロジェクト推進委員着任。江戸東京の伝統ある技や老舗の産品等を新たな視点で磨きをかけ、その価値と魅力を国内外に発信。技の継承の実現を目指す。

桑村祐子｜Yuko Kuwamura

株式会社高台寺和久傳 代表取締役社長

京都府、丹後半島の生まれ。ノートルダム女子大卒業後、大徳寺の塔頭で二年間住み込み修業。一九九〇年より家業の料亭「高台寺和久傳」女将修行を始める。二〇〇七年に「高台寺和久傳」の代表取締役に就任。明治三年創業の料理旅館がルーツの老舗ながら、革新的なおもてなしで料亭文化の新しい時代を切り開く「和久傳」を率いる。郷里の丹後をこよなく愛し、植樹による森の再生活動から成る「和久傳の森」、食品会社やレストランを運営する紫野和久傳の取締役を務める。

小島レイリ｜Reiri Kojima

芸術・文化コンサルタント

東京藝術大学博士課程修了（学術博士）。広報文化外交、営利・非営利両分野、そして学術的バックグラウンドを持つアート・文化プロフェッショナルとして、国内外の第一線で活躍。ジャンルを超えて様々なプロジェクトにコーディネーター、コンサルタント、プロデューサーとして関わる。アジア唯一のGoogle Arts & Culture Braintrust創立メンバー、米国カーネギーホール・ノータブルズジャパン創立運営委員などを歴任。外務省ジャパン・ハウス事業創立メンバーとして、企画総括及び巡回展設立・統括を担当後、教育スタートアップGakkoカントリーマネージャー、独立行政法人日本芸術文化振興会日本博事務局広報統括、羽田未来総合研究所アート&カルチャー事業部長を経て、現在、インディペンデント・コンサルタントとして、国内外の芸術・文化プロジェクトに従事している。

白井良邦｜Yoshikuni Shirai

編集者／慶應義塾大学SFC特別招聘教授
株式会社アプリコ・インターナショナル 代表取締役

一九九三年株式会社マガジンハウス入社。雑誌『POPEYE』『BRUTUS』編集部を経て、『CasaBRUTUS』には一九九八年の創刊準備から関わる。二〇〇七年〜二〇一六年CasaBRUTUS副編集長。建築や現代美術を中心に担当し、「丹下健三特集」「安藤忠雄特集」、書籍『杉本博司の空間感』、連載「櫻井翔のケンチクを学ぶ旅」などを手がける。二〇一七年より「せとうちクリエイティブ&トラベル」代表取締役を務め、客船guntû（ガンツウ）など、瀬戸内海での富裕層向け観光事業に携わる。二〇二〇年夏、編集コンサルティング会社である株式会社アプリコ・インターナショナル設立。出版の垣根を越え、様々な物事を〝編集〟する事業を行う。著書に『世界のビックリ建築を追え』（扶桑社）など。

神 義一｜Yoshikazu Jin

グローブス株式会社 代表取締役社長

一九七九年東京都足立区生まれ。三井不動産リアルティ株式会社に二〇年間勤務。うち一八年間、富裕層向けビジネスに従事。二〇〇八年不良債権化した不動産を流通させるため、一棟賃貸マンションの区分化分譲を事業化。二〇一五年に日本初となるブランデッドホテル分譲を事業化。フォーシーズンズホテルレジデンス京都、パークハイアットニセコHANAZONOレジデンス、AMANEMなどを担当。二〇二二年広島県尾道市にてグローブス株式会社を創業。ラグジュアリーホテルの開発・分譲から販売までを行う。日本の食、芸術、伝統文化をホテルという器で表現をし、地域に貢献している。

須田英太郎｜Eitaro Suda

scheme verge株式会社 Co-Founder／Chief Business Development Officer

東京大学大学院総合文化研究科修了。内閣府戦略的イノベーション創造プログラム（SIP）自動運転における社会受容性調査に参加。香川県小豆島にて地域住民と自動運転について対話を進めるなかで出てきた「実際に事業をやって欲しい」という声をうけて、地元事業者やAI特化型のインキュベーター等からの出資をもとに二〇一八年にscheme verge株式会社を共同創業。都市工学とデータサイエンスを組み合わせてオペレーションに落とし込むノウハウを活かし、エリア活性化に関わるプロセスの再現性向上と、データによる改善判断の効率化・自動化に取り組む。共著に『モビリティと人の未来―自動運転は人を幸せにするか』（平凡社）がある。

高橋俊宏｜Toshihiro Takahashi

株式会社ディスカバー・ジャパン
代表取締役社長／Discover Japan統括編集長

岡山県生まれ。建築やインテリア、デザイン系のムックや書籍など幅広いジャンルの出版を手がけたのち、二〇〇八年に日本の魅力を再発見をテーマにした雑誌『Discover Japan』を創刊。編集長を務める。二〇一八年十一月に株式会社ディスカバー・ジャパンを設立し、代表取締役社長兼統括編集長を務める。雑誌メディアを軸に、イベントや場づくりのプロデュース、デジタル事業や海外展開など積極的に取り組んでいる。現在、環境省グッドライフアワード実行委員、九州観光まちづくりアワード審査員、長門市長門湯本温泉みらい振興評価委員、高山市観光経済アドバイザー、高山市メイド・バイ・飛騨高山ブランド認証委員会委員長、経済産業省や農林水産省関連のアドバイザーなども務める。NHKラジオ「マイあさ！」に隔月でゲスト出演、JFN「オーハッピーモーニング」に毎月ゲスト出演中などメディアを超えて、日本の魅力、地方の素晴らしさを発信中。

西山浩平｜Kohei Nishiyama

株式会社CUUSOO SYSTEM
代表取締役社長

東京大学在学中に桑沢デザイン研究所で工業デザインを学ぶ。同大卒業後、マッキンゼー・アンド・カンパニーを経て一九九七年に起業。翌年ELEPHANT DESIGN HOLDINGS設立。二〇一一年にユーザー参加型オンラインプラットフォーム事業を株式会社CUUSOO SYSTEMとして子会社化。現在は国内外のインターネット事業への投資、事業育成に携わっている。グッドデザイン賞審査員、世界経済フォーラムのThe Global Agenda Councilメンバー、内閣府「知的財産による競争力強化・国際標準化専門調査会」委員など幅広い分野で活躍。東京大学大学院工学系研究科先端学際工学専攻博士課程修了（工学博士）。

橋本麻里｜Mari Hashimoto

ライター／公益財団法人小田原文化財団 甘橘山美術館 開館準備室長

公益財団法人小田原文化財団 甘橘山美術館開館準備室長、金沢工業大学客員教授。一九七二年生まれ。国際基督教大学卒業。日本美術を主な領域とする執筆・編集、展示の企画、コーディネーション、コンサルティング等に携わる。現在は〈オンラインゲーム 刀剣乱舞〉の設定・考証や、JAL日本美術カレンダー（二〇二一～二五年）の構成、ポルトム・インターナショナル北海道（ホテル）での美術作品選定・制作・設置のディレクション、展覧会「北斎尽くし」（二〇二一年七月～）の企画、株式会社ドワンゴによるインターネット番組「ニコニコ美術館」の企画・出演など、活動内容は多岐にわたる。編著書多数。

福武英明｜Hideaki Fukutake

株式会社ベネッセホールディングス 取締役
公益財団法人福武財団 理事長

ベネッセホールディングス取締役。また福武財団の理事長として、直島を中心に瀬戸内海の島々において現代アートや建築、デザインを通したコミュニティづくりや文化活動を展開中。二〇〇九年ニュージーランドにてefu Investmentの設立後、投資事業、企業買収を実施。二〇二〇年Still Ltdを創業し、様々な事業やイニシアティブを通して、世代を超えて残る新しい文化を興す活動に取り組む。

藤本壮介｜Sou Fujimoto

建築家／藤本壮介建築設計事務所 代表

一九七一年北海道生まれ。東京大学工学部建築学科卒業後、二〇〇〇年藤本壮介建築設計事務所を設立。二〇一四年フランス・モンペリエ国際設計競技最優秀賞（ラルブル・ブラン）に続き、二〇一五、二〇一七、二〇一八年にもヨーロッパ各国の国際設計競技にて最優秀賞を受賞。国内では、2025年 日本国際博覧会の会場デザインプロデューサーに就任。二〇二一年には飛騨市の「Co-Innovation University（仮称）」キャンパスの設計者に選定される。主な作品に「House of Music」（二〇二一年）、「マルホンまきあーとテラス石巻市複合文化施設」（二〇二一年）、「白井屋ホテル」（二〇二〇年）、「L' Arbre Blanc」（二〇一九年）、「サーペンタイン・ギャラリー・パビリオン 2013」（二〇一三年）、House NA（二〇一一年）、「武蔵野美術大学 美術館・図書館」（二〇一〇年）、「House N」（二〇〇八年）等がある。

松田哲也｜Tetsuya Matsuda

ヒロマツホールディングス株式会社
代表取締役会長兼ＣＥＯ

一九六九年広島県広島市生まれ。関西大学法学部卒業。株式会社神戸マツダ勤務を経て、一九九五年に株式会社広島マツダ入社。二〇〇六年、六代目社長に就任。二〇一六年、広島の新たな観光名所「おりづるタワー」をオープンするなど、既存の枠に囚われない独特のビジネス手法で事業多角化を進め、国内外に現在三〇以上のグループ企業を抱える。二〇二三年、ホールディングス化へと移行し更なる成長戦略を図る。また、二〇〇九年に一般社団法人広島青年会議所（広島ＪＣ）理事長、二〇一三年に広島商工会議所青年部（広島ＹＥＧ）会長を歴任するなど、地域振興と社会貢献にも情熱を燃やす。著書『2045年、おりづるタワーにのぼる君たちへ』（ザメディアジョン、二〇一九年）がある。

松田敏之｜Toshiyuki Matsuda

両備ホールディングス株式会社 代表取締役社長

一九七八年岡山県岡山市生まれ。二〇〇三年中央大学経済学部卒業、住友信託銀行（のちの三井住友信託銀行）入社。二〇〇八年両備システムズ入社、二〇一九年両備ホールディングス代表取締役社長就任、両備システムズ代表取締役社長を含む二三社の代表取締役を務める。社長就任にあたり社員へ送ったメッセージは、仲間と共に「想像もつかない世界へ」。以後、M&A、新事業立ち上げ、既存事業の改革、不動産事業の強化、ミャンマーやベトナムで物流チェーン網を事業化するなど海外へも進出。経常利益一〇〇億を超える企業グループに育て上げた。瀬戸内・岡山の発展を常に考え、二〇二二年には岡山駅近くに大型複合施設をグランドオープン、「住む人、働く人、訪れる人、みんなが幸せになる街づくり」を目指す。

御立尚資｜Takashi Mitachi

ボストン・コンサルティング・グループ 元日本代表
京都大学 経営管理大学院 特別教授
株式会社熟と燗 代表取締役会長

一九五七年兵庫県西宮市生まれ。京都大学文学部米文学科卒業。ハーバード大学にて経営学修士（MBA with High Distinction, Baker Scholar）を取得。日本航空株式会社を経て、一九九三年にボストン・コンサルティング・グループ（BCG）に入社。二〇〇五年から二〇一五年まで日本代表、二〇〇六年から二〇一三年までBCGグローバル経営会議メンバーを務める。現在は、京都大学大学院で教鞭をとりながら、熟成日本酒に特化したスタートアップ「熟と燗」会長、複数の上場企業の社外取締役を務める。大原美術館理事、東京芸術大学経営評議員など、アートに関わる仕事も。

田中 仁｜Hitoshi Tanaka

株式会社ジンズホールディングス
代表取締役ＣＥＯ
一般財団法人田中仁財団代表理事

一九六三年群馬県生まれ。慶應義塾大学大学院政策・メディア研究科修士課程修了。一九八八年有限会社ジェイアイエヌ（現：株式会社ジンズホールディングス）を設立し、二〇〇一年アイウエア事業「JINS」を開始。二〇一三年東京証券取引所第一部に上場（二〇二二年四月から東京証券取引所プライム市場）。二〇一四年群馬県の地域活性化支援のため「田中仁財団」を設立し、起業家支援プロジェクト「群馬イノベーションアワード」「群馬イノベーションスクール」を開始。現在は前橋市中心街の活性化にも携わる。

米田 肇｜Hajime Yoneda

HAJIME オーナーシェフ

大学卒業後、コンピュータエンジニアを経て料理人に転身。二〇〇八年にHAJIMEをオープンし、世界最速でミシュラン三つ星を獲得。The Best Chef Awards でアジアNo.1を受賞し、Gault&MillauではBest chef of The Yearを受賞、Foodie Top 100 Restaurants、Asia's 50 Best Restaurants、OAD Top 30 Japanese Restaurants、100 chefs au monde など世界のランキングにランクインする。辻静雄食文化賞専門技術者賞、KINDAI リーダーアワード文化・芸術部門、農林水産大臣料理マスターズを受賞。JAXAの宇宙と食の未来を考えるSPACE FOODSPHERE のメンバーやSonyAI のアドバイザー、食団連理事を務める。

長坂 常｜Jo Nagasaka

建築家
スキーマ建築計画 代表

一九九八年東京藝術大学卒業後にスタジオを立ち上げ、現在は北参道にオフィスを構える。家具から建築、そして町づくりまでスケールも様々、そしてジャンルも幅広く、住宅からカフェ、ショップ、ホテル、銭湯などを手掛ける。どのサイズにおいても1／1を意識し、素材から探求し設計を行い、国内外で活動の場を広げる。日常にあるもの、既存の環境のなかから新しい視点や価値観を見出し「引き算」「誤用」「知の更新」「見えない開発」「半建築」などの考え方を提示し、独自の建築家像を打ち立てる。主な作品に「SAYAMA FLAT」（二〇〇八年）、「FLAT TABLE」（二〇〇九年）、「Aesop Aoyama」（二〇一〇年）、「DESCENTE BLANC Daikanyama」（二〇一五年）、「HAY TOKYO」（二〇一八年）、「D&DEPARTMENT JEJU by ARARIO」、「武蔵野美術大学16号館」（共に二〇二〇年）等がある。著書に『半建築』（フィルムアート社）など。

角南 篤｜Atsushi Sunami

公益財団法人笹川平和財団 理事長

一九六五年岡山県生まれ。公益財団法人笹川平和財団理事長、政策研究大学院大学学長特命補佐・客員教授、早稲田大学ナノ・ライフ創新研究機構客員教授。専門は科学技術・イノベーション政策。内閣府参与を経て、現在、内閣府沖縄振興審議会会長、文部科学省日本ユネスコ国内委員会副会長、内閣官房経済安全保障法制に関する有識者会議委員、内閣府宇宙政策委員会基本政策部会委員、内閣府総合科学技術・イノベーション会議専門調査会委員等を務める。民間においては、国連海洋科学の10年国内委員会共同座長、NIKKEIブルーオーシャン・フォーラム有識者委員会共同座長、JAXA衛星地球観測コンソーシアム会長、月面産業ビジョン協議会共同座長等を務める。コロンビア大学政治学博士（Ph.D.）、コロンビア大学国際関係・行政大学院国際関係学修士（MIA）、ジョージタウン大学外交学学士（BSFS）。

坂本大祐｜Daisuke Sakamoto

デザイナー
合同会社オフィスキャンプ 代表社員

奈良県東吉野村に二〇〇六年移住。二〇一五年に国、県、村との事業、シェアとコワーキングの施設「オフィスキャンプ東吉野」を企画・デザインを行い、運営も受託。開業後、同施設で出会った仲間と山村のデザインファーム「合同会社オフィスキャンプ」を設立。二〇一八年、ローカルエリアのコワーキング運営者と共に「一般社団法人ローカルコワークアソシエーション」を設立、全国のコワーキング施設の開業をサポートしている。著書に、新山直広との共著『おもしろい地域には、おもしろいデザイナーがいる』（学芸出版社）がある。奈良県生駒市で手がけた「まほうのだがしやチロル堂」がグッドデザイン賞二〇二二の大賞を受賞。

小野新太郎｜Shintaro Motoya

モトヤユナイテッド株式会社 代表取締役社長

一九七八年岡山県倉敷市生まれ。創業七五年を迎えるモトヤグループ十四社の代表。二〇〇二年倉敷地所（現在のモトヤユナイテッド）入社、二〇一四年より現職。不動産・自動車教習所・飲食・広告事業などの既存事業に加え、直近では東南アジアへの進出、スタートアップ投資、ドローン・自動運転ロボットに関わる人材育成など、様々な領域に事業を展開している。また、これまでに教習所・レストランなど複数件のM&Aを実行し、事業再生を成功させた。このような新たな取り組みによって、直近五年で事業規模を四倍に。老舗ベンチャー企業として「地域社会にインパクトを与える経営人材輩出企業」を目指す。

秋葉優一｜Yuichi Akiba

街づくり会社 株式会社KOMA 代表取締役

一九七七年岡山県倉敷市生まれ。大学卒業後三〇歳まで人材・IT業界でスタートアップなどを経験。二〇〇七年からは地元である倉敷に戻り地域の広告代理店であった株式会社クラビズを事業継承する。現在は「手の届く場所から、未来を変える」というパーパスのもと、WEBソリューション事業やデザイン・ブランディング支援、人材紹介事業、飲食事業などに事業領域を広げる一方で、地域の資源を活用した自社ブランド開発を行なっており、絹の肌着ブランドの「くらしきぬ」、ドライフラワー製造の「土と風の植物園」、バスグッズブランドの「tatoubi」などを運営している。また倉敷の素晴らしい歴史やアセットを未来に繋げるための街づくり会社として株式会社KOMAを立ち上げ、倉敷の発展と社会課題解決への寄与を目的とした取り組みを行なっている。

中村律子｜Ritsuko Nakamura

穴吹エンタープライズ株式会社執行役員
ホテル・旅館事業部 旅館事業部長
（兼）旅館くらしき 女将

高松市生まれ。広島大学教育学部日本語教育学科卒業後、穴吹興産株式会社入社。分譲マンション販売、企画、建材輸入、営業推進を担当。二〇〇五年同社が先代の畠山家よりM&Aにて「旅館くらしき」の事業継承を受け、その運営会社である穴吹エンタープライズ株式会社へ出向、女将に就任。二〇一七年同社へ転籍し現職に至る。美観地区の中心に位置する旅館を預かる者として、その価値と独自性を、町（広義は瀬戸内エリア）とともに世界へ発信するに使命感を持つ。二〇一二年よりILTM、PURE、FURTHER EAST等のB to B欧米富裕旅行商談会へ継続出展、直接PR活動を担う。

本文中の図版は下記提供
または提供元、出典元より引用し、
一部改変して作図

株式会社フジタ地質（カシミール3D使用）｜p.029
浜島書店『新詳日本史』（二〇〇三年）｜p.032
福本明『シリーズ「遺跡を学ぶ」034　吉備弥生大首長墓　楯築弥生墳丘墓』
新泉社（二〇〇七年）｜p.033
提供：山陽新聞社 画像制作：宇野佐知子 協力：近藤義郎 出典：福本明
『シリーズ「遺跡を学ぶ」034　吉備弥生大首長墓　楯築弥生墳丘墓』
新泉社（二〇〇七年）｜p.036
土井作治・定兼学『街道の日本史40 吉備と山陽道』吉川弘文館（二〇〇四年）｜p.037
高梁川流域連盟｜p.045
岡本直樹「倉敷市街鳥瞰絵図2005」（協力：中村光夫）｜p.058
@All the Way to Paris｜p.074
@courtesy of めぶくグラウンド｜p.086
米田肇｜p.133, 137
巽好幸『「美食地質学」入門－和食と日本列島の素敵な関係』光文社新書（二〇二二年）
提供：ジオリブ研究所｜p.153
スキーマ建築計画｜p.177下, 180, 188
日本デザインセンター 原デザイン研究所｜p.231, 233-234, 341-343
国立研究開発法人 水産研究・教育機構
堀正和「CO_2吸収源対策の新たな選択肢～ブルーカーボン～」より
（https://warp.da.ndl.go.jp/info:ndljp/pid/12984265/www.maff.go.jp/j/kanbo/kankyo/seisaku/climate/forum/attach/pdf/top-6.pdf）｜p.263
合同会社オフィスキャンプ｜p.281, 285, 290, 297-298

写真・CG提供

岡山大学考古学研究室｜p.034
有隣会｜p.047
倉敷紡績株式会社｜p.048左
倉敷中央病院｜p.048中央左, 053
若竹の園｜p.048中央右
大原あかね｜p.048右
公益財団法人大原美術館｜p.060
Shinya Kigure｜p.073, 080, 085, 192
@courtesy of MDC｜p.083
青井茂｜p.106, 107
Osamu Watanabe｜p.112右
Osamu Nakamura（提供：瀬戸内国際芸術祭実行委員会事務局）｜p.112左
Shintaro Miyawaki（提供：瀬戸内国際芸術祭実行委員会事務局）｜p.113
Takumi Ota｜p.167上・左下, 169上2点, 179
スキーマ建築計画｜p.167右下, 178右, 183, 189
Alessio Guarino｜p.168
Kenta Hasegawa｜p.169下, 173, 186-187
Masataka Nishi｜pp.170-171
Nacasa & Partners Inc.｜p.172上2点
Yurika Kono｜p.172下
Juyeon Lee｜p.174, 176, 177上2点
GION｜p.178左
新建築社写真部｜p.185
©guntû｜p.196右
Tetsuya Ito｜p.196左, 198
ツネイシホールディングス株式会社｜p.197
Ken'ichi Suzuki｜p.201
Ryuji Miyamoto｜p.204

©IWAN BAAN｜p.207
日本デザインセンター 原デザイン研究所｜p.232-235
Aleksandar Tomic / Alamy Stock Photo｜p.237
alexandra buxbaum / Alamy Stock Photo｜p.238
KIYOSHI NISHIOKA｜p.282, 283右, 288, 291, 293上右・上左・下2点
合同会社オフィスキャンプ｜p.283左, 286, 287, 292, 294, 296
BLUE BOTTLE COFFEE JAPAN｜p.293上中央
蔵宿 いろは｜p.332, 334-335, 337-338
株式会社 三楽｜p.366

瀬戸内デザイン会議事務局

松野 薫
日本デザインセンター 原デザイン研究所

鍋田宜史
日本デザインセンター プロデュース本部

熊谷竜治
日本デザインセンター 原デザイン研究所

地域開発の毒と薬

瀬戸内デザイン会議――3

2023 倉敷篇

二〇二四年四月二十二日　初版第一刷発行

編者　瀬戸内デザイン会議
発行者　佐藤央明
発行　株式会社日経BP
発売　株式会社日経BPマーケティング
〒一〇五―八三〇八
東京都港区虎ノ門四丁目三番一二号

ブックデザイン　原 研哉＋中村晋平
編集　関 拓弥
熊谷竜治
日経デザイン

印刷・製本　大日本印刷株式会社

ISBN 978-4-296-20444-1　Printed in Japan

地域開発の毒と薬

瀬戸内デザイン会議——3
INTER-LOCAL DESIGN CONFERENCE——3

2023 倉敷篇

瀬戸内デザイン会議メンバー

※倉敷篇開催時点(二〇二三年一月)

ファウンダー

石川康晴
Yasuharu Ishikawa
イシカワホールディングス株式会社 代表取締役社長
公益財団法人石川文化振興財団 理事長

神原勝成
Katsushige Kambara
一般財団法人 神原・ツネイシ文化財団 理事長

原 研哉
Kenya Hara
デザイナー/株式会社日本デザインセンター 代表

メンバー

青井 茂
Shigeru Aoi
株式会社アトム 代表取締役社長

青木 優
Yu Aoki
株式会社MATCHA 代表取締役社長

伊藤東凌
Toryo Ito
臨済宗建仁寺派両足院 副住職
株式会社InTrip 代表取締役僧侶

梅原 真
Makoto Umebara
デザイナー/梅原デザイン事務所 代表
武蔵野美術大学 客員教授

大原あかね
Akane Ohara
公益財団法人大原美術館 代表理事
株式会社三楽 取締役副会長

大本公康
Kimiyasu Omoto
株式会社Big Book Entertainment 代表取締役

加計 悟
Satoru Kake
倉敷芸術科学大学 副学長

神原秀明
Hideaki Kambara
株式会社せとうちクルーズ 取締役会長

黒川周子
Chikako Kurokawa
株式会社esa 代表取締役社長

桑村祐子
Yuko Kuwamura
高台寺和久傳 女将

小島レイリ
Reiri Kojima
芸術・文化コンサルタント

白井良邦
Yoshikuni Shirai
編集者/慶應義塾大学 SFC特別招聘教授
株式会社アプリコ・インターナショナル 代表取締役